POÉTIQUE DE LA PROSE

D1506544

DU MEME AUTEUR

AUX MEMES EDITIONS

Théorie de la littérature
textes des formalistes russes
(coll. Tel Quel)

Introduction à la littérature fantastique
(coll. Poétique et coll. Points)

Dictionnaire encyclopédique des sciences du langage
(avec O. Ducrot, coll. Points)

Poétique
(coll. Points)

Théories du symbole
(coll. Poétique)

Symbolisme et Interprétation
(coll. Poétique)

Les Genres du discours
(coll. Poétique)

Mikhail Bakhtine le principe dialogique
suivi de Ecrits du Cercle de Bakhtine
(coll. Poétique)

La Conquête de l'Amérique

Critique de la critique
(coll. Poétique)

CHEZ D'AUTRES EDITEURS

Littérature et Signification
(Larousse)

Grammaire du Décaméron
(Mouton)

Frêle bonheur
Essai sur Rousseau
(Hachette)

TZVETAN TODOROV

POÉTIQUE
DE LA PROSE

ÉDITIONS DU SEUIL
27, rue Jacob, Paris VIe

CE LIVRE
EST PUBLIÉ DANS LA COLLECTION
POÉTIQUE
DIRIGÉE PAR GÉRARD GENETTE
ET TZVETAN TODOROV

ISBN 2-02-002037-8

© *Éditions du Seuil, 1971.*

La loi du 11 mars 1957 interdit les copies ou reproductions destinées à une utilisation
collective. Toute représentation ou reproduction intégrale ou partielle faite par quelque
procédé que ce soit, sans le consentement de l'auteur ou de ses ayants cause est illicite
et constitue une contrefaçon sanctionnée par les articles 425 et suivants du Code pénal.

PN
3331
.Tb

7465

87-04468

Note d'introduction

Les textes ici réunis ont été écrits entre 1964 et 1969; certains paraissent pour la première fois. Ils n'ont pas été modifiés; j'ai seulement procédé à une remise à jour des références et parfois corrigé quelques détails de style. Une correction de fond aurait entraîné la disparition du livre, puisque chacune de ces études n'est à mes yeux qu'une nouvelle version de la ou des précédentes (plutôt que d'explorer des sujets nouveaux, on revient toujours, comme l'assassin sur les lieux du crime, sur les traces déjà laissées). Si elles sont reprises dans ce recueil, c'est en raison précisément de ce qu'elles ont d'incorrigible.

Selon l'adage pascalien, l'aboutissement d'une recherche conduit à en connaître le fondement. Ces textes constituent une série de tentatives (à moins qu'il y en ait deux) que je ne saurais remplacer par un exposé systématique, par une synthèse ordonnatrice. On ne le regrettera pas si l'on accepte dans toute recherche, donc en poétique, la loi que Schiller avait formulée pour certaine poésie : « Le but du poète épique est déjà dans chacun des points de son mouvement; c'est pourquoi nous ne nous pressons pas, impatients, vers un objectif, mais nous attardons amoureusement à chaque pas. »

1. L'héritage méthodologique du Formalisme

1.1. La méthode structurale, développée d'abord en linguistique, trouve des partisans de plus en plus nombreux dans toutes les sciences humaines, y compris l'étude de la littérature. Cette évolution paraît d'autant mieux justifiée que, parmi les relations 'de la langue avec les différentes formes d'expression, celles qui l'unissent à la littérature sont profondes et nombreuses. Ce n'est d'ailleurs pas la première fois que l'on opère ce rapprochement. L'origine du Cercle linguistique de Prague, l'une des premières écoles de linguistique structurale, n'est autre qu'un courant d'études littéraires qui se développa en Russie pendant les années 1915-1930, et qui est connu sous le nom de « Formalisme russe ». Le rapport de l'un à l'autre est incontestable ; il s'est établi aussi bien par l'intermédiaire de ceux qui ont participé aux deux groupes, simultanément ou successivement (R. Jakobson, B. Tomachevski, P. Bogatyrev), que par les publications des Formalistes, que le Cercle de Prague n'a pas ignorées. Il serait exagéré d'affirmer que le structuralisme linguistique a emprunté ses idées au Formalisme, car les champs d'étude et les objectifs des deux écoles ne sont pas les mêmes ; on retrouve néanmoins, chez les structuralistes, les traces d'une influence « formaliste » aussi bien dans les principes généraux que dans certaines techniques d'analyse. C'est pourquoi il est naturel et nécessaire de rappeler aujourd'hui, alors que naît un intérêt pour l'étude structurale de la littérature, les principaux acquis méthodologiques dus aux Formalistes, et de les comparer à ceux de la linguistique contemporaine [1].

1.2.1. Avant d'entamer cette confrontation, il importe de préciser

1. Voir, à la fin de l'étude, une liste des traductions récentes des textes formalistes, ainsi que des autres ouvrages cités.

quelques principes de base de la doctrine formaliste. On parle le plus souvent de « méthode formelle », mais l'expression est imprécise et on peut contester le choix aussi bien du substantif que de l'adjectif. La méthode, loin d'être unique, englobe un ensemble de procédés et de techniques qui servent à la description de l'œuvre littéraire, mais aussi à des investigations scientifiques fort différentes. Pour l'essentiel, on dira simplement qu'il faut considérer avant tout l'œuvre elle-même, le texte littéraire, comme un système immanent; ce n'est évidemment là qu'un point de départ et non l'exposé détaillé d'une méthode. Quant au terme « formel », il s'agit plus d'une étiquette devenue commode que d'une dénomination précise, et les Formalistes eux-mêmes l'évitent. La forme, pour eux, couvre tous les aspects, toutes les parties de l'œuvre, mais elle existe seulement comme rapport des éléments entre eux, des éléments à l'œuvre entière, de l'œuvre à la littérature nationale, etc., bref, c'est un ensemble de fonctions. L'étude proprement littéraire, que nous appelons aujourd'hui structurale, se caractérise par le point de vue que choisit l'observateur et non par son objet qui, d'un autre point de vue, pourrait se prêter à une analyse psychologique, psychanalytique, linguistique, etc. La formule de Jakobson : « l'objet de la science littéraire n'est pas la littérature mais la littérarité *(literaturnost')*, c'est-à-dire ce qui fait d'une œuvre donnée une œuvre littéraire [1] », doit être interprétée au niveau de l'investigation et non de l'objet.

1.2.2. Toute étude, dès lors qu'elle se veut scientifique, se heurte aux problèmes de terminologie. Cependant la plupart des chercheurs refusent aux études littéraires le droit à une terminologie bien définie et précise, sous prétexte que le découpage des phénomènes littéraires change selon les époques et les pays. Le fait que forme et fonction, ces deux faces du signe, peuvent varier indépendamment l'une de l'autre, empêche toute classification absolue. Toute classification statique doit maintenir l'une de ces faces identique, quelles que soient les variations de l'autre. Il s'ensuit que : *a)* chaque terme doit être défini par rapport aux autres et non par rapport aux phénomènes (œuvres littéraires) qu'il désigne; *b)* tout système de termes vaut pour une coupe synchronique donnée, dont les limites, postulées, sont

---

1. Cité d'après le recueil *Théorie de la littérature, textes des Formalistes russes,* Paris, Seuil, 1965, p. 37. Toutes les références à ce recueil seront dorénavant données par l'abréviation *TL,* suivie du numéro de page.

arbitraires. J. Tynianov pose le problème dans sa préface au recueil *la Prose russe* (1926) et l'illustre par la classification des genres dans ses articles « Le fait littéraire » et « De l'évolution littéraire » (ce dernier traduit dans *TL*, p. 120-137). Selon ses propres termes, « l'étude des genres isolés est impossible hors du système dans lequel et avec lequel ils sont en corrélation » (*TL*, p. 128). Les définitions statiques des genres, que nous employons couramment, tiennent compte du seul signifiant. Un roman contemporain, par exemple, devrait être rapproché, du point de vue de sa fonction, de l'ancienne poésie épique ; mais nous l'associons avec le roman grec en raison de leur commune forme prosaïque. « Ce qui fut le trait distinctif du "poème" au xviiie siècle cessa de l'être au xixe. De même, la fonction de la littérature étant corrélative des autres séries culturelles de la même époque, le même phénomène peut être fait littéraire ou extra-littéraire » (*Russkaja proza*, p. 10).

1.2.3. Le but de la recherche est la description du fonctionnement du système littéraire, l'analyse de ses éléments constitutifs et la mise à jour de ses lois, ou, dans un sens plus étroit, la description scientifique d'un texte littéraire et, à partir de là, l'établissement de rapports entre ses éléments. La principale difficulté vient du caractère hété-rogène et stratifié de l'œuvre littéraire. Pour décrire exhaustivement un poème, nous devons nous placer successivement à différents niveaux — phonique, phonologique, métrique, intonationnel, morphologique, syntaxique, lexical, symbolique... — et tenir compte de leurs relations d'interdépendance. D'autre part, le code littéraire, à l'inverse du code linguistique, n'a pas de caractère strictement contraignant et nous sommes obligés de le déduire de chaque texte particulier, ou tout au moins d'en corriger chaque fois la formulation antérieure. Il est donc nécessaire d'opérer un certain nombre de transformations pour obtenir le modèle qui seul se prêtera à une analyse structurale. Cependant, à l'opposé de l'étude mythologique, par exemple, notre attention doit se porter sur le caractère de ces opérations autant, sinon plus, que sur leur résultat, puisque nos règles de décodage sont analogues aux règles d'encodage dont l'auteur s'est servi. S'il n'en était pas ainsi, nous risquerions de réduire au même modèle des œuvres entièrement différentes et de leur faire perdre tout caractère spécifique.

1.3.1. L'examen critique des méthodes employées exige une explici-tation de quelques propositions fondamentales, sous-entendues dans les travaux formalistes. Celles-ci sont admises *a priori* et leur discussion n'est pas du domaine des études littéraires.

1.3.2. La littérature est un système de signes, un code, analogue aux autres systèmes significatifs, tels la langue naturelle, les arts, la mythologie, les représentations oniriques, etc. D'autre part, et par là elle se distingue des autres arts, elle se construit à l'aide d'une structure, à savoir la langue; elle est donc un système significatif au second degré, autrement dit un système connotatif. En même temps la langue, qui sert de matière à la formation des unités du système littéraire, et qui appartient donc, selon la terminologie hjelmslevienne, au plan de l'expression, ne perd pas sa signification propre, son contenu. Il faut en outre tenir compte des différentes fonctions possibles d'un message et ne pas réduire son sens à ses fonctions référentielle et émotive. La notion de fonction poétique, ou esthétique, qui porte sur le message lui-même, introduite par Jakubinski, développée par Jakobson (1921, 1923) et Mukařovsky, et intégrée dans le système notionnel de la linguistique par Jakobson (1963), intervient aussi bien dans le système de la littérature que dans celui de la langue, et crée un équilibre complexe des fonctions. Notons que les deux systèmes, souvent analogues, ne sont pas pour autant identiques; de plus, la littérature utilise des codes sociaux dont l'analyse ne relève pas d'une étude littéraire.

1.3.3. Tout élément présent dans l'œuvre porte une signification qui peut être interprétée suivant le code littéraire. Pour Chklovski « l'œuvre est entièrement construite. Toute sa matière est organisée » (1926, p. 99). L'organisation est intérieure au système littéraire et ne se rapporte pas au référent. Ainsi, Eikhenbaum écrit : «Pas une seule phrase de l'œuvre littéraire *ne peut* être, en soi, une "expression" directe des sentiments personnels de l'auteur, mais elle est toujours construction et jeu... » (*TL*, p. 228). Aussi faut-il également tenir compte des différentes fonctions du message, car l' « organisation » peut se manifester sur plusieurs plans différents. Cette remarque permet de distinguer nettement littérature et folklore; le folklore admet une beaucoup plus grande indépendance des éléments.

Le caractère systématique des rapports entre les éléments découle de l'essence même du langage. Ces relations constituent l'objet de l'investigation littéraire proprement dite. Tynianov (1929) a formulé ainsi ces idées, fondamentales en linguistique structurale : «L'œuvre représente un système de facteurs corrélatifs. La corrélation de chaque facteur avec les autres est sa fonction par rapport au système » (*TL*, p. 49). « Le système n'est pas une coopération fondée sur l'égalité de tous les éléments, il suppose la mise en avant d'un groupe d'éléments (" dominante ") et la déformation des autres » (*TL*, p. 130). Une observation d'Eikhenbaum en fournit un exemple : quand les descriptions sont remplacées par les interventions de l'auteur, « c'est principalement le dialogue qui rend manifestes l'argument et le style » (1927, p. 192). Isoler un élément au cours de l'analyse n'est donc qu'un procédé de travail : sa signification se trouve dans ses rapports avec les autres.

1.3.4. L'inégalité des éléments constitutifs impose une autre règle : un élément ne se lie pas directement avec n'importe quel autre, le rapport s'établit en fonction d'une hiérarchie de plans (ou strates) et de niveaux (ou rangs), selon l'axe des substitutions et l'axe des enchaînements. Comme l'a noté Tynianov (1929), « l'élément entre simultanément en relation : avec la série des éléments semblables appartenant à d'autres œuvres-systèmes, voire à d'autres séries, et, d'autre part, avec les autres éléments du même système (fonction autonome et fonction synnome) » (*TL*, p. 123). Les différents *niveaux* sont définis par les dimensions de leurs parties. Le problème de la plus petite unité significative sera discuté plus loin; quant à la plus grande, c'est, dans le cadre des études littéraires, toute la littérature. Le nombre de ces niveaux est théoriquement illimité, mais en pratique, on en considère trois : celui des éléments constitutifs, celui de l'œuvre, celui d'une littérature nationale. Cela n'empêche pas, dans certains cas, de mettre au premier plan un niveau intermédiaire, par exemple un cycle de poèmes, ou bien les ouvrages d'un genre ou d'une période donnée. La distinction de différents *plans* demande plus de rigueur logique et c'est là notre première tâche. Le travail des Formalistes a porté essentiellement sur l'analyse de poèmes où ils ont distingué les plans phonique et phonologique, métrique, intonationnel et prosodique, morphologique et syntaxique, etc. Pour leur classification, la distinction hjelmslevienne entre forme et substance peut être très utile. Chklovski a montré à propos de textes en prose que cette distinction est valable également sur le plan du récit, où les procédés de composition peuvent être séparés du contenu événementiel. Il est évident que l'ordre de succession des niveaux et des plans dans le texte ne doit pas obligatoirement coïncider avec celui de l'analyse; c'est pourquoi celle-ci attaque souvent l'œuvre dans son entier : c'est là que les rapports structuraux se manifestent le plus nettement.

2.1.1. Examinons d'abord quelques méthodes, déjà suggérées par les travaux des Formalistes, mais depuis lors largement perfectionnées par les linguistes. Par exemple l'analyse en traits distinctifs : elle apparaît assez nettement en phonétique dans les tout premiers écrits des Formalistes, ceux de Jakubinski et Brik. Plus tard, quelques Formalistes participent aux efforts des structuralistes de Prague en vue de définir la notion de phonème, de trait distinctif, de trait redondant, etc. (voir, entre autres, les études de Bernstein). L'importance de ces notions pour l'analyse littéraire a été indiquée par Brik, à propos de la description d'un poème, où la distribution des phonèmes et des traits distinctifs servirait à former ou à renforcer sa structure. Brik définit le couple de répétition le plus simple comme « celui dans lequel on ne distingue pas le caractère palatalisé ou non palatalisé des consonnes, mais où les sourdes et les sonores sont représentées comme des sons différents » (p. 60).

2.1.2. La validité de ce type d'analyse est confirmée aussi bien par son succès dans la phonologie actuelle que par son fondement théorique, qui réside dans les principes précédemment mentionnés : la définition relationnelle est la seule valable, car les notions ne se définissent pas par rapport à une matière qui leur est étrangère. Comme l'a remarqué Tynianov, « la fonction de chaque œuvre est dans sa corrélation avec les autres... Elle est un signe différentiel » (*Russkaja proza*, p. 9). Mais l'application de cette méthode peut être élargie sensiblement, si l'on se fonde sur l'hypothèse de l'analogie profonde entre les faces du signe. C'est ainsi que le même Tynianov (1924) essaye d'analyser la signification d'un « mot », de la même façon qu'on en analyse la face signifiante (« la notion de trait fondamental en sémantique est analogue à la notion de phonème en phonétique », p. 134), en le décomposant en éléments constitutifs : « On ne doit pas partir du mot comme d'un élément indivisible de l'art littéraire, le traiter comme la brique avec laquelle on construit le bâtiment. Il est fissible en des "éléments verbaux" beaucoup plus fins » (p. 35). Cette analogie ne fut pas, à l'époque, développée et nuancée, en raison de la définition psychologique du phonème alors prédominante. Mais aujourd'hui ce principe est de plus en plus appliqué dans les études de sémantique structurale.

2.1.3. Enfin, on peut essayer d'appliquer cette méthode à l'analyse des unités significatives du système littéraire, c'est-à-dire au contenu du système connotatif. Le premier pas dans cette voie consisterait à étudier les personnages d'un récit et leurs rapports. Les nombreuses indications des auteurs, ou même un regard superficiel sur n'importe quel récit, montrent que tel personnage s'oppose à tel autre. Cependant une opposition immédiate des personnages simplifierait ces rapports sans rapprocher notre but. Il vaudrait mieux décomposer chaque image en traits distinctifs et mettre ceux-ci en rapport d'opposition ou d'identité avec les traits distinctifs des autres personnages du même récit. On obtiendrait ainsi un nombre réduit d'axes d'opposition dont les diverses combinaisons regrouperaient ces traits en faisceaux représentatifs des personnages. La même démarche définirait le champ sémantique caractéristique de l'ouvrage en question. Au début, la dénomination de ces axes dépendrait essentiellement de l'intuition personnelle de l'investigateur, mais la confrontation de plusieurs analyses analogues permettrait d'établir des tableaux à peu près « objectifs », pour un auteur ou même pour une période donnée d'une littérature nationale.

2.2. Ce même principe engendre un autre procédé, d'une très large application en linguistique descriptive : la définition d'un élément par les possibilités de sa distribution. Tomachevski (1929) utilisa ce procédé pour caractériser les différents types de schéma métrique, et il y voit une définition par substitution : « il faut appeler ïambe à quatre mesures toute combinaison qui peut remplacer dans un poème n'importe quel vers ïambique à quatre mesures » (*TL*, p. 164). Le même procédé est utilisé par Propp dans une analyse sémantique de l'énoncé.

2.3. La méthode d'analyse en constituants immédiats se retrouve également en linguistique descriptive. Elle est appliquée souvent par les Formalistes. Tomachevski (1925) la discute à propos de la notion de « thème ». « L'œuvre entière peut avoir son thème et en même temps chaque partie de l'œuvre possède son thème... A l'aide de cette décomposition de l'œuvre en unités thématiques, nous arrivons enfin jusqu'aux parties *indécomposables*, jusqu'aux plus petites particules du matériel thématique... Le thème de cette partie

15

indécomposable de l'œuvre s'appelle un *motif*. Au fond, chaque proposition possède son propre motif » (*TL*, p. 268). Si l'utilité d'un tel principe semble évidente, son application concrète pose des problèmes. D'abord, il faut s'abstenir d'identifier motif et proposition, car les deux catégories relèvent de séries notionnelles différentes. La sémantique contemporaine élude la difficulté en introduisant deux notions distinctes : lexème (ou morphème) et sémème. Comme l'a noté justement Propp, une phrase peut contenir plus d'un motif (son exemple en contient quatre); il est tout aussi facile de trouver des exemples du cas inverse. Propp lui-même manifeste une attitude plus prudente et plus nuancée. Chaque motif comporte plusieurs fonctions. Celles-ci existent au niveau constitutif et leur signification n'est pas immédiate dans l'œuvre; leur sens tient plutôt à la possibilité d'être intégrées au niveau supérieur. « Par fonction nous entendons l'action d'un personnage, définie du point de vue de sa signification pour le déroulement de l'intrigue » (tr. fr., p. 31). L'exigence de signification fonctionnelle est importante ici aussi, car les mêmes actes ont très souvent un rôle différent dans les différents récits. Pour Propp ces fonctions sont constantes, en nombre limité (trente et une pour les contes de fées russes) et elles peuvent être définies *a priori*. Sans discuter ici leur validité pour son analyse du matériel folklorique, nous pouvons dire qu'une définition *a priori* ne paraît pas utile à l'analyse littéraire. Il semble que pour celle-ci comme pour la linguistique, le succès de cette décomposition dépende de l'ordre admis dans la procédure. Mais sa formalisation pose à l'analyse littéraire des problèmes encore plus complexes, parce que la correspondance entre signifiant et signifié est plus difficile à suivre qu'en linguistique. Les dimensions verbales d'un « motif » ne définissent pas le niveau auquel il est lié aux autres motifs. C'est ainsi qu'un chapitre peut être constitué aussi bien par plusieurs pages que par une seule phrase. Par conséquent, la délimitation de niveaux sémantiques où apparaissent les significations des motifs constitue la prémisse indispensable à cette analyse. Il est clair d'autre part que cette unité minimale peut s'analyser en ses constituants [1], mais ceux-ci

---

1. C'est ce que propose par exemple Ch. Hockett : « Un roman entier, il faut l'admettre, possède une sorte de structure déterminée de constituants immédiats; ces constituants immédiats consistent, à leur tour, en constituants plus petits et ainsi de suite, jusqu'à ce que nous arrivions aux morphèmes individuels » (p. 557).

n'appartiennent plus au code connotatif : la double articulation est manifeste, ici comme en linguistique.

2.4.1. La diversité du matériel peut être considérablement réduite grâce à des opérations de transformation. Propp introduit cette notion de transformation en procédant à la comparaison des classes paradigmatiques. Une fois les contes décomposés en parties et fonctions, il devient clair que les parties qui jouent un même rôle syntaxique peuvent être considérées comme dérivant d'un même prototype, moyennant une règle de transformation appliquée à la forme primaire. Cette comparaison paradigmatique (ou par « rubriques verticales ») montre que leur fonction commune permet de rapprocher des formes apparemment très différentes. « On prend souvent des formations secondaires pour des objets nouveaux; ces sujets descendent pourtant des anciens et sont le résultat d'une certaine transformation, d'une certaine métamorphose... En groupant les données de chaque rubrique, nous pouvons déterminer tous les types, ou plus exactement toutes les espèces de la transformation... Ce ne sont pas seulement les éléments attributifs qui sont soumis aux lois de la transformation; ce sont aussi les fonctions... » (p. 108). Ainsi Propp suppose qu'on peut remonter au conte primaire, duquel les autres sont issus.

Deux remarques préliminaires s'imposent. En appliquant à la littérature les techniques de Propp, il faut tenir compte des différences entre création folklorique et création individuelle (*cf.* à ce sujet l'article de P. Bogatyrev et R. Jakobson). La spécificité du matériel littéraire exige que l'attention se porte sur les règles de transformation et sur l'ordre de leur application, plutôt que sur le résultat obtenu. D'autre part, en analyse littéraire, la recherche d'un schéma génétique primaire ne se justifie pas. La forme la plus simple, tant sur l'axe des enchaînements que sur celui des substitutions, fournit à la comparaison la mesure qui permet de décrire le caractère de la transformation.

2.4.2. Propp a explicité cette idée et a proposé une classification des transformations, dans un article intitulé « Les transformations des contes merveilleux ». Les transformations sont divisées en trois grands groupes : changements, substitutions et assimilations, celles-ci étant définies comme « un remplacement incomplet d'une forme par une autre, de telle sorte qu'il se produit un fusionnement des deux formes en une seule » (p. 193). Pour grouper ces transformations à l'intérieur de chacun des grands types, Propp procède de deux manières différentes.

Dans le premier groupe il suit certaines figures rhétoriques et énumère les changements suivants :

1) Réduction,
2) Amplification,
3) Corruption,
4) Renversement (remplacement par l'inverse),
5) Intensification,
6) Affaiblissement.

Les deux derniers modes de changement concernent surtout les actions. Dans les deux autres, l'origine de l'élément nouveau fournit le critère de classement. Ainsi les assimilations peuvent être :

15) Internes (au conte),
16) Dérivant de la vie (conte + réalité),
17) Confessionnelles (elles suivent les modifications de la religion),
18) Le fait de superstitions,
19) Littéraires,
20) Archaïques.

Le nombre total des transformations est limité par Propp à vingt. Elles sont applicables à tout niveau du récit. « Ce qui concerne les éléments particuliers du conte concerne les contes en général. Si l'on ajoute un élément superflu, nous avons une amplification, dans le cas inverse une réduction », etc. (p. 195).

Ainsi, le problème de la transformation, crucial aussi bien pour la linguistique contemporaine que pour les autres branches de l'anthropologie sociale, se pose également dans l'analyse littéraire ; l'analogie reste bien sûr incomplète. La tentative de Propp n'ayant pas été suivie d'autres essais du même genre, une discussion sur les règles de transformation, leur définition, leur nombre, leur utilité n'est pas possible ; il semble, néanmoins, qu'un groupement en figures rhétoriques, dont la définition serait à reprendre d'un point de vue logique, donnerait les meilleurs résultats.

3.1.1. Le problème de la classification typologique des œuvres littéraires suscite à son tour des difficultés, qu'on retrouve d'ailleurs en linguistique. Une analyse élémentaire de plusieurs œuvres littéraires révèle immédiatement un grand nombre de ressemblances et de traits communs. C'est une constatation analogue qui a donné naissance à l'étude scientifique des langues; c'est elle aussi qui est à l'origine de l'étude formelle de la littérature, comme en témoignent les travaux de A. N. Veselovski, l'éminent prédécesseur des Formalistes. De même en Allemagne, la typologie de Wölflin en histoire de l'art a donné l'idée d'une typologie des formes littéraires (cf. par exemple les travaux de O. Walzel, F. Strich, Th. Spoerri). Mais la valeur et la portée de la découverte n'ont pas été aperçues. Les Formalistes abordent ce problème à partir de deux principes différents, qu'il n'est guère facile de coordonner. D'une part, ils retrouvent les mêmes éléments, les mêmes procédés tout au long de l'histoire littéraire universelle, et ils voient dans cette récurrence une confirmation de leur thèse, selon laquelle la littérature est une « pure forme », n'a aucun (ou presque aucun) rapport avec la réalité extra-littéraire, et peut donc être considérée comme une « série » qui puise ses formes en elle-même. D'autre part, les Formalistes savent que la signification de chaque forme est fonctionnelle, qu'une même forme peut avoir des fonctions diverses, qui seules importent pour la compréhension des œuvres, et que par conséquent discerner la ressemblance entre les formes, loin de faire progresser la connaissance de l'œuvre littéraire, serait même déroutant. La coexistence de ces deux principes chez les Formalistes tient d'une part à l'absence d'une terminologie unique et précise, d'autre part au fait qu'ils ne sont pas utilisés simultanément par les mêmes auteurs : le premier principe est développé et défendu surtout par Chklovski, tandis que le deuxième est fondé dans les travaux de Tynianov et de Vinogradov. Ceux-ci s'attachent beaucoup plus à découvrir la motivation, la justification interne de tel élément dans une œuvre, qu'à remarquer sa récurrence ailleurs. Ainsi, Tynianov écrit : « Je refuse catégoriquement la méthode de comparaison par citations, qui nous fait croire à une *tradition* passant d'un écrivain à un autre. Selon cette méthode les termes constitutifs sont abstraits de leurs fonctions, et finalement on confronte des unités incommensurables. La coïncidence, les convergences existent sans doute en littérature, mais elles concernent les fonctions des éléments, les rapports fonctionnels d'un élément donné » (*Russkaja proza*, p. 10-11). Il est évident, en effet, que les ressemblances structurales doivent être

19

cherchées au niveau des fonctions; cependant, en littérature, le lien entre forme et fonction n'est pas fortuit, ni arbitraire, puisque la forme est également significative — dans un autre système, celui de la langue. Par conséquent l'étude des formes permet de connaître les rapports fonctionnels.

3.1.2. En même temps, l'étude des œuvres isolées, considérées comme autant de systèmes fermés, n'est pas suffisante. Les changements que le code littéraire subit d'une œuvre à l'autre ne signifient pas que tout texte littéraire ait son code propre. Il faut se garder des deux positions extrêmes : croire qu'il existe un code commun à toute littérature, affirmer que chaque œuvre engendre un code différent. La description exhaustive d'un phénomène, sans recours au système général qui l'intègre, est impossible. La linguistique contemporaine s'en rend bien compte : « Il est aussi contradictoire de décrire des systèmes isolés sans en faire la taxinomie que de bâtir une taxinomie en l'absence de descriptions de systèmes particuliers : les deux tâches s'impliquent mutuellement » (Jakobson, 1963, p. 70). Seule l'inclusion du système des rapports internes qui caractérisent une œuvre dans le système plus général du genre ou de l'époque, dans le cadre d'une littérature nationale, permet d'établir les différents niveaux d'abstraction de ce code (les différents niveaux de « forme » et « substance » selon la terminologie hjelmslevienne). Souvent son déchiffrement dépend directement de facteurs externes : ainsi, les nouvelles « sans conclusion » de Maupassant ne prennent leur sens que dans le cadre de la littérature de l'époque, remarque Chklovski. Une telle confrontation permet également de mieux décrire le fonctionnement du code dans ses différentes manifestations. Il n'empêche que la description précise d'une œuvre particulière est une prémisse nécessaire. Comme l'a noté Vinogradov : « Connaître le style individuel de l'écrivain indépendamment de toute tradition, de toute autre œuvre contemporaine et dans sa totalité en tant que système linguistique, connaître l'organisation esthétique, cette tâche doit précéder toute recherche historique » (TL, p. 109).

3.1.3. L'expérience des classifications tentées en linguistique et en histoire littéraire conduit à poser quelques principes de base. D'abord, la classification doit être typologique et non génétique, les ressemblances structurales ne sont pas à chercher dans l' « influence » directe d'une œuvre sur une autre. Ce principe, notons-le, a été discuté par

Vinogradov dans son article « Sur les cycles littéraires » (1929). Il faut ensuite tenir compte du caractère stratifié de l'œuvre littéraire. Le défaut principal des typologies proposées en histoire littéraire sous l'influence de l'histoire de l'art est que, construites à partir d'un seul et même plan, elles sont néanmoins appliquées à des œuvres et même des périodes entières[1]. Au contraire, la typologie linguistique confronte les systèmes phonologique, morphologique ou syntaxique sans que les différents découpages coïncident nécessairement. La classification doit donc suivre la stratification du système en plans et non en niveaux (œuvres). Enfin, la structure peut être manifeste aussi bien dans les rapports entre les personnages que dans les différents styles de récit, ou dans le rythme... C'est ainsi que dans le *Manteau* de Gogol, l'opposition est réalisée par le jeu de deux points de vue différents, adoptés successivement par l'auteur, qui se reflètent dans des différences lexicales, syntaxiques, etc. (Eikhenbaum, in *TL*, p. 212-233). L'état contemporain des études linguistiques sur la classification apporte un grand nombre de suggestions sur cette procédure de comparaison et de généralisation.

3.2.1. Considérons maintenant la typologie des formes narratives simples, telle qu'elle a été esquissée par Chklovski et, en partie, par Eikhenbaum. Celles-ci sont représentées surtout dans la nouvelle; le roman ne s'en distingue que par sa plus grande complexité. Cependant les dimensions du roman (son aspect syntagmatique) sont en rapport avec les procédés qu'il utilise (son aspect paradigmatique). Eikhenbaum remarque que le dénouement du roman et celui de la nouvelle suivent des lois différentes. « La fin du roman est un moment d'affaiblissement, et non pas de renforcement; le point culminant de l'action principale doit être quelque part avant la fin... C'est pourquoi il est naturel qu'une fin inattendue soit un phénomène très rare dans le roman... tandis que la nouvelle tend précisément vers l'inattendu du final où culmine ce qui le précède. Dans le roman une certaine pente doit succéder au point culminant, tandis que, dans la nouvelle il est plus naturel de s'arrêter au sommet que l'on a atteint » (*TL*, p. 203). Ces considérations ne concernent évidemment que le « sujet »,

---

1. Les exceptions apparentes, comme celle de Petersen, qui propose dix oppositions binaires sur sept strates superposées, perdent leur valeur à cause du caractère intuitif de ces oppositions — par exemple objectif-subjectif, clair-flou, plastique-musical, etc.

la suite événementielle telle qu'elle est présentée dans l'œuvre. Chklovski suppose que tout sujet répond à certaines conditions générales, hors desquelles un récit n'a pas de sujet proprement dit. « Il ne suffit pas d'une simple image, d'un simple parallèle, ni même de la simple description d'un événement pour que nous ayons l'impression de nous trouver devant un conte » (*TL*, p. 170). « Si l'on ne présente pas de dénouement nous n'avons pas l'impression de nous trouver en face d'un sujet » (*TL*, p. 174). Pour construire un sujet il faut que la fin présente les mêmes termes que le début, bien que dans un rapport modifié. Toutes ces analyses, qui visent à dégager le rapport structural, portent uniquement, ne l'oublions pas, sur le modèle construit et non sur le récit tel quel.

3.2.2. Les observations de Chklovski sur les différentes manières de construire le sujet d'une nouvelle conduisent à distinguer deux formes qui, en fait, coexistent dans la plupart des récits : la construction en paliers et la construction en boucle, ou en cercle. La construction en paliers est une forme ouverte ($A_1 + A_2 + A_3 + ... A_n$), où les termes énumérés présentent toujours un trait commun; ainsi, les démarches analogues de trois frères dans les contes, ou bien la succession d'aventures d'un même personnage. La construction en boucle est une forme fermée $(A_1R_1A_2) ... (A_1R_2A_2)$[1] qui repose sur une opposition. Par exemple, le récit débute par une prédiction, qui à la fin se réalise malgré les efforts des personnages. Ou encore, le père aspire à l'amour de sa fille, mais ne s'en rend compte qu'au terme du récit. Ces deux formes s'emboîtent l'une dans l'autre selon plusieurs combinaisons; généralement, la nouvelle entière présente une forme fermée, d'où le sentiment d'achèvement qu'elle suscite chez les lecteurs. La forme ouverte se réalise selon deux types principaux, dont l'un se trouve dans les nouvelles et romans à mystères (Dickens), dans les romans policiers. L'autre consiste dans le développement d'un parallélisme comme, par exemple, chez Tolstoï. Le récit à mystères et le récit à développements parallèles sont, en un sens, opposés, bien qu'ils puissent coexister dans le même récit : le premier démasque les ressemblances illusoires, montre la différence entre deux phénomènes apparemment semblables. Le deuxième, au contraire, découvre la ressemblance entre deux phénomènes différents et à première vue

1. Les A_1, A_2... désignent les unités paradigmatiques, les R_1, R_2... les relations entre celles-ci.

indépendants. Cette schématisation appauvrit sans doute les fines observations de Chklovski, qui n'a jamais eu le souci ni de les systématiser, ni d'éviter les contradictions. Le matériel qu'il rassemble pour étayer ses thèses est considérable, emprunté aussi bien à la littérature classique qu'à la littérature moderne; cependant le niveau d'abstraction est tel qu'il est difficile d'être convaincu. Un tel travail devrait être entrepris, du moins au début, dans les limites d'une seule littérature nationale et d'une période donnée. Ici encore le champ d'investigation reste vierge.

4.1.1. Un problème qui a toujours préoccupé les théoriciens de la littérature est celui des rapports entre la réalité littéraire et la réalité à laquelle se réfère la littérature. Les Formalistes ont fait un effort considérable pour les élucider. Ce problème, qui se pose dans tous les domaines de la connaissance, est fondamental pour l'étude sémiologique, parce qu'il met au premier plan les questions de sens. Rappelons sa formulation en linguistique, où il s'agit de l'objet même de la sémantique. D'après la définition de Peirce, le sens d'un symbole est sa traduction en d'autres symboles. Cette traduction peut s'opérer à trois étages différents. Elle peut rester intralinguistique, lorsque le sens d'un terme est formulé à l'aide d'autres termes de la même langue; dans ce cas il faut étudier l'axe des substitutions d'une langue (*cf.* à ce sujet les réflexions de Jakobson, 1963, p. 41-42, 78-79). Elle peut être interlinguistique; Hjelmslev en donne des exemples quand il compare les termes désignant les systèmes de parenté ou de couleurs dans les différentes langues. Enfin, elle peut être intersémiotique, lorsque le découpage linguistique est comparé au découpage effectué par l'un des autres systèmes de signes (au sens large du terme). « La description sémantique doit donc consister avant tout à rapprocher la langue des autres institutions sociales, et assurer le contact entre la linguistique et les autres branches de l'anthropologie sociale » (Hjelmslev, p. 109). Aucun de ces trois niveaux ne fait intervenir les « choses » désignées. Pour prendre un exemple, la signification linguistique du mot « jaune » n'est pas établie par référence aux objets jaunes, mais par opposition aux mots « rouge », « vert », « blanc », etc., dans le système linguistique français; ou bien par référence aux mots « yellow », « gelb », « zholtyj », etc., ou encore par référence à l'échelle des longueurs d'ondes de la lumière, établie par la physique et qui représente, elle aussi, un système de signes conventionnels.

4.1.2. La syntaxe, d'après la définition des logiciens, devrait s'occuper des rapports entre les signes. En fait elle a limité son domaine à l'axe syntagmatique (axe des enchaînements) du langage. La sémantique étudie, la plupart du temps, les rapports entre la langue et les systèmes de signes non linguistiques. L'étude de la paradigmatique, ou de l'axe des substitutions, a été négligée. D'autre part, l'existence de signes dont la principale fonction est syntaxique, vient obscurcir le problème. Dans la langue naturelle ceux-ci servent uniquement à établir des relations entre d'autres signes, par exemple, certaines prépositions, les pronoms possessifs, relatifs, la copule [1]. Évidemment il en existe aussi en littérature; ils assurent l'accord, le lien entre les différents épisodes ou fragments. Cette distinction d'ordre logique ne doit pas être confondue avec la distinction linguistique entre signification grammaticale et signification lexicale, entre forme et substance du contenu, bien que les deux coïncident souvent. Dans la langue, par exemple, la flexion de nombre relève souvent de la « signification grammaticale », mais sa fonction est sémantique. Ainsi en littérature les signes à fonction syntaxique ne relèvent pas nécessairement des règles de composition, qui correspondent à la grammaire (à la forme du contenu) d'une langue naturelle. L'exposition d'un récit ne se trouve pas nécessairement au début, ni le dénouement à la fin.

4.2.1. Les recoupements entre rapports et fonctions sont assez complexes. Les Formalistes les ont observés surtout dans les transitions, où leur rôle apparaît plus clairement. Pour eux, l'un des facteurs principaux de l'évolution littéraire réside en ce que certains procédés ou certaines situations en viennent à apparaître automatiquement et perdent alors leur rôle « sémantique » pour ne plus jouer qu'un rôle de liaison. Dans une substitution, — phénomène fréquent dans le folklore — le nouveau signe peut jouer le même rôle syntaxique, sans plus avoir le moindre rapport avec la « vraisemblance » du récit; ainsi s'explique la présence, dans les chansons populaires par exemple, de certains éléments dont le « sens » reste totalement étranger au reste. Inversement, les éléments à fonction dominante sémantique peuvent être modifiés sans que changent les signes syntaxiques du récit. Skaftymov qui s'est préoccupé de ce problème dans son étude sur les bylines (les chansons épiques russes), donne des exemples

---

1. Distinction formulée par E. Benveniste dans son cours au Collège de France, 1963-1964.

convaincants : « Même là où, en raison des changements survenus dans les autres parties de la chanson épique, le travestissement n'est d'aucune nécessité et contredit même la situation créée, il est conservé en dépit de tous les inconvénients et absurdités qu'il engendre » (p. 77).

4.2.2. Le problème qui a surtout retenu l'attention des Formalistes, concerne le rapport entre les contraintes qu'imposent au récit ses nécessités internes (paradigmatiques) et celles qui découlent de son accord exigé avec ce que les autres systèmes de signes nous apprennent sur le même sujet. La présence de tel ou tel élément dans l'œuvre se justifie par ce qu'ils appellent sa « motivation ». Tomachevski distingue trois types de motivation : compositionnelle, qui correspond aux signes essentiellement syntaxiques ; réaliste, qui relève des rapports avec les autres langages ; esthétique enfin, qui rend manifeste l'appartenance de tous les éléments au même système paradigmatique. Les deux premières motivations sont généralement incompatibles tandis que la troisième concerne tous les signes de l'œuvre. Le rapport entre les deux dernières est d'autant plus intéressant que leurs exigences ne sont pas au même niveau et ne se contredisent pas. Skaftymov propose de caractériser ce phénomène de la manière suivante : « Même dans le cas d'une orientation directe vers la réalité, le domaine de réalité envisagé, serait-il limité à un fait, possède un cadre et un foyer dont il reçoit son organisation... La réalité effective est donnée dans ses grandes lignes, l'événement s'inscrit uniquement dans la trame du canevas principal et seulement dans la mesure où il est nécessaire à la reproduction de la situation psychologique fondamentale. Bien que la réalité effective soit retransmise avec une grossière approximation, c'est elle qui représente l'objet immédiat et direct de l'intérêt esthétique, c'est-à-dire de l'expression, de la reproduction et de l'interprétation ; et la conscience du chanteur lui est subordonnée. Les substitutions concrètes dans le corps du récit ne lui sont pas indifférentes, car elles sont régies non seulement par l'expressivité émotionnelle générale, mais aussi par les exigences de l'objet de la chanson, c'est-à-dire par des critères de reproduction et de ressemblance » (p. 101). Tomachevski voit les rapports entre les deux motivations dans une perspective quasi statistique. « Nous exigeons de chaque œuvre une *illusion* élémentaire... Dans ce sens chaque motif doit être introduit comme un motif *probable* pour la situation donnée. Mais puisque les lois de composition du sujet n'ont rien à voir avec la probabilité, chaque introduction de motifs est un compromis entre cette probabilité objective et la tradition littéraire » (*TL*, p. 284-285).

4.2.3. Les Formalistes ont cherché essentiellement à analyser la motivation esthétique, sans ignorer cependant la motivation « réaliste ». L'étude de la première est d'autant plus justifiée que nous n'avons généralement aucun moyen d'établir la seconde. Notre démarche habituelle qui rétablit la réalité d'après l'œuvre et tente une explication de l'œuvre par cette réalité restituée, constitue en effet un cercle vicieux. Le découpage littéraire peut, il est vrai, se comparer parfois à d'autres découpages donnés soit par l'auteur lui-même, soit par d'autres documents concernant la même époque ou les mêmes personnages, s'il s'agit de personnages historiques. C'est le cas des chansons épiques russes qui reflètent une réalité historique connue par ailleurs; les personnages sont souvent des princes ou des seigneurs russes. Étudiant ces rapports, Skaftymov écrit : « La fin tragique de la chanson épique est probablement suggérée par sa source historique ou légendaire, mais la motivation de la disgrâce de Soukhomanti... ne se justifie par aucune réalité historique. Aucune tendance morale ne joue non plus. Il reste uniquement l'orientation esthétique, elle seule donne son sens à l'origine de ce tableau et le justifie » (p. 108). En comparant les différents personnages des chansons et les personnages réels, Skaftymov arrive à la conclusion suivante : « Le degré de réalisme des différents éléments de la chanson épique varie selon leur importance dans l'organisation générale de l'ensemble... Le rapport entre les personnages de la chanson épique et leurs prototypes historiques est déterminé par leur fonction dans la conception générale du récit » (p. 127).

5.1. Alors que les linguistes utilisent de plus en plus les procédés mathématiques, il convient de rappeler que les Formalistes furent les premiers à essayer de le faire : Tomachevski applique la théorie des chaînes de Markoff à l'étude de la prosodie. Cet effort mérite notre attention à l'heure où les mathématiques « qualitatives » connaissent une large extension en linguistique. Tomachevski a laissé non seulement une étude précieuse sur le rythme de Pouchkine, mais il a su voir aussi que le point de vue quantitatif ne devait pas être abandonné lorsque la nature des faits le justifie, lorsque notamment elle relève en effet de lois statistiques. Répondant aux multiples objections suscitées par son étude, Tomachevski écrit (1929) : « Il ne faut pas interdire à la science l'utilisation d'une méthode, quelle qu'elle soit... Le chiffre, la formule, la courbe sont des symboles de la pensée aussi bien que les mots et ils sont compréhensibles uniquement pour ceux qui maîtrisent ce système de symboles... Le chiffre ne décide rien, il n'interprète pas, il n'est qu'une manière d'établir et de décrire les faits. Si l'on a abusé des chiffres et graphiques, la méthode n'en est pas devenue vicieuse pour autant : le coupable est celui qui abuse, non pas l'objet de cet abus » (p. 275-276). Les abus sont bien plus fréquents que les tentatives réussies, et Tomachevski ne cesse de nous mettre en garde contre les simplifications prématurées. « Les calculs ont souvent pour but d'établir un coefficient susceptible d'autoriser immédiatement un jugement sur la qualité du fait soumis à l'épreuve... Tous ces "coefficients" sont des plus néfastes à la cause d'une "statistique" philologique... Il ne faut pas oublier que, même dans le cas d'un calcul correct, le chiffre obtenu caractérise uniquement la fréquence d'apparition d'un phénomène, mais ne nous éclaire guère sur sa qualité » (p. 35-36).

5.2. Tomachevski applique les procédés statistiques à l'étude du vers de Pouchkine. Comme il l'a dit lui-même, « toute statistique doit être précédée d'une étude, qui recherche la différenciation réelle des phénomènes » (p. 36). Cette étude le conduit à distinguer, pour aborder l'étude du mètre, trois niveaux différents ; d'une part, un schéma de caractère obligatoire, bien que ne précisant pas les qualités du vers, par exemple le vers Iambique à cinq mesures ; d'autre part, l' « usage », c'est-à-dire le vers particulier. Entre les deux se situe l'impulsion rythmique, ou norme (le « modèle d'exécution », dans la terminologie de Jakobson, 1963, p. 232). Cette norme peut être établie pour une œuvre ou pour un auteur, la méthode statistique étant appliquée à l'ensemble choisi. Ainsi le dernier temps fort chez Pouchkine porte l'accent dans 100 % des cas, le premier dans 85 %, l'avant-dernier dans 40 %, etc.

On voit encore une fois les notions de l'analyse littéraire se rapprocher de celles de la linguistique. Rappelons en effet que pour Hjelmslev, qui établit une distinction entre usage, norme et schéma dans le langage, « la norme n'est qu'une abstraction tirée de l'usage par un artifice de méthode. Tout au plus constitue-t-elle un corollaire convenable pour pouvoir poser les cadres de la description de l'usage »

(p. 80). L'étude de la norme se réduit pour Tomachevski « à l'observation des variantes typiques dans les limites des œuvres unies par l'identité de la forme rythmique (par exemple : le trochée de Pouchkine dans ses contes des années 30); à l'établissement du degré de leur fréquence; à l'observation des déviations du type; à l'observation du système d'organisation des différents aspects sonores du phénomène étudié (les prétendus traits secondaires du vers [1]); à la définition des fonctions constructives de ces déviations (les figures rythmiques) et à l'interprétation des observations » (p. 58). Ce large programme est illustré par des analyses exhaustives de l'ïambe à quatre et cinq mesures de Pouchkine, confronté en même temps avec les normes d'autres poètes ou d'autres œuvres de Pouchkine.

Cette méthode s'applique mieux encore dans les domaines où le cadre obligatoire n'est pas défini avec précision. C'est le cas du vers libre et surtout de la prose, où aucun schéma n'existe. Ainsi pour le vers libre, « qui est construit comme une violation de la tradition, il est inutile de chercher une loi rigoureuse qui n'admette pas d'exceptions. Il ne faut chercher que la norme moyenne, et étudier l'amplitude des déviations par rapport à elle » (p. 61). De même pour la prose « la forme moyenne et l'amplitude des oscillations sont les seuls objets d'investigation... Le rythme de la prose doit par principe être étudié à l'aide d'une méthode statistique » (p. 275).

5.3.1. La conclusion est qu'il ne faut appliquer ces méthodes ni à l'étude d'un exemple particulier, c'est-à-dire à l'interprétation d'une œuvre, ni à l'étude des lois et des régularités qui régissent les grandes unités du système littéraire. On peut en déduire que la distribution des unités littéraires (du système connotatif) ne suit aucune loi statistique, mais que la distribution des éléments linguistiques (du système dénotatif) à l'intérieur de ces unités obéit à une norme de probabilité. Ainsi se justifieraient les nombreuses et brillantes études stylistiques des Formalistes (par exemple Skaftymov, Vinogradov, 1929) qui observent l'accumulation de certaines formes syntaxiques ou de différentes strates du lexique autour des unités paradigmatiques (par exemple les personnages) ou syntagmatiques (les épisodes) du système littéraire. Il est évident qu'il s'agit ici de norme et non de règle obligatoire. Les rapports de ces grandes unités restent purement « quali-

---

1. Tels la sonorité, le lexique, la syntaxe, etc.

tatifs », et sont générateurs d'une structure dont l'étude est inaccessible par des méthodes statistiques, ce qui explique le plus ou moins grand succès de ces méthodes lorsqu'elles sont appliquées à l'étude du style, c'est-à-dire à la distribution des formes linguistiques dans une œuvre. Le défaut fondamental de ces études est d'ignorer l'existence de deux systèmes différents de signification (dénotatif et connotatif) et de tenter l'interprétation de l'œuvre directement à partir du système linguistique.

5.3.2. Cette conclusion pourrait sans doute être étendue à des systèmes littéraires de plus grandes dimensions. L'évolution formelle d'une littérature nationale, par exemple, obéit à des lois non mécaniques. Elle passe, selon Tynianov (1929), par des étapes suivantes : « 1º le principe de construction automatisée évoque dialectiquement le principe de construction opposé; 2º celui-ci trouve son application sous sa forme la plus facile; 3º il s'étend à la plus grande partie des phénomènes; 4º il s'automatise et évoque à son tour des principes de construction opposés » (p. 17). Ces étapes ne pourront jamais être délimitées et définies qu'en termes d'accumulation statistique, ce qui correspond aux exigences générales de l'épistémologie, laquelle nous enseigne que seuls les états temporaires des phénomènes obéissent aux lois probabilistes. De cette manière serait fondée, mieux qu'elle ne l'était jusqu'à maintenant, l'application de certains procédés mathématiques aux études littéraires.

1964.

Bibliographie

I. TEXTES DES FORMALISTES RUSSES EN TRADUCTION

Théorie de la littérature. Textes des Formalistes russes (coll. « Tel quel »), Paris, Seuil, 1965.

M. Bakhtine, *La Poétique de Dostoïevski* (coll. « Pierres Vives »), Paris, Seuil, 1970.

O. Brik, « Nous autres futuristes », « La commande sociale », « Sur Khlebnikov », *La Mode, l'Invention*, (coll. « Change », 4), Paris, Seuil, 1969, p. 183-202.

B. Eickenbaum, « Problèmes de la ciné-stylistique », *Cahiers du cinéma*, 220-221, 1970, p. 70-78.

B. Eikhenbaum, « La vie littéraire », *Manteia*, 9-10, 1970, p. 91-100 (traduit bizarrement de l'allemand).

V. Propp, *Morphologie du conte* (coll. « Poétique/Points »), Paris, Seuil, 1970.

J. Tynianov, « Destruction, parodie », *La Destruction* (coll. « Change », 2), Paris, Seuil, 1969, p. 67-76.

J. Tynianov, « Des fondements du cinéma », *Cahiers du cinéma*, 220-221, 1970, p. 59-68.

J. Tynianov, « Le fait littéraire », *Manteia*, 9-10, 1970, p. 67-87, (traduit également de l'allemand).

Parmi les traductions en d'autres langues occidentales, il faut signaler surtout :

Texte der russischen Formalisten, t. I, Munich, 1969 (édition bilingue).

J. Tynianov, *Il problema del linguaggio poetico*, Milan, 1968.

II. OUVRAGES DES FORMALISTES CITÉS ICI DANS L'ORIGINAL

S. Bernstein, « Stikh i deklamacija », *Russkaja rech'*, Novaja serija, 1, 1927.

P. Bogatyrev, R. Jakobson, « Die Folklore als eine besondere Form des Schaffens », *Donum Natalicium Schrijnen*, Chartres, 1929.

O. Brik, « Zvukovye povtory », *Poetika*, Petrograd, 1919.

V. Chklovski, *Tretja fabrika*, Moscou, 1926.

B. Eikhenbaum, *Literatura*, Leningrad, 1927.

R. Jakobson, *Novejshaja russkaja poezija*, Prague, 1921.

— *O cheshskom stikhe*, Berlin, 1923.

L. Jakubinski, « O zvukakh stikhotvornogo jazyka », *Sborniki po teorii poeticheskogo jazyka*, I, Petersbourg, 1916.

Russkaja proza, Leningrad, 1926.

A. Skaftymov, *Poetika i genezis bylin*, Moscou-Saratov, 1924.

B. Tomachevski, *O stikhe*, Leningrad, 1929.

J. Tynianov, *Problema stikhotvornogo jazyka*, Leningrad, 1924.

— *Arkhaisty i novatory*, Leningrad, 1929.

V. Vinogradov, *Evoljucija russkogo naturalizma*, Leningrad, 1929.

III. AUTRES OUVRAGES CITÉS

L. Hjelmslev, *Essais linguistiques*, Copenhague, 1959.
Ch. Hockett, *A Course in Modern Linguistics*, New York, 1958.
R. Jakobson, *Essais de linguistique générale*, Paris, 1963.
J. Mukařovsky, « Littérature et sémiologie », *Poétique*, 1 (1970), 3.
J. Petersen, *Die Wissenschaft von der Dichtung*, t. 1, Berlin, 1939.

2. Langage et littérature

Mon propos se laisse résumer par cette phrase de Valéry, phrase qu'il essayera à la fois d'expliciter et d'illustrer : « La Littérature est, et ne peut pas être autre chose qu'une sorte d'extension et d'application de certaines propriétés du langage. »

Qu'est-ce qui nous permet d'affirmer l'existence de ce lien? Le fait même que l'œuvre littéraire est une « œuvre d'art verbale » a incité depuis longtemps les chercheurs à parler du « grand rôle » du langage dans la littérature; une discipline entière, la stylistique, s'est créée aux confins des études littéraires et de la linguistique; de multiples thèses ont été écrites sur la « langue » de tel ou tel écrivain. Le langage est défini ici comme la matière du poète ou de l'œuvre.

Ce rapprochement, trop évident, est loin d'épuiser la multitude des rapports entre langage et littérature. Il ne s'agit peut-être pas du langage en tant que matière dans la phrase de Valéry, mais en tant que modèle. Le langage remplit cette fonction dans beaucoup de cas extérieurs à la littérature. L'homme s'est constitué à partir du langage — les philosophes de notre siècle nous l'ont assez répété — et nous en retrouvons le schème dans toute activité sociale. Ou, pour reprendre les paroles de Benveniste, « la configuration du langage détermine tous les systèmes sémiotiques ». L'art étant un de ces systèmes sémiotiques, nous pouvons être certains d'y découvrir l'empreinte des formes abstraites du langage.

La littérature jouit, on le voit, d'un statut particulièrement privilégié au sein des activités sémiotiques. Elle a le langage à la fois comme point de départ et comme point d'arrivée; celui-ci lui fournit tant sa configuration abstraite que sa matière perceptible, il est à la fois médiateur et médiatisé. La littérature se révèle partant non seulement comme le premier champ qu'on peut étudier à partir du langage, mais aussi comme le premier dont la connaissance peut jeter une lumière nouvelle sur les propriétés du langage lui-même. Cette position particulière de la littérature détermine notre rapport à l'égard de la linguistique. Il est évident que, en traitant du langage, nous n'avons pas le droit d'ignorer le savoir accumulé par cette science, ainsi que d'ailleurs par toute autre investigation sur le langage. Cependant, comme toute science, la linguistique procède souvent par réduction et par simplification de son objet pour pouvoir le manier plus facilement; elle écarte ou ignore provisoirement certains traits du langage afin d'établir l'homogénéité des autres et laisser transparaître leur logique. Démarche sans doute justifiée dans l'évolution interne de cette science mais dont ceux qui en extrapolent les résultats et les méthodes doivent se méfier : les traits délaissés sont peut-être précisément parmi ceux qui ont la plus grande importance dans un autre « système sémiotique ». L'unité des sciences humaines réside moins dans les méthodes élaborées en linguistique dont on commence à se servir ailleurs que dans cet objet qui leur est commun à toutes et qui est bien le langage. L'image que nous nous en faisons aujourd'hui et qui est dérivée de certaines études des linguistes aura à s'enrichir des enseignements tirés de ces autres sciences.

Si l'on adopte cette perspective, il devient évident que toute connaissance de la littérature suivra une voie parallèle à celle de la connaissance du langage, plus même; ces deux voies tendront à se confondre. Un champ immense s'ouvre à cette investigation; seule une partie relativement réduite a été explorée jusqu'à maintenant dans des travaux dont le brillant pionnier est Roman Jakobson. Ces études ont porté sur la poésie et elles tentent de démontrer l'existence d'une structure formée par la distribution des éléments linguistiques à l'intérieur d'un poème. Je me propose d'indiquer ici, à propos, cette fois-ci, de la prose littéraire, quelques points où le rapprochement entre langage et littérature semble particulièrement facile. Il va de soi que, en raison de l'état actuel de nos connaissances en ce domaine, je me limiterai à des remarques de caractère général, sans avoir la moindre prétention d' « épuiser le sujet ».

A vrai dire, on a déjà essayé une fois d'opérer ce rapprochement et d'en tirer profit. Les Formalistes russes qui ont été des pionniers dans plus d'un domaine avaient déjà cherché à exploiter cette analogie. Ils la situaient, plus précisément, entre les procédés du style et les procédés d'organisation du récit ; un des premiers articles de Chklovski était même intitulé « Le lien entre les procédés de composition et les procédés stylistiques généraux ». Cet auteur y remarquait que « la construction en paliers se trouvait être dans la même série que les répétitions des sons, la tautologie, le parallélisme tautologique, les répétitions » (*TL*, p. 48). Les trois coups frappés par Roland sur la pierre étaient pour lui de la même nature que les répétitions ternaires lexicales dans la poésie folklorique.

Je ne veux pas faire ici une étude historique et je me contenterai de rappeler brièvement quelques autres résultats des recherches formalistes, en leur donnant la forme qui peut nous servir ici. Dans ses études sur la typologie des récits, Chklovski était arrivé à distinguer deux grands types de combinaison entre les histoires : il y a, d'une part, une forme ouverte où l'on peut toujours ajouter de nouvelles péripéties à la fin, par exemple les aventures d'un héros quelconque, tel Rocambole ; et d'autre part une forme fermée qui commence et se termine par le même motif alors qu'à l'intérieur nous sont contées d'autres histoires, par exemple l'histoire d'Œdipe : au début une prédiction, à la fin sa réalisation, entre les deux les essais pour l'éviter. Chklovski ne s'était toutefois pas rendu compte que ces deux formes représentent la projection rigoureuse des deux figures syntaxiques fondamentales, servant la combinaison de deux propositions entre elles, la coordination et la subordination. Notons qu'en linguistique on nomme aujourd'hui cette seconde opération d'un terme emprunté à l'ancienne poétique : enchâssement.

Dans le passage cité auparavant, il était question de *parallélisme;* ce procédé n'est qu'un de ceux relevés par Chklovski. En analysant *Guerre et Paix*, il décèle par exemple l'*antithèse* formée par des couples de personnages : « 1. Napoléon-Koutouzov; 2. Pierre Bézoukov-André Bolkonski et en même temps Nicolas Rostov qui sert d'axe de référence à l'un et à l'autre » (*TL*, p. 187). On retrouve également la *gradation:* plusieurs membres d'une famille présentent les mêmes traits de caractère mais à des degrés différents. Ainsi dans *Anna Karénine*, « Stiva se situe sur un palier inférieur par rapport à sa sœur » (*TL*, p. 188).

Mais le parallélisme, l'antithèse, la gradation, la répétition sont autant de figures rhétoriques. On peut alors formuler ainsi la thèse sous-jacente aux remarques de Chklovski : il existe des figures du récit qui sont des projections des figures rhétoriques. A partir de cette supposition nous pourrions vérifier quelles sont les formes prises par d'autres figures de rhétorique, moins connues, au niveau du récit.

Prenons par exemple l'*association*, figure qui se rapporte à l'emploi d'une personne inadéquate du verbe. En voici un exemple linguistique : cette phrase qu'un professeur pourrait adresser à ses élèves « Qu'est-ce que nous avons pour aujourd'hui ? » On se souvient sans doute de la démonstration sur les emplois de cette figure en littérature, donnée par Michel Butor à propos de Descartes. On se souvient aussi de l'emploi qu'il en a fait lui-même dans son livre *la Modification*.

Voici une autre figure qu'on aurait prise pour une définition du roman policier, si nous ne l'empruntions à la rhétorique de Fontanier, écrite au début du XIXᵉ siècle. C'est la *sustentation;* elle « consiste à tenir longtemps le lecteur ou l'auditeur en suspens, et à le surprendre ensuite par quelque chose qu'il était loin d'attendre ». La figure peut donc se transformer en un genre littéraire.

M. M. Bakhtine, le grand critique littéraire soviétique, a démontré l'utilisation particulière faite par Dostoïevski 'd'une autre figure, l'*occupation*, définie ainsi par Fontanier : « elle consiste à prévenir ou à rejeter d'avance une objection que l'on pourrait essuyer ». Toute parole des personnages de Dostoïevski englobe, implicitement, celle de leur interlocuteur, imaginaire ou réel. Le monologue est toujours un dialogue dissimulé, ce qui détermine, précisément, la profonde ambiguïté des personnages de Dostoïevski.

Je rappellerai, en dernier, quelques figures fondées sur l'une des propriétés essentielles du langage : l'absence de relation biunivoque entre les sons et le sens; elle donne lieu à deux phénomènes linguistiques bien connus, la synonymie et la polysémie. La synonymie, base de jeux de mots dans l'usage linguistique, prend la forme d'un procédé littéraire qu'on appelle la « reconnaissance ». Le fait que le même personnage peut avoir deux apparences, ou si l'on veut l'existence de deux formes pour le même contenu, rappelle le phénomène qui résulte du rapprochement de deux synonymes.

La polysémie donne lieu à plusieurs figures rhétoriques dont je ne retiendrai qu'une seule : la syllepse. Un exemple notoire de syllepse est contenu dans ce vers de Racine : « Brûlé de plus de feux que je n'en allumai. » D'où vient la figure ? De ce que le mot *feux* qui fait partie de chaque proposition est pris, ici et là, dans deux sens différents. Les *feux* de la première proposition sont imaginaires, ils brûlent l'âme du personnage, alors que les *feux* de la seconde correspondent à des incendies bien réels.

Cette figure a connu une très large extension dans le récit ; nous pouvons l'observer à l'exemple d'une nouvelle de Boccace. On nous y raconte qu'un moine était allé chez sa maîtresse, la femme d'un bourgeois de la ville. Subitement, le mari rentre : que faire ? Le moine et la femme qui s'étaient enfermés dans la chambre du petit enfant font semblant de soigner ce dernier qui est, disent-ils, malade. Le mari réconforté les remercie chaleureusement. Le mouvement du récit suit, on le voit, exactement la même forme que la syllepse. Un même fait, le moine et la femme dans la chambre à coucher, reçoit une interprétation dans la partie du récit qui le précède et une autre, dans celle qui le suit ; d'après la partie précédente, c'est un rendez-vous d'amoureux ; d'après la suivante, on guérit ainsi l'enfant malade. Cette figure est assez fréquente chez Boccace : pensons aux histoires du rossignol, du tonneau, etc.

Jusqu'ici notre comparaison, suivant en cela la démarche des Formalistes d'où nous sommes parti, juxtaposait des manifestations du langage avec des manifestations littéraires ; en d'autres termes, nous n'observions que des formes. Je voudrais esquisser ici une autre approche possible qui interrogerait les catégories sous-jacentes à ces deux univers, l'univers de la parole et l'univers de la littérature. Il faut pour cela quitter le niveau des formes pour accéder à celui des structures. Par là même, nous nous éloignerons de la littérature pour nous rapprocher de ce discours sur la littérature qu'est la critique.

Les problèmes de signification ont pu être abordés d'une manière sinon heureuse, tout au moins prometteuse à partir du moment où l'on a cerné de plus près la notion de sens. La linguistique a négligé pendant longtemps ce phénomène, aussi n'est-ce pas chez elle que nous trouverons nos catégories, mais auprès des logiciens. On peut prendre comme point de départ la division tripartite de Frege : un signe aurait une référence, un sens et une image associée *(Bedeutung, Sinn, Vorstellung)*. Seul le sens se laisse saisir à l'aide de méthodes linguistiques rigoureuses car il est seul à ne dépendre que du langage et à être controlé par la force de l'usage, des habitudes linguistiques. Qu'est-ce que le sens? C'est, nous dit Benveniste, la capacité d'une unité linguistique à intégrer une unité de niveau supérieur. Le sens d'un mot est délimité par les combinaisons dans lesquelles il peut accomplir sa fonction linguistique. Le sens d'un mot, c'est l'ensemble de ses relations possibles avec d'autres mots.

Isoler le sens dans l'ensemble des significations est une démarche qui pourrait fortement aider le travail de description, en études littéraires. Dans le discours littéraire, comme dans le discours quotidien, le sens se laisse isoler d'un ensemble d'autres significations, auquel on pourrait donner le nom d'interprétations. Toutefois le problème du sens est ici plus complexe : alors que dans la parole, l'intégration des unités ne dépasse pas le niveau de la phrase, en littérature, les phrases s'intègrent à nouveau dans des énoncés, et les énoncés, à leur tour, dans des unités de dimensions plus grandes, jusqu'à l'œuvre entière. Le sens d'un monologue ou d'une description se laisse saisir et vérifier par ses relations avec les autres éléments de l'œuvre : ce sera la caractérisation d'un personnage, la préparation d'un retournement dans l'intrigue, un retardement. En revanche, les interprétations de chaque unité sont innombrables car elles dépendent du système dans lequel celle-ci sera incluse pour être comprise. Suivant le type de discours dans lequel on projette l'élément de l'œuvre, on aura affaire à une critique sociologique, psychanalytique ou philosophique. Mais ce sera toujours une interprétation de la littérature dans un autre type de discours, alors que la recherche du sens ne nous conduit pas à l'extérieur du discours littéraire lui-même. C'est là peut-être qu'il faudrait faire passer la limite entre ces deux activités apparentées et néanmoins distinctes que sont poétique et critique.

Passons maintenant à un autre couple de catégories fondamentales. Elles ont été formulées par Émile Benveniste dans ses recherches sur les temps du verbe. Benveniste a montré l'existence, dans le langage, de deux plans distincts d'énonciation : celui du discours et celui de l'histoire. Ces plans d'énonciation se réfèrent à l'intégration du sujet de l'énonciation dans l'énoncé. Dans le cas de l'histoire, nous dit-il, « il s'agit de la présentation des faits survenus à un certain moment du temps sans aucune intervention du locuteur dans le récit ». Le discours, par contraste, est défini comme « toute énonciation supposant un locuteur et un auditeur, et chez le premier l'intention d'influencer l'autre en quelque manière. » Chaque langue possède un certain nombre d'éléments destinés à nous informer uniquement sur l'acte et le sujet de l'énonciation et qui réalisent la conversion du langage en discours ; les autres sont destinés uniquement à la « présentation des faits survenus ».

Il faudra donc faire une première répartition dans la matière littéraire suivant le plan d'énonciation qui s'y manifeste. Prenons ces phrases de Proust : « Il prodigua pour moi une amabilité qui était aussi supérieure à celle de Saint-Loup que celle-ci à l'affabilité d'un petit-bourgeois. A côté de celle d'un grand artiste l'amabilité d'un grand seigneur, si charmante soit-elle, a l'air d'un jeu d'acteur, d'une simulation. » Dans ce texte, seule la première proposition (jusqu'à « amabilité ») relève du plan de l'histoire. La comparaison qui suit ainsi que la réflexion générale contenue dans la seconde phrase appartiennent au plan du discours, ce qui est marqué par des indices linguistiques précis (par exemple le changement de temps). Mais la première proposition, elle aussi, est liée au discours car le sujet de l'énonciation y est indiqué par le pronom personnel. Il y a donc un recoupement de moyens pour indiquer l'appartenance au discours : ils peuvent être soit externes (style direct ou indirect), soit internes, c'est-à-dire le cas où la parole ne renvoie pas à une réalité extérieure. Le dosage des deux plans d'énonciation détermine le degré d'opacité du langage littéraire : tout énoncé qui relève du discours a une autonomie supérieure car il prend toute sa signification à partir de lui-même, sans l'intermédiaire d'une référence imaginaire. Le fait qu'Elstir a prodigué son amabilité renvoie à une représentation extérieure, celle des deux personnages et d'un acte ; mais la comparaison et la réflexion qui suit sont des représentations en elles-mêmes, elles ne renvoient qu'au sujet de l'énonciation et elles affirment par là la présence du langage lui-même.

L'interpénétration de ces deux catégories est, on peut s'en rendre compte, grande, et pose déjà, en elle-même, de multiples problèmes qui ne sont pas encore effleurés. La situation se complique davantage si nous nous rendons compte que ce n'est pas là l'unique forme sous laquelle ces catégories prennent corps en littérature. La possibilité de considérer toute parole comme, avant tout, une relation sur la réalité ou comme énonciation subjective nous conduit à une autre

constatation importante. On peut y voir non seulement les caractéristiques de deux types de paroles, mais aussi deux aspects complé-
mentaires de toute parole, littéraire ou non. Dans tout énoncé, on
peut séparer provisoirement ces deux aspects : il s'agit, d'une part, d'un
acte de la part du locuteur, d'un agencement linguistique; de l'autre,
de l'évocation d'une certaine réalité; et celle-ci n'a dans le cas de la
littérature aucune autre existence que celle conférée par l'énoncé
lui-même.

Les Formalistes russes avaient, là encore, relevé l'opposition sans
toutefois pouvoir montrer ses bases linguistiques. Dans tout récit,
ils distinguaient la *fable*, c'est-à-dire la suite des événements représentés
tels qu'ils se seraient déroulés dans la vie, du *sujet*, agencement
particulier donné à ces événements par l'auteur. Les inversions
temporelles étaient leur exemple préféré : il est évident que la relation
d'un événement postérieur à un autre avant celui-ci trahit l'intervention de l'auteur, c'est-à-dire du sujet de l'énonciation. On se rend
maintenant compte que cette opposition ne correspond pas à une
dichotomie entre le livre et la vie représentée mais à deux aspects,
toujours présents, d'un énoncé, à sa nature double d'énoncé et
d'énonciation. Ces deux aspects donnent vie à deux réalités, aussi
linguistiques l'une que l'autre : celle des personnages et celle du couple
narrateur-lecteur.

La distinction entre discours et histoire permet de mieux asseoir
un autre problème de la théorie littéraire, celui des « visions » ou des
« points de vue ». En fait, il s'agit là des transformations que la notion
de personne subit dans le récit littéraire. Ce problème soulevé naguère
par Henry James a été traité plusieurs fois depuis; en France, notamment, par Jean Pouillon, Claude-Edmonde Magny, Georges Blin.
Ces études qui ne tenaient pas compte de la nature linguistique du
phénomène n'ont pas réussi à expliciter entièrement sa nature bien
qu'elles aient décrit ses aspects les plus importants.

Le récit littéraire, qui est une parole médiatisée et non immédiate
et qui subit en plus les contraintes de la fiction, ne connaît qu'une
seule catégorie « personnelle » qui est la troisième personne : c'est-
à-dire l'impersonnalité. Celui qui dit *je* dans le roman n'est pas le *je*
du discours, autrement dit le sujet de l'énonciation; ce n'est qu'un
personnage et le statut de ses paroles (le style direct) leur donne une
objectivité maximum, au lieu de les rapprocher du sujet de l'énoncia-

tion véritable. Mais il existe un autre *je*, un *je* la plupart du temps invisible, qui se réfère au narrateur, cette « personnalité poétique » que nous saisissons à travers le discours. Il y a donc une dialectique de la personnalité et de l'impersonnalité, entre le *je* du narrateur (implicite) et le *il* du personnage (qui peut être un *je* explicite), entre le discours et l'histoire. Tout le problème des « visions » est là : dans le degré de transparence des *ils* impersonnels de l'histoire par rapport au *je* du discours.

Il est facile de voir, dans cette perspective, quelle classification des « visions » nous pouvons adopter; elle correspond, à peu près, à celle que Jean Pouillon avait proposée dans son livre *Temps et Roman :*

soit le *je* du narrateur apparaît constamment à travers le *il* du héros, comme dans le cas du récit classique, avec un narrateur omniscient; c'est le discours qui supplante l'histoire;

soit le *je* du narrateur est entièrement effacé derrière le *il* du héros; nous sommes alors dans la fameuse « narration objective », type de récit pratiqué surtout par les auteurs américains entre les deux guerres : dans ce cas, le narrateur ignore tout de son personnage, il en voit simplement les mouvements, les gestes, il en entend les paroles; c'est donc l'histoire qui supplante le discours;

soit enfin le *je* du narrateur est en égalité avec le *il* du héros, tous deux sont renseignés de la même façon sur le développement de l'action; c'est le type de récit qui, apparu au xviiie siècle, domine actuellement la production littéraire; le narrateur s'attache à l'un des personnages et observe tout à travers ses yeux; on arrive par là, dans ce type de récit précisément, à la fusion du *je* et du *il* dans un *je* racontant, ce qui rend la présence du véritable *je*, celui du narrateur, encore plus difficile à saisir.

Ce n'est là qu'une première répartition grossière; tout récit combine plusieurs « visions » à la fois; il existe d'autre part de multiples formes intermédiaires. Le personnage peut tricher avec lui-même en racontant, de même qu'il peut confesser tout ce qu'il sait sur l'histoire; il peut l'analyser jusqu'aux moindres détails ou se satisfaire de l'apparence des choses; on peut nous présenter une dissection de sa conscience (le « monologue intérieur ») ou une parole articulée : toutes ces variétés font partie de la vision qui met en égalité narrateur et personnage. Des analyses fondées sur les catégories linguistiques pourront mieux saisir ces nuances.

J'ai essayé de cerner les manifestations les plus évidentes d'une catégorie linguistique dans le récit littéraire. D'autres catégories attendent leur tour : il faudra un jour découvrir ce que sont devenus le temps, la personne, l'aspect, la voix en littérature, car elles y seront bien présentes si celle-ci n'est, comme le croyait Valéry, qu'une « extension et application de certaines propriétés du langage ».

1966.

3. Poétique et critique [1]

Voici deux livres dont la confrontation promet d'être instructive. Ils possèdent suffisamment de traits communs pour que l'opposition parfaite que forment leurs autres aspects ne soit pas arbitraire mais chargée d'un sens qu'il faut révéler.

Cette opposition concerne différents aspects des deux livres. Le thème d'abord : *Structure du langage poétique* est une étude des propriétés communes à toutes les œuvres littéraires ; *Figures* est consacré à la description de systèmes poétiques particuliers : celui d'Étienne Binet, celui de Proust, celui de l'*Astrée*. Le but du premier est de poser les fondements de *la* poétique ; celui du second, de reconstituer *des* poétiques. L'un vise la poésie, l'autre, l'œuvre poétique.

L'opposition va jusqu'aux propriétés formelles. L'écriture de Cohen est synthétique et son livre se veut transparent. Les textes de Genette sont, à l'inverse, analytiques, descriptifs et, pour ainsi dire, opaques : ils ne renvoient pas à un sens qui en serait indépendant, la forme choisie est la seule possible. Ce n'est pas un hasard si à l'exposé cohérent de Cohen s'oppose un recueil d'articles dont l'unité est difficile à saisir. Et même le singulier de la *Structure* s'oppose significativement au pluriel des *Figures*.

On n'aurait pourtant pas raison de se plaire à relever ces oppositions si les deux livres ne témoignaient en même temps d'une unité tout aussi significative. Disons que cette unité réside dans l'approche immanente de la littérature, pratiquée tout autant par l'un que par l'autre auteur. L'explication immanente des faits est un slogan devenu aujourd'hui banal ; mais, en ce qui concerne la réflexion

1. Écrit à propos de deux livres : Gérard Genette, *Figures*, Seuil, 1966 ; Jean Cohen, *Structure du langage poétique*, Flammarion, 1966.

42

sur la littérature, nous croyons nous trouver ici en face des deux premières tentatives sérieuses (en France) de traiter de la littérature à partir d'elle-même et pour elle-même. Ce principe serait suffisant pour qu'un rapprochement s'opère entre leur méthode et un courant d'idées actuel; une autre particularité vient s'y ajouter, qui renforce la première impression : l'objectif précis de l'un et de l'autre livre est de décrire des *structures* littéraires. L'analyse structurale de la littérature serait-elle enfin née? Si oui, comment peut-elle s'incarner à la fois dans deux livres si différents?

Pour répondre à ces questions, on peut partir d'un des articles de Genette, intitulé précisément « Structuralisme et critique littéraire ». Au problème posé par ce titre, Genette donne quatre réponses successives : tout critique est, indépendamment de ses intentions, « structuraliste » parce que, tel un bricoleur, il se sert des éléments des structures existantes (les œuvres littéraires) pour en forger de nouvelles (l'œuvre critique elle-même); les aspects de l'œuvre qui relèvent à la fois de l'analyse littéraire et linguistique doivent être étudiés à l'aide des méthodes élaborées par la linguistique structurale; le structuraliste est impuissant devant l'œuvre particulière, surtout si le critique y fait un investissement de sens, ce qui est toujours le cas dès que cette œuvre nous est suffisamment proche; l'histoire littéraire, en revanche, peut et doit devenir structurale, en étudiant les genres et leur évolution. Pour résumer, on peut dire que, dans la conception de Genette, le champ de la littérature devrait être séparé en deux, chacune des parties se prêtant à un type d'analyse différent : l'étude de l'œuvre particulière ne peut pas se faire à l'aide de méthodes structurales, mais celles-ci restent pertinentes en ce qui concerne l'autre partie du champ.

On peut se demander si le vocabulaire du partage territorial est le plus approprié pour caractériser cette différence essentielle. Nous serions plutôt tenté de parler d'un degré de généralité. L'analyse structurale, il ne faut pas l'oublier, est créée à l'intérieur d'une science; elle était destinée à décrire le système phonologique d'une langue, non un son, le système de parenté dans une société, non un parent. C'est une méthode scientifique et en l'appliquant on fait de la science. Or que peut la science devant l'objet particulier qu'est un livre? Tout au plus peut-elle tenter de le décrire; mais la description en elle-même n'est pas de la science et ne le devient qu'à partir du moment où elle tend à s'inscrire dans une théorie générale. Ainsi la description de l'œuvre peut relever de la science (et donc permettre l'application des méthodes structurales) uniquement à condition qu'elle nous fasse découvrir les propriétés de tout le système d'expression littéraire ou bien de ses variétés synchroniques et diachroniques.

On reconnaît ici les directions prescrites par Genette à la « critique structurale » : la description des propriétés du discours littéraire et l'histoire littéraire. L'œuvre particulière reste en dehors de l'objet des structuralistes moins à cause de l'investissement de sens qui se produit lors de la lecture que par la force de son statut même d'objet particulier. Si le « critique structuraliste » n'existe, depuis longtemps déjà, qu'à l'optatif, c'est que cette étiquette renferme une contradiction dans les termes : c'est la science qui peut être structurale, non la critique.

L'histoire littéraire structurale n'existe pas non plus, pour l'instant. En revanche, voici que le livre de Jean Cohen nous donne une image de ce que peut être cette investigation des propriétés du discours littéraire, à laquelle convient le mieux, nous semble-t-il, le nom de *poétique*. Cohen prend, dès son « Introduction », un parti délibéré : d'une part, il veut émettre des hypothèses scientifiques, vérifiables et réfutables, sans craindre le sacrilège qu'il y a à parler d'une « science de la poésie »; d'autre part, il considère la poésie, avant tout, comme une forme particulière du langage, aussi limite-t-il son travail à l'étude des « formes poétiques du langage et seulement du langage » (p. 8). Le but qu'il se pose est le suivant : découvrir et décrire les formes du langage, propres à la poésie, par opposition à la prose; car « la différence entre prose et poésie est de nature linguistique, c'est-à-dire formelle » (p. 199). Voici que la poétique prend enfin la place qui lui convient, aux côtés de la linguistique. Nous sommes évidemment loin du critique dont le but serait de caractériser spécifiquement *une* œuvre : ce qui intéresse Cohen, c'est un « invariant qui demeure à travers les variations individuelles » et qui existe « dans le langage de tous les poètes » (p. 14).

Mais si la « critique structuraliste » est une contradiction dans les termes, qu'en est-il alors du « structuralisme » de Genette? Une lecture attentive nous révélera que les structures littéraires sont bien l'objet de son étude; mais non dans le même sens du mot que pour

Cohen qui étudie la « structure du langage poétique ». La *structure* de Cohen est une relation abstraite qui se manifeste dans l'œuvre particulière sous des formes très variées. Elle s'apparente ici à la loi, à la règle, et se trouve à un niveau de généralité différent de celui des formes par lesquelles elle se réalise. Ce n'est guère le cas des *structures* de Genette. Ce mot doit être pris ici dans un sens spatial, comme on peut parler, par exemple, des structures graphiques dans un tableau. La structure est la disposition particulière de deux formes, l'une par rapport à l'autre. Dans l'un de ses textes, « L'or tombe sous le fer », Genette s'est même plu à dessiner, au sens propre du mot, la structure formée par les « éléments », les métaux, les pierres dans l'univers de la poésie baroque. Il ne s'agit pas ici d'un principe logiquement antérieur aux formes mais de l'espace particulier qui sépare et réunit deux ou plusieurs formes.

Nous sommes amenés par là au centre même de la vision critique de Genette. On pourrait dire que l'objet unique de ses recherches est de remplir, case après case, tous les coins d'un large espace abstrait; il est fasciné devant ce tableau immense où des symétries dissimulées attendent dans l'immobilité qu'un regard attentif vienne les relever. Faire voir les structures n'est qu'un moyen pour accéder à cette image qui devient, à tout instant, plus riche, mais dont le dessin d'ensemble reste toujours aussi incertain.

On voit qu'aucun point de doctrine ne postule l'existence obligatoire de ces structures dans l'œuvre littéraire. Sans le déclarer explicitement, Genette laisse comprendre que l'écrivain jouit d'une certaine liberté qui lui permet de soumettre ou non l'univers de son livre aux lois structurales. Bien que les préférences personnelles de Genette aillent précisément aux auteurs qui organisent cet univers suivant un dessin préétabli, rien ne nous dit que d'autres n'auraient écrit en ignorant ce mode de pensée. Les auteurs que choisira Genette sont des « techniciens » — les poètes baroques, Robbe-Grillet et d'autres; à l'inverse, on le voit, de la critique psychologique dont les auteurs « spontanés » et « inspirés » faisaient la joie.

On ne s'étonnera plus de voir la moitié du recueil de Genette consacrée à l'œuvre des critiques : il l'a expliqué lui-même, la critique est un étalage de structures particulièrement riche. C'est ce côté de la critique qui l'attire, la critique-objet, et non la critique en tant que méthode; on chercherait en vain dans ce livre de critique, consacré en grande partie à la critique, ne serait-ce que dix lignes sur la méthode propre à l'auteur! Même à propos des critiques, Genette se satisfait d'une explicitation et n'y fait pas succéder la construction d'un système critique transcendant : ce n'est pas Genette sur Valéry, Genette sur Borges que nous lisons, Valéry et Borges sont venus ici, eux-mêmes, pour nous présenter, chacun, un texte-synthèse de tous leurs textes. Genette réussit là un véritable tour de force : nous lisons des pages qui, à la fois, lui appartiennent — et font partie de l'œuvre d'un autre.

Quelle est alors cette méthode fuyante de Genette? On peut dire, en tout cas, qu'il n'adopte pas ce principe du structuralisme qui veut que la méthode soit à l'image de son objet (si ce n'est pas l'objet qui devient à l'image de la méthode). La démarche de Genette s'apparenterait le plus à ce commentaire qui épouse les formes de l'objet pour les faire siennes, qui ne quitte l'œuvre que pour la reproduire ailleurs.

Revenons à notre antithèse de départ. L'espace cerné par ces deux démarches, contraires et voisines, se trouve être celui qui sépare la poétique de la critique : car l'analyse de Genette mérite le plus pleinement le nom de critique littéraire. Les deux livres se trouvent incarner, et ceci d'une façon exemplaire, les deux attitudes principales que provoque la lecture : critique et science, critique et poétique. Essayons maintenant de préciser les possibilités et les limites de chacune.

D'abord la poétique : ce qu'elle étudie n'est pas la poésie ou la littérature mais la « poéticité » et la « littérarité ». L'œuvre particulière n'est pas pour elle un but ultime; si elle s'arrête sur telle œuvre plutôt que sur telle autre, c'est parce que celle-là laisse apparaître plus nettement les propriétés du discours littéraire. La poétique aura à étudier non les formes littéraires déjà existantes mais, en partant d'elles, un ensemble de formes virtuelles : ce que la littérature *peut* être plus que ce qu'elle *est*. La poétique est à la fois moins et plus exigeante que la critique : elle ne prétend pas nommer le sens d'une œuvre; mais elle se veut elle-même beaucoup plus rigoureuse que la méditation critique.

Les tenants de l'idée « analyser l'œuvre pour ce qu'elle est, non pour ce qu'elle exprime » ne trouveront donc pas leur compte avec la poétique. On se plaint toujours, en effet, des interprétations d'une critique psychologique ou sociologique : elle analyse l'œuvre non comme une fin en soi mais comme un moyen pour accéder à autre chose, comme l'effet d'une cause. Mais c'est que la psychanalyse ou la sociologie se veulent des sciences; par là-même, la critique qui s'en inspire se condamne à ne pas pouvoir s'en tenir à l'œuvre elle-même. Dès que les études littéraires se constituent en science, comme le fait aujourd'hui la poétique, on dépasse, à nouveau, l'œuvre : celle-ci est considérée, encore une fois, comme un effet, mais maintenant c'est l'effet de sa propre forme. La seule différence donc — mais elle est importante — est qu'au lieu de transposer l'œuvre sur un autre type de discours, on étudie les propriétés sous-jacentes du discours littéraire lui-même.

Cette impossibilité de rester au particulier échappe à l'attention de Cohen dans ses déclarations explicites. Ainsi il reproche aux critiques de s'intéresser au poète plus qu'au poème (p. 40) et dit, à propos de son travail, que « l'analyse littéraire du poème en tant que tel ne peut être rien d'autre que la mise à jour de ces mécanismes de transfiguration du langage par le jeu des figures » (p. 198). Évidemment, en s'appliquant à décrire ces « mécanismes de transfiguration » il n'analyse plus du tout le « poème en tant que tel » car ceci est impossible; il étudie précisément un mécanisme général; et il n'est question d'aucun poème dans tout le livre sauf à titre d'exemple.

Cette confusion n'est guère grave car elle se limite à quelques déclarations isolées, l'ensemble du livre se situant dans la perspective de la poétique qui n'étudie pas le poème en tant que tel mais en tant que manifestation de la poéticité. Une autre réduction risque cependant de nuire aux résultats acquis et elle montre bien quel genre de dangers la poétique aura à craindre, où passe la limite qu'elle ne doit pas franchir. Il s'agit de la trop grande généralité qu'atteint Cohen en prenant à la lettre un des principes du structuralisme : étudier non les phénomènes mais leur différence. La seule tâche de la poétique, nous dit-il, est d'étudier en quoi la poésie diffère de la prose. Le seul trait de la figure qu'on retiendra, est ce en quoi l'expression poétique diffère de l'expression « naturelle ». Mais pour définir la poésie, il ne suffit pas de dire en quoi elle est différente de la prose, car les deux ont une partie commune qui est la littérature. Du « langage poétique », Cohen ne retient que l'adjectif, en oubliant qu'il y a aussi un substantif. La figure est non seulement une expression différente d'une autre mais aussi une expression tout court. L'oublier, isoler les deux parties serait considérer la figure — ou la poésie — du point de vue d'autre chose, et non en elles-mêmes. Voici qu'à nouveau se trouve enfreint le principe d'immanence que Cohen proclame par ailleurs, mais cette fois-ci avec des conséquences plus graves car l'auteur a en effet tendance à prendre la poésie pour ce qui en elle diffère de la prose et non pour un phénomène intégral.

L'extrémité que la poétique doit éviter est la trop grande généralité, la trop grande réduction de l'objet poétique : la grille qu'elle utilise risque de laisser passer le phénomène poétique. On a pu deviner, d'après la description que nous avons donnée de la méthode de Genette, où se trouve la limite qu'il doit veiller, à son tour, à ne pas franchir. Sa critique se fond jusqu'à tel point avec l'œuvre-objet qu'elle risque d'y disparaître. La longue et fréquente citation n'est pas un hasard dans les textes de Genette, c'est un des traits les plus caractéristiques de sa méthode : le poète peut exprimer sa pensée aussi bien que lui, de même que lui parle comme le poète. Un pas de plus et cette critique cessera d'être une explication pour ne devenir qu'une reprise, qu'une répétition. La meilleure description — et c'est bien d'une description qu'il s'agit dans les textes de Genette — est celle qui ne l'est pas jusqu'au bout, celle qui explicite en reproduisant.

Les deux attitudes auraient donc intérêt à tendre davantage l'une vers l'autre. Un des plus beaux textes de *Figures*, « Silences de Flaubert », nous permet d'entrevoir, quoique de loin, les possibilités ainsi offertes. Dans ce texte, Genette cherche à saisir « l'écriture de Flaubert dans ce qu'elle a de plus spécifique » (p. 242); en simplifiant beaucoup, on pourrait dire qu'il s'agit de la fonction particulière accordée par Flaubert à la description, du rôle si important qu'elle joue dans ses romans. Nous nous retrouvons donc en face des notions de la poétique, qui semblent bien éclairer les choses; mais ce n'est là qu'un avant-goût qui laisse désirer davantage. Car on parle de la description comme si elle allait de soi; mais en fait de quoi s'agit-il? Pourquoi s'oppose-t-elle à la narration alors que toutes deux semblent appartenir au discours du narrateur par opposition à celui des personnages? Qu'est-ce qui l'y oppose, est-ce simplement la substitution d'un arrêt à un mouvement? Est-ce là les seules notions de ce niveau de généralité ou bien y en a-t-il d'autres? Nous ne pouvons plus nous fier aux définitions des poétiques classiques, nous les avons d'ailleurs oubliées; mais il faut en forger de nouvelles. Comment se fait-il que la description soit présente parmi les figures rhétoriques? Et y a-t-il changement dans le mode d'expression seulement ou aussi dans la position du narrateur par rapport aux personnages (passage de la vision « avec » à la vision « par derrière ») dans cette phrase éblouissante de *Bovary* qui apparaît au milieu d'une « fureur de locomotion » : « des vieillards en veste noire se promènent au soleil le long d'une terrasse toute verdie par les lierres... » (p. 239)? Voici bien des questions auxquelles la poétique pourrait donner, sinon une réponse, au moins les moyens pour la trouver.

Il n'y a donc pas de mur entre poétique et critique; et la preuve en est présente non seulement dans le projet que nous venons d'esquisser mais aussi dans le fait que ce critique pur et ce poéticien pur ont trouvé un terrain commun et ont traité, tous deux, d'un même problème : les figures de rhétorique. Le choix de ce lieu de rencontre est déjà significatif (entre autres, pour l'influence réelle de Valéry sur la pensée critique d'aujourd'hui) : il s'agit bien d'une réhabilitation de la rhétorique. Ils ne reprennent pas à leur compte, il est vrai, toutes les affirmations des rhéteurs classiques; mais il est dorénavant clair qu'on ne peut pas liquider en deux mots le problème des figures, problème réel, important et complexe.

Nos deux auteurs développent deux théories différentes de la figure rhétorique, que nous examinerons brièvement ici. Arrêtons-nous pour cela à un seul point essentiel qui est la définition de la figure. Selon Genette, pour qu'il y ait figure, il faut qu'il y ait aussi deux moyens pour dire la même chose; la figure n'est telle que par opposition à une expression littérale. « L'existence et le caractère de la figure sont absolument déterminés par l'existence et le caractère des signes virtuels auxquels je compare les signes réels en posant leur équivalence sémantique » (p. 210). La figure, c'est l'espace qui existe entre les deux expressions.

Selon Cohen, la figure se définit aussi par rapport à autre chose qui est en dehors d'elle. Mais ce n'est pas une autre expression, c'est une règle qui appartient au code du langage. En même temps il restreint les variétés de rapport entre la figure et la règle : le rapport en question est une transgression, la figure repose sur une non-obéissance à la règle (« chacune des figures se spécifiant comme infraction à l'une des règles qui composent ce code », p. 51). Le corps du livre de Cohen représente le développement et la vérification de cette hypothèse à l'exemple de quelques figures représentatives. Il faut dire tout de suite que ce développement et cette vérification sont, à quelques insignifiantes exceptions près, irréprochables, et qu'ils prouvent effectivement que les figures considérées représentent des infractions à une quelconque règle linguistique.

Mais par là-même le problème de la figure n'est pas encore résolu. Le dénominateur commun des quatre ou cinq figures examinées par Cohen doit se retrouver dans toutes les autres, pour qu'il soit une condition nécessaire au phénomène « figure ». Sinon, deux possibilités sont à envisager (de même que pour la définition de Genette) : soit on déclare que ce qui n'a pas ce dénominateur n'est pas une figure. Mais cette définition est alors purement tautologique : on induit la définition à partir des phénomènes choisis à l'aide d'un critère qui est fourni par cette définition même. Soit on déclare la définition insatisfaisante et on cherche un autre dénominateur commun des figures retenues d'après un critère indépendant.

Prenons une figure aussi commune que l'antithèse. « Le ciel est dans ses yeux, l'enfer est dans son cœur » : quelle est l'expression littérale qui dessine l'espace du langage? Quelle est la règle linguistique enfreinte?

La confusion a des causes différentes dans chacune des deux conceptions. Genette formule presque la sienne lorsqu'il traite de la description. C'est bien une figure, mais pourquoi? Parce que, nous dit-il à la suite de Fontanier, « Théramène... dit en quatre vers ce qu'il eût pu dire en deux mots, et donc la description remplace (c'est-à-dire pourrait être remplacée par) une simple désignation : voilà la figure » (p. 214). Mais si la description était absente, il n'y aurait plus le même *sens;* la seule chose qui resterait identique est l'objet évoqué, le *référent.* Fontanier et Genette glissent ici de l'opposition entre deux formes d'un sens à l'opposition entre deux sens se rapportant à un référent; mais ce n'est plus un espace linguistique qu'ils enferment, c'est un espace psychologique : décrire ou ne pas décrire. La description, pas plus que l'antithèse, que la gradation et que de multiples autres figures ne se réfère à une expression littérale. L'espace du langage n'y est pas.

50

Le raisonnement de Cohen n'est pas erroné mais incomplet. Il est vrai que les figures qu'il examine sont des infractions; mais beaucoup d'autres ne le sont pas. L'allitération, nous dit Cohen, est une figure parce qu'elle s'oppose au parallélisme phono-sémantique qui règne dans le langage : dans son cas, les sons semblables ne correspondent pas à des sens semblables. Soit; mais quelle figure est alors la *dérivation* ou même la simple *répétition* où le rapprochement des sons semblables correspond bien un à rapprochement de sens semblables? Si on le prouve, c'est qu'on dispose d'une méthode « dialectique » qui, on le sait, gagne à tous les coups. Toute figure n'est pas anomalie et il faut chercher un critère autre que la transgression.

Pourtant la bonne définition était déjà présente dans la rhétorique de Du Marsais (dont Genette constate un peu trop vite l'échec) : « Les manières de parler, écrivait-il, qui expriment non seulement des pensées mais encore des pensées énoncées d'une manière particulière qui leur donne un caractère propre, celles-là, dis-je, sont appelées figures. » Est figure ce qui donne au discours « un caractère propre », ce qui le rend perceptible; le discours figuré est un discours opaque, le discours sans figures est transparent. Appeler le navire « navire », c'est n'utiliser le langage que comme un médiateur de signification, c'est tuer à la fois l'objet et le mot. L'appeler « voile », c'est arrêter notre regard sur le mot, donner une valeur propre au langage et une chance de survivre au monde.

Mais il n'est pas nécessaire pour cela qu'il existe une autre expression pour dire la même chose, ni une règle linguistique enfreinte. Il suffit qu'il y ait une forme, une disposition particulière du langage (Du Marsais l'a dit : « une manière particulière ») pour que nous puissions percevoir ce langage même. Est figure ce qui se laisse décrire, ce qui est institutionnalisé comme tel. La gradation est une figure parce qu'on remarque la succession de trois noms de la même espèce : le regard donne vie à la figure comme il tue Euridice. S'il n'y avait pas de figures, nous ignorerions peut-être encore l'existence du langage : n'oublions pas que les Sophistes qui en ont parlé les premiers, furent les créateurs de la rhétorique.

Les figures sont le sujet d'un seul chapitre chez Genette; mais elles se trouvent au centre de l'attention de Cohen et leur interprétation abusive menace davantage la construction de l'ensemble. Les figures en tant qu'infractions sont la base même de sa théorie : elles freinent le fonctionnement normal du langage pour ne laisser passer que le message poétique. Mais les figures ne sont qu'une présence du langage lui-même, il n'y a pas de destruction nécessaire du langage commun. Alors, comment cet « autre » message arrive-t-il à passer ?

Nous croyons que l' « autre » message ne passe pas car il n'a jamais existé, au moins pas sous la forme que lui attribue Cohen. Et comme ce n'est pas dans son argumentation que nous voulons chercher une défaillance, il faudra, pour déceler les causes d'une nouvelle confusion, descendre aux prémisses logico-linguistiques d'où est parti son raisonnement.

La face signifiée du signe linguistique se sépare, pour Cohen, en deux parties : forme et substance. Ce couple de termes, emprunté à Hjelmslev, connaît une certaine incertitude dans l'usage, et nous aurons intérêt à fixer son sens dès le début. « La forme, c'est le style » (p. 35), c'est ce qui se perd dans une traduction, ce sont les particularités expressives et stylistiques au sens le plus strict du mot. La substance, c'est la « chose existant en soi et indépendamment de toute expression verbale ou non verbale » (p. 33). A partir de ces bases, la théorie poétique de Cohen se développe comme suit : la substance (les objets) ne peut être poétique en soi; donc la poésie vient uniquement de la forme. Pour qu'elle se réalise, il est nécessaire d'empêcher le fonctionnement normal du langage qui transmet habituellement les substances, non les formes : c'est là le rôle des figures. Une fois le message dénotatif brouillé, on pourra percevoir la forme qui se résout dans une pure affectivité. A ce moment, « il ne s'agit plus du message lui-même, en tant que système de signes, mais de l'effet subjectif produit chez le récepteur » (p. 203); l'effet de la poésie est dans les émotions et son étude relève d'une psychologie, non de la sémantique. Et Cohen cite cette phrase significative de Carnap qui « exprime fort bien la conception qui est la nôtre » : « Le but d'un poème... est... d'exprimer certaines émotions du poète et d'exciter en nous des émotions analogues » (p. 205).

Commençons par les prémisses. Ce qui frappe dans cette théorie de la signification — et c'est paradoxal — c'est le fait que les mots n'ont pas de sens : ils ont uniquement un référent (la substance) et une valeur stylistique et émotionnelle (la forme). Or la logique et la linguistique affirment depuis longtemps qu'en dehors de ces deux éléments il en existe un troisième, le plus important, qu'on appelle *sens* ou *compréhension*. « Le satellite de la terre » et « cette faucille d'or », nous dit Cohen, s'opposent uniquement par leur forme : la première expression ne contient pas de figure et est affectivement neutre, la seconde est imagée et émotionnelle. « La lune est poétique comme " reine des nuits " ou comme "cette faucille d'or "... ; elle reste prosaïque comme " le satellite de la terre " » (p. 39). Or ce n'est pas seulement la valeur stylistique qui diffère dans ces deux expressions, c'est aussi le sens; ce qu'elles ont en commun, c'est un référent, non une signification; mais celle-ci est intérieure au langage. La différence essentielle n'est pas dans la réaction émotionnelle qu'elles provoquent chez le récepteur (et le font-elles?), mais dans le sens qu'elles ont.

« *Le Lac* de Lamartine, la *Tristesse d'Olympio* de Hugo, *le Souvenir* de Musset disent la même chose, mais chacun le dit d'une manière neuve », affirme Cohen (p. 42); ou encore : la valeur esthétique du poème ne réside pas dans ce qu'il dit mais dans la manière dont il le dit (p. 40). Or il n'y a pas deux manières de dire la même chose; seul le référent peut rester identique; les deux « manières » créent deux significations différentes.

Il n'y a donc aucune preuve que la poésie réside dans ce que Cohen appelle la « forme » : s'il arrive à prouver qu'elle n'est pas dans le référent, il ne nous a rien dit en ce qui concerne le sens. Il y a en revanche beaucoup d'arguments contre la réduction du poème à un complexe d'émotions. Jakobson nous mettait en garde, il y a déjà plus de quarante ans : « La poésie peut utiliser les moyens du langage émotionnel, mais toujours avec des desseins qui lui sont propres. Cette ressemblance entre les deux systèmes linguistiques ainsi que l'utilisation faite par le langage poétique de moyens propres au langage émotionnel provoque souvent l'identification des deux. Cette identification est erronée puisqu'elle ne tient pas compte de la différence fonctionnelle fondamentale entre les deux systèmes linguistiques. » Réduire la poésie à un « sentiment » analogue chez le poète et son lecteur, comme le veut Carnap, c'est revenir à des conceptions psychologiques périmées depuis longtemps. La poésie n'est pas une affaire de sentiments mais de signification.

L'abîme creusé par Cohen entre deux types opposés de signification dont seul l'un est esthétiquement valable vient rétablir, dans toute son ancienne grandeur, le couple de « forme » et « contenu ». Le danger de cette conception (que Valéry lui-même n'a pas tout à fait évité) n'est pas dans le primat donné au contenu aux dépens de la forme : dire l'inverse serait tout aussi faux ; mais dans l'existence même de cette dichotomie. Si le structuralisme a fait un pas en avant depuis le formalisme, c'est précisément pour avoir cessé d'isoler une forme, seule valable, et de se désintéresser des contenus. L'œuvre littéraire n'a pas une forme et un contenu mais une structure de significations dont il faut connaître les rapports.

La conception réductrice de Cohen se heurte, ici encore, aux faits : mainte poétique ne peut s'expliquer comme une infraction aux principes du langage. Mais « l'esthétique classique est une esthétique anti-poétique », nous assure-t-il (p. 20). Non ; c'est que la poétique est une catégorie plus large que celle qu'il nous présente ; et l'esthétique des classiques y trouve bien sa place.

Les remarques critiques que nous venons de formuler ne doivent pas amener à se méprendre sur l'importance du travail de Cohen. La grande partie de ses analyses reste un acquis incontestable et si les prémisses et les conclusions se prêtent à la discussion, ce n'est peut-être là qu'un mérite supplémentaire : car il était grand temps de commencer à discuter les problèmes de poétique.

1966.

4. Typologie du roman policier

Le genre policier ne se subdivise pas en espèces. Il présente seulement des formes historiquement différentes.

Boileau-Narcejac [1].

Si je mets ces mots en exergue à un article qui traite, précisément, des « espèces » dans le genre « roman policier », ce n'est pas pour souligner mon désaccord avec les auteurs en question, mais parce que cette attitude est très répandue ; c'est donc la première par rapport à laquelle il faut prendre position. Le roman policier n'y est pour rien : depuis près de deux siècles, une réaction forte se fait sentir, dans les études littéraires, qui conteste la notion même de genre. On écrit soit sur la littérature en général soit sur une œuvre ; et il y a une convention tacite selon laquelle ranger plusieurs œuvres dans un genre, c'est les dévaloriser. Cette attitude a une bonne explication historique : la réflexion littéraire de l'époque classique, qui avait trait aux genres plus qu'aux œuvres, manifestait aussi une tendance pénalisante : l'œuvre était jugée mauvaise, si elle n'obéissait pas suffisamment aux règles du genre. Cette critique cherchait donc non seulement à décrire les genres mais aussi à les prescrire ; la grille des genres précédait la création littéraire au lieu de la suivre. La réaction fut radicale : les romantiques et leurs descendants refusèrent non seulement de se conformer aux règles des genres (ce qui était bien leur droit) mais aussi de reconnaître l'existence même de cette notion. Aussi la théorie des genres est-elle restée singulièrement peu développée jusqu'à nos jours. Pourtant, à l'heure actuelle, on aurait tendance à chercher un intermédiaire entre la notion trop générale de littérature et ces objets particuliers que sont les œuvres. Le retard vient sans doute du fait que la typologie implique et est impliquée par la description de ces œuvres particulières ; or cette dernière tâche est encore loin d'avoir reçu des solutions satisfaisantes :

---

1. *Le Roman policier*, Paris, Payot, 1964, p. 185.

tant qu'on ne saura pas décrire la structure des œuvres, il faudra se contenter de comparer des éléments qu'on sait mesurer, tel le mètre. Malgré toute l'actualité d'une recherche sur les genres (comme l'avait remarqué Thibaudet, c'est du problème des universaux qu'il s'agit), on ne peut pas la commencer sans faire avancer d'abord la description structurale : seule la critique du classicisme pouvait se permettre de déduire les genres à partir des schémas logiques abstraits.

Une difficulté supplémentaire vient s'ajouter à l'étude des genres, qui tient au caractère spécifique de toute norme esthétique. La grande œuvre crée, d'une certaine façon, un nouveau genre, et en même temps elle transgresse les règles du genre, valables auparavant. Le genre de *la Chartreuse de Parme*, c'est-à-dire la norme à laquelle ce roman se réfère, n'est pas le roman français du début du XIXe; c'est le genre « roman stendhalien » qui est créé par cette œuvre précisément, et par quelques autres. On pourrait dire que tout grand livre établit l'existence de deux genres, la réalité de deux normes : celle du genre qu'il transgresse, qui dominait la littérature précédente; et celle du genre qu'il crée.

Il y a toutefois un domaine heureux où cette contradiction dialectique entre l'œuvre et son genre n'existe pas : celui de la littérature de masses. Le chef-d'œuvre littéraire habituel n'entre dans aucun genre si ce n'est le sien propre; mais le chef-d'œuvre de la littérature de masses est précisément le livre qui s'inscrit le mieux dans son genre. Le roman policier a ses normes; faire « mieux » qu'elles ne le demandent, c'est en même temps faire moins bien : qui veut « embellir » le roman policier, fait de la « littérature », non du roman policier. Le roman policier par excellence n'est pas celui qui transgresse les règles du genre, mais celui qui s'y conforme : *Pas d'orchidées pour Miss Blandish* est une incarnation du genre, non un dépassement. Si l'on avait bien décrit les genres de la littérature populaire, il n'y aurait plus lieu de parler de ses chefs-d'œuvre : c'est la même chose; le meilleur roman sera celui dont on n'a rien à dire. C'est un fait très peu remarqué et dont les conséquences affectent toutes les catégories esthétiques : nous sommes aujourd'hui en présence d'une coupure entre leurs deux manifestations essentielles; il n'y a plus une seule norme esthétique dans notre société, mais deux; on ne peut pas mesurer avec les même mesures le « grand » art et l'art « populaire ».

La mise en évidence des genres à l'intérieur du roman policier promet donc d'être relativement facile. Mais il faut pour cela commencer par la description des « espèces », ce qui veut dire aussi par leur délimitation. Nous prendrons comme point de départ le roman policier classique qui a connu son heure de gloire entre les deux guerres, et que nous pouvons appeler « roman à énigme ». Il y a déjà eu plusieurs essais de préciser les règles de ce genre (nous reviendrons plus tard sur les vingt règles de Van Dine); mais la meilleure caractéristique globale nous semble celle qu'en donne Michel Butor dans son roman l'*Emploi du temps*. George Burton, auteur de nombreux romans policiers, explique au narrateur que « tout roman policier est bâti sur deux meurtres dont le premier, commis par l'assassin, n'est que l'occasion du second dans lequel il est la victime du meurtrier pur et impunissable, du détective », et que « le récit... superpose deux séries temporelles : les jours de l'enquête qui commencent au crime, et les jours du drame qui mènent à lui ».

A la base du roman à énigme nous trouvons une dualité, et c'est elle qui va nous guider pour le décrire. Ce roman ne contient pas une mais deux histoires : l'histoire du crime et l'histoire de l'enquête. Dans leur forme la plus pure, ces deux histoires n'ont aucun point commun. Voici les premières lignes d'un roman « pur » :

> « Sur une petite carte verte, on lit ces lignes tapées à la machine :
> Odell Margaret
> 184, Soixante-et-onzième. rue Ouest. Assassinat. Étranglée vers vingt-trois heures. Appartement saccagé. Bijoux volés. Corps découvert par Amy Gibson, femme de chambre. »
>
> (S.S. Van Dine, *l'Assassinat du Canari.*)

La première histoire, celle du crime, est terminée avant que ne commence la seconde. Mais que se passe-t-il dans la seconde? Peu de choses. Les personnages de cette seconde histoire, l'histoire de l'enquête, n'agissent pas, ils apprennent. Rien ne peut leur arriver : une règle du genre postule l'immunité du détective. On ne peut pas s'imaginer Hercule Poirot ou Philo Vance menacés d'un danger, attaqués, blessés, et, à plus forte raison, tués. Les cent cinquante pages qui séparent la découverte du crime de la révélation du coupable sont consacrées à un lent apprentissage : on examine indice après indice, piste après piste. Le roman à énigme tend ainsi vers une architecture purement géométrique : le *Crime de l'Orient-Express*

(A. Christie), par exemple, présente douze personnages suspects; le livre consiste en douze, et de nouveau douze interrogatoires, prologue et épilogue (c'est-à-dire découverte du crime et découverte du coupable).

Cette seconde histoire, l'histoire de l'enquête, jouit donc d'un statut tout particulier. Ce n'est pas un hasard si elle est souvent racontée par un ami du détective, qui reconnaît explicitement qu'il est en train d'écrire un livre : elle consiste, en fait, à expliquer comment ce récit même peut avoir lieu, comment ce livre même est écrit. La première histoire ignore entièrement le livre, c'est-à-dire qu'elle ne s'avoue jamais livresque (aucun auteur de romans policiers ne pourrait se permettre d'indiquer lui-même le caractère imaginaire de l'histoire, comme cela se produit en « littérature »). En revanche, la seconde histoire est non seulement censée tenir compte de la réalité du livre mais elle est précisément l'histoire de ce livre même.

On peut encore caractériser ces deux histoires en disant que la première, celle du crime, raconte « ce qui s'est effectivement passé », alors que la seconde, celle de l'enquête, explique « comment le lecteur (ou le narrateur) en a pris connaissance ». Mais ces définitions ne sont plus celles des deux histoires dans le roman policier, mais de deux aspects de toute œuvre littéraire que les Formalistes russes avaient décelés, il y a quarante ans. Ils distinguaient, en effet, la fable et le sujet d'un récit : la fable, c'est ce qui s'est passé dans la vie, le sujet, la manière dont l'auteur nous le présente. La première notion correspond à la réalité évoquée, à des événements semblables à ceux qui se déroulent dans notre vie; la seconde, au livre lui-même, au récit, aux procédés littéraires dont se sert l'auteur. Dans la fable, il n'y a pas d'inversion dans le temps, les actions suivent leur ordre naturel; dans le sujet, l'auteur peut nous présenter les résultats avant les causes, la fin avant le début. Ces deux notions ne caractérisent pas deux parties de l'histoire ou deux histoires différentes, mais deux aspects d'une même histoire, ce sont deux points de vue sur la même chose. Comment se fait-il alors que le roman policier parvient à les rendre présentes toutes deux, à les mettre côte à côte?

Pour expliquer ce paradoxe, il faut d'abord se souvenir du statut particulier des deux histoires. La première, celle du crime, est en fait l'histoire d'une absence : sa caractéristique la plus juste est qu'elle ne peut être immédiatement présente dans le livre. En d'autres mots, le narrateur ne peut pas nous transmettre directement les répliques des personnages qui y sont impliqués, ni nous décrire leur gestes : pour le faire, il doit nécessairement passer par l'intermédiaire d'un autre (ou du même) personnage qui rapportera, dans la seconde histoire, les paroles entendues ou les actes observés. Le statut de la seconde est, nous l'avons vu, tout aussi excessif : c'est une histoire qui n'a aucune importance en elle-même, qui sert seulement de médiateur entre le lecteur et l'histoire du crime. Les théoriciens du roman policier se sont toujours accordés pour dire que le style, dans ce type de littérature, doit être parfaitement transparent, inexistant; la seule exigence à laquelle il obéit est d'être simple, clair, direct. On a même tenté — ce qui est significatif — de supprimer entièrement cette seconde histoire : une maison d'édition avait publié de véritables dossiers, composés de rapports de police, d'interrogatoires, de photos, d'empreintes digitales, même de mèches de cheveux; ces documents « authentiques » devaient amener le lecteur à la découverte du coupable (en cas d'échec, une enveloppe fermée, collée sur la dernière page, donnait la réponse du jeu : par exemple le verdict du juge).

Il s'agit donc, dans le roman à énigme, de deux histoires dont l'une est absente mais réelle, l'autre présente mais insignifiante. Cette présence et cette absence expliquent l'existence des deux dans la continuité du récit. La première comporte tant de conventions et de procédés littéraires (qui ne sont rien d'autres que l'aspect « sujet » du récit) que l'auteur ne peut pas les laisser sans explication. Ces procédés sont, notons-le, de deux types essentiellement, inversions temporelles et « visions » particulières : la teneur de chaque renseignement est déterminée par la personne de celui qui le transmet, il n'existe pas d'observation sans observateur; l'auteur ne peut pas, par définition, être omniscient, comme il l'était dans le roman classique. La seconde histoire apparaît donc comme un lieu où l'on justifie et « naturalise » tous ces procédés : pour leur donner un air « naturel » l'auteur doit expliquer qu'il écrit un livre! Et c'est de peur que cette seconde histoire ne devienne elle-même opaque, ne jette une ombre inutile sur la première, qu'on a tant recommandé de garder le style neutre et simple, de le rendre imperceptible.

Examinons maintenant un autre genre à l'intérieur du roman policier, celui qui s'est créé aux États-Unis peu avant et surtout après la deuxième guerre, et qui est publié en France dans la « série noire »; on peut l'appeler le roman noir, bien que ce terme ait aussi une autre signification. Le roman noir est un roman policier qui fusionne les deux histoires ou, en d'autres mots, supprime la première et donne de la vie à la seconde. Ce n'est plus un crime antérieur au moment du récit qu'on nous relate, le récit coïncide avec l'action. Aucun roman noir n'est présenté sous la forme de mémoires : il n'y a pas de point d'arrivée à partir duquel le narrateur embrasserait les événements passés, nous ne savons pas s'il arrivera vivant à la fin de l'histoire. La prospection se substitue à la rétrospection.

Il n'y a pas d'histoire à deviner; et il n'y a pas de mystère, au sens où il était présent dans le roman à énigme. Mais l'intérêt du lecteur ne diminue pas pour autant : on se rend compte ici qu'il existe deux formes d'intérêt tout à fait différentes. La première peut être appelée la *curiosité*; sa marche va de l'effet à la cause : à partir d'un certain effet (un cadavre et certains indices) il faut trouver sa cause (le coupable et ce qui l'a poussé au crime). La deuxième forme est le *suspense* et on va ici de la cause à l'effet : on nous montre d'abord les causes, les données initiales (des gangsters qui préparent des mauvais coups) et notre intérêt est soutenu par l'attente de ce qui va arriver, c'est-à-dire des effets (cadavres, crimes, accrochages). Ce type d'intérêt était inconcevable dans le roman à énigme car ses personnages principaux (le détective et son ami, le narrateur) étaient, par définition, immunisés : rien ne pouvait leur arriver. La situation se renverse dans le roman noir : tout est possible, et le détective risque sa santé, sinon sa vie.

J'ai présenté l'opposition entre roman à énigme et roman noir comme une opposition entre deux histoires et une seule; mais c'est là un classement logique et non historique. Le roman noir n'a pas eu besoin, pour apparaître, d'opérer ce changement précis. Malheureusement pour la logique, les genres ne se constituent pas en conformité avec les descriptions structurales; un genre nouveau se crée autour d'un élément qui n'était pas obligatoire dans l'ancien : les deux codent des éléments différents. C'est pour cette raison que la poétique du classicisme se perdait à rechercher une classification logique des genres. Le roman noir moderne s'est constitué non autour d'un procédé de présentation mais autour du milieu représenté, autour de personnages et de mœurs particuliers; autrement dit, sa caractéristique constitutive est dans ses thèmes. C'est ainsi que le décrivait, en 1945, Marcel Duhamel, son promoteur en France : on y trouve « de la violence — sous toutes ses formes, et plus particulièrement les plus honnies — du tabassage et du massacre ». « L'immoralité y est chez elle tout autant que les beaux sentiments. » « Il y a aussi de l'amour — préférablement bestial — de la passion désordonnée, de la haine sans merci... » En effet, c'est autour de ces quelques constantes que se constitue le roman noir : la violence, le crime souvent sordide, l'amoralité des personnages. Obligatoirement, aussi, la « seconde histoire », celle qui se déroule au présent, y tient une place centrale; mais la suppression de la première n'est pas un trait obligatoire : les premiers auteurs de la « série noire », D. Hammett, R. Chandler gardent le mystère; l'important est qu'il aura ici une fonction secondaire, subordonnée et non plus centrale, comme dans le roman à énigme.

Cette restriction dans le milieu décrit distingue aussi le roman noir du roman d'aventures bien que cette limite ne soit pas très nette. On peut se rendre compte que les propriétés énumérées jusqu'ici, le danger, la poursuite, le combat se rencontrent aussi bien dans un roman d'aventures; pourtant le roman noir garde son autonomie. Il faut en distinguer plusieurs causes : le relatif effacement du roman d'aventures et sa substitution par le roman d'espionnage; ensuite son penchant pour le merveilleux et l'exotique, qui le rapproche, d'une part, du récit de voyage, de l'autre, des romans actuels de science-fiction; enfin une tendance vers la description, qui reste tout à fait étrangère au roman policier. La différence dans le milieu et les mœurs décrits s'ajoute à ces autres distinctions; et c'est elle précisément qui a permis au roman noir de se constituer.

Un auteur de romans policiers particulièrement dogmatique, S. S. Van Dine, a énoncé, en 1928, vingt règles auxquelles doit se conformer tout auteur de romans policiers qui se respecte. Ces règles ont été souvent reproduites depuis (voir par exemple dans le livre déjà cité de Boileau et Narcejac) et elles ont été surtout très contestées. Comme il ne s'agit pas pour nous de prescrire la façon dont il faut procéder, mais de décrire les genres du roman policier, nous avons intérêt à nous y arrêter un instant. Sous leur forme originale, ces règles sont assez redondantes, et elles se laissent facilement résumer par les huit points suivants :

1. Le roman doit avoir au plus un détective et un coupable, et au moins une victime (un cadavre).

2. Le coupable ne doit pas être un criminel professionnel; ne doit pas être le détective; doit tuer pour des raisons personnelles.

3. L'amour n'a pas de place dans le roman policier.

4. Le coupable doit jouir d'une certaine importance :
   a) dans la vie : ne pas être un valet ou une femme de chambre;
   b) dans le livre : être un des personnages principaux.

5. Tout doit s'expliquer d'une façon rationnelle; le fantastique n'y est pas admis.

6. Il n'y a pas de place pour des descriptions ni pour des analyses psychologiques.

7. Il faut se conformer à l'homologie suivante, quant aux renseignements sur l'histoire : « auteur : lecteur = coupable : détective ».

8. Il faut éviter les situations et les solutions banales (Van Dine en énumère dix).

Si nous comparons cet inventaire avec la description du roman noir, nous découvrirons un fait intéressant. Une partie des règles de Van Dine se rapporte apparemment à tout roman policier, une autre, au roman à énigme. Cette répartition coïncide, curieusement, avec le champ d'application des règles : celles qui concernent les thèmes, la vie représentée (la « première histoire ») sont limitées au roman à énigme (règles 1-4ᵃ); celles qui se rapportent au discours, au livre (à la « seconde histoire »), sont également valables pour les roman noir (règles 4ᵇ-7; la règle 8 est d'une généralité beaucoup plus grande). En effet dans le roman noir il y a souvent plus d'un détective (*la Reine des pommes* de Chester Hymes) et plus d'un criminel (*Du gâteau!* de J. H. Chase). Le criminel est presque obligatoirement un professionnel et ne tue pas pour des raisons personnelles (« le tueur à gages »); de plus, c'est souvent un policier. L'amour — « préférablement bestial » — y tient aussi sa place. En revanche les explications fantastiques, les descriptions et les analyses psychologiques en restent bannies; le criminel doit toujours être un des personnages principaux. Quant à la règle 7, elle a perdu sa pertinence avec la disparition de la double histoire. Ceci nous prouve que l'évolution a touché avant tout la partie thématique, et non la structure du discours lui-même (Van Dine n'a pas noté la nécessité du mystère et, par conséquent, de la double histoire, la considérant sans doute comme allant de soi).

Des traits à première vue insignifiants peuvent se trouver codifiés dans l'un ou l'autre type de roman policier : un genre réunit des particularités situées à différents niveaux de généralité. Ainsi le roman noir, à qui tout accent sur les procédés littéraires est étranger, ne réserve pas ses surprises pour les dernières lignes du chapitre; alors que le roman à énigme, qui légalise la convention littéraire en l'explicitant dans sa « seconde histoire » terminera souvent le chapitre par une révélation particulièrement surprenante (« C'est vous l'assassin », dit ainsi Poirot au narrateur dans *le Meurtre de Roger Ackroyd*). D'autre part, certains traits de style dans le roman noir lui appartiennent en propre. Les descriptions sont faites sans emphase, froidement, même si l'on décrit des faits effrayants; on peut dire « avec cynisme » (« Joe saignait comme un porc. Incroyable qu'un vieillard puisse saigner à ce point », Horace Mac Coy, *Adieu la vie, adieu l'amour...*). Les comparaisons connotent une certaine rudesse (description des mains : « je sentais que si jamais ses mains agrippaient ma gorge, il me ferait jaillir le sang par les oreilles », J. H. Chase, *Garces de femmes!*). Il suffit de lire un tel passage pour être sûr qu'on tient un roman noir entre ses mains.

Il n'est pas étonnant qu'entre ces deux formes si différentes ait pu surgir une troisième qui combine leurs propriétés : le roman à suspense. Du roman à énigme il garde le mystère et les deux histoires, celle du passé et celle du présent; mais il refuse de réduire la seconde à une simple détection de la vérité. Comme dans le roman noir, c'est cette seconde histoire qui prend ici la place centrale. Le lecteur est intéressé non seulement par ce qui est arrivé avant mais aussi par ce qui va arriver plus tard, il s'interroge aussi bien sur l'avenir que sur le passé. Les deux types d'intérêt se trouvent donc réunis ici : il y a la curiosité, de savoir comment s'expliquent les événements déjà passés; et il y a aussi le suspense : que va-t-il arriver aux personnages principaux? Ces personnages jouissaient d'une immunité, on s'en souvient, dans le roman à énigme; ici ils risquent leur vie sans cesse. Le mystère a une fonction différente de celle qu'il avait dans le roman à énigme : il est plutôt un point de départ, l'intérêt principal venant de la seconde histoire, celle qui se déroule au présent.

Historiquement, cette forme du roman policier est apparue à

deux moments : elle a servi de transition entre le roman à énigme et le roman noir; et elle a existé en même temps que celui-ci. A ces deux périodes correspondent deux sous-types du roman à suspense. Le premier, qu'on pourrait appeler l' « histoire du détective vulnérable », est surtout attesté par les romans de Hammett et de Chandler. Son trait principal est que le détective perd son immunité, il se fait « tabasser », blesser, il risque sans cesse sa vie, bref, il est intégré à l'univers des autres personnages, au lieu d'en être un observateur indépendant, comme l'est le lecteur (souvenons-nous de l'analogie détective-lecteur de Van Dine). Ces romans sont habituellement classés comme des romans noirs à cause du milieu qu'ils décrivent mais nous voyons que leur composition les rapproche plutôt des romans à suspense.

Le second type de roman à suspense a précisément voulu se débarrasser du milieu conventionnel des professionnels du crime, et revenir au crime personnel du roman à énigme, tout en se conformant à la nouvelle structure. Il en est résulté un roman qu'on pourrait appeler l' « histoire du suspect-détective ». Dans ce cas, un crime s'accomplit dans les premières pages et les soupçons de la police se portent sur une certaine personne (qui est le personnage principal). Pour prouver son innocence, cette personne doit trouver elle-même le vrai coupable, même si elle risque, pour ce faire, sa vie. On peut dire que, dans ce cas, ce personnage est en même temps le détective, le coupable (aux yeux de la police) et la victime (potentielle, des véritables assassins). Beaucoup de romans de Irish, Patrik Quentin, Charles Williams sont bâtis sur ce modèle.

Il est assez difficile de dire si les formes que nous venons de décrire correspondent à des étapes d'une évolution ou bien peuvent exister simultanément. Le fait que nous pouvons en rencontrer de divers types chez un même auteur, précédant le grand épanouissement du roman policier (tels Conan Doyle ou Maurice Leblanc) nous ferait pencher pour la seconde solution, d'autant plus que ces trois formes coexistent parfaitement aujourd'hui. Mais il est assez remarquable que l'évolution du roman policier dans ses grandes lignes a suivi précisément la succession de ces formes. On pourrait dire qu'à partir d'un certain moment le roman policier ressent comme un poids injustifié les contraintes de tel ou tel genre et s'en débarrasse pour constituer un nouveau code. La règle du genre est perçue comme une contrainte à partir du moment où elle devient pure forme et ne se justifie plus par la structure de l'ensemble. Ainsi dans les romans de Hammett et de Chandler le mystère global était devenu un pur prétexte, et le roman noir qui lui a succédé s'en est débarrassé, pour élaborer davantage cette nouvelle forme d'intérêt qu'est le suspense et se concentrer autour de la description d'un milieu. Le roman à suspense qui est né après les grandes années du roman noir, a ressenti ce milieu comme un attribut inutile, et n'a gardé que le suspense lui-même. Mais il a fallu en même temps renforcer l'intrigue et rétablir l'ancien mystère. Les romans qui ont essayé de se passer aussi bien du mystère que du milieu propre à la « série noire » — tels par exemple *Préméditations* de Francis Iles ou *Mr. Ripley* de Patricia Highsmith — sont trop peu nombreux pour qu'on puisse les considérer comme formant un genre à part.

Nous arrivons ici à une dernière question : que faire des romans qui n'entrent pas dans notre classification? Ce n'est pas un hasard, me semble-t-il, si des romans comme ceux que je viens de mentionner sont jugés habituellement par le lecteur comme situés en marge du genre, comme une forme intermédiaire entre le roman policier et le roman tout court. Si toutefois cette forme (ou une autre) devient le germe d'un nouveau genre de livres policiers, ce ne sera pas là un argument contre la classification proposée; comme je l'ai déjà dit, le nouveau genre ne se constitue pas nécessairement à partir de la néga-tion du trait principal de l'ancien, mais à partir d'un complexe de propriétés différent, sans souci de former avec le premier un ensemble logiquement harmonieux.

1966.

5. Le récit primitif

On parle parfois d'un récit simple, sain et naturel, d'un récit primitif, qui ne connaîtrait pas les vices des récits modernes. Les romanciers actuels s'écartent du bon vieux récit, ne suivent plus ses règles, pour des raisons sur lesquelles l'accord ne s'est pas encore fait : est-ce par perversité innée de la part de ces romanciers, ou par vain souci d'originalité, par obéissance aveugle à la mode?

On se demande quels sont les récits réels qui ont permis une telle induction. Il est fort instructif, en tous les cas, de relire dans cette perspective *l'Odyssée*, ce premier récit, qui devrait *a priori* correspondre le mieux à l'image du récit primitif. Rarement on trouvera, dans les œuvres plus récentes, tant de «perversités» accumulées, tant de procédés qui font de cette œuvre tout sauf un récit simple.

L'image du récit primitif n'est pas une image fictive, préfabriquée pour les besoins d'une discussion. Elle est implicite autant à des jugements sur la littérature actuelle, qu'à certaines remarques érudites sur les œuvres du passé. En se fondant sur une esthétique propre au récit primitif, les commentateurs des récits anciens déclarent étrangère au corps de l'œuvre telle ou telle de ses parties ; et, ce qui est pire, ils croient ne se référer à aucune esthétique particulière. Précisément, à propos de l'*Odyssée*, où on ne dispose pas de certitude historique, cette esthétique-là détermine les décisions des érudits sur les «insertions» et les «interpolations».

Il serait fastidieux d'énumérer toutes les lois de cette esthétique. Rappelons-en les principales :

La loi du vraisemblable: toutes les paroles, toutes les actions d'un personnage doivent s'accorder dans une vraisemblance psychologique — comme si de tous temps, on avait jugé vraisemblable la même combinaison de qualités. Ainsi on nous dit : « Tout ce passage était regardé comme une addition dès l'Antiquité parce que ces paroles paraissaient mal répondre au portrait de Nausicaa que fait par ailleurs le poète. »

La loi de l'unité des styles: le bas et le sublime ne peuvent pas se mêler. On nous dira ainsi que tel passage « malséant » est naturellement à considérer comme une interpolation. *La loi de la priorité du sérieux :* toute version comique d'un récit suit dans le temps sa version sérieuse; priorité temporelle aussi du bon sur le mauvais : est plus ancienne la version que nous jugerons aujourd'hui meilleure. « Cette entrée de Télémaque chez Ménélas est imitée de l'entrée d'Ulysse chez Alkinoos, ce qui semble indiquer que *le Voyage de Télémaque* fut composé après les *Récits chez Alkinoos.* »

La loi de la non-contradiction (pierre angulaire de toute critique d'érudition) : si une incompatibilité référentielle s'ensuit de la juxta-position de deux passages, l'un des deux au moins est inauthentique. La nourrice s'appelle Euryclée dans la première partie de *l'Odyssée,* Eurynomé, dans la dernière; donc les deux parties ont des auteurs différents. Selon la même logique, les parties de *l'Adolescent* ne peuvent pas être écrites toutes deux par Dostoïevski. — Ulysse est dit être plus jeune que Nestor, or il rencontre Iphitos qui est mort pendant l'enfance de Nestor : comment ce passage pourrait-il ne pas être interpolé? De la même façon, on devrait exclure comme inauthentiques un bon nombre de pages de la *Recherche* où le jeune Marcel paraît avoir plusieurs âges à un même moment de l'histoire. Ou encore : « En ces vers on reconnaît la maladroite suture d'une longue interpolation; car comment Ulysse peut-il parler d'aller dormir, alors qu'il était convenu qu'il repartirait le même jour. » Les différents actes de *Macbeth* ont donc, eux aussi, des auteurs différents, puisqu'on dit dans le premier que Lady Macbeth avait des enfants, et dans le dernier, qu'elle n'en avait jamais eu.

Les passages qui n'obéissent pas au principe de la non-contradiction sont inauthentiques; mais ce principe même ne l'est-il pas?

La loi de la non-répétition (aussi difficile qu'il soit de croire qu'on puisse imaginer une telle loi esthétique) : dans un texte authentique, il n'y a pas de répétitions. « Le passage qui commence ici vient répéter pour la troisième fois la scène du tabouret qu'Antinoos et de l'escabeau qu'Eurymaque ont précédemment lancés contre Ulysse...

Ce passage peut donc, à bon droit, paraître suspect. » Suivant ce principe, on pourrait couper une bonne moitié de l'*Odyssée* comme « suspecte » ou encore comme « une répétition choquante ». Il est difficile pourtant d'imaginer une description de l'épopée qui ne rende pas compte des répétitions, tant elles paraissent avoir un rôle fondamental.

La loi anti-digressive : toute digression de l'action principale est ajoutée ultérieurement, par un auteur différent. « Du vers 222 au vers 286 s'insère ici un long récit relatif à l'arrivée inattendue d'un certain Théoclymène, dont la généalogie nous sera indiquée en détail. Cette digression, de même que les autres passages qui, plus loin, se rapporteront à Théoclymène, est peu utile à la marche de l'action principale. » Ou encore mieux : « Ce long passage des vers 394-466 que Victor Bérard (*Introduction à l'Odyssée*, I, p. 457) tient pour une interpolation, ne laisse pas de paraître au lecteur d'aujourd'hui une digression non seulement inutile, mais encore mal venue, qui suspend le récit en un moment critique. On peut sans difficulté l'exciser [1] du contexte. » Pensons à ce qui resterait d'un *Tristram Shandy* si on en « excisait » toutes les digressions qui « interrompent si fâcheusement le récit » !

L'innocence de la critique d'érudition est, bien entendu, fausse ; consciemment ou non, celle-ci applique, à tout récit, des critères élaborés à partir de quelques récits particuliers (j'ignore lesquels). Mais il y a aussi une conclusion plus générale à tirer : c'est qu'il n'y a pas de « récit primitif ». Aucun récit n'est naturel, un choix et une construction présideront toujours à son apparition ; c'est un discours et non une série d'événements. Il n'existe pas de récit « propre » en face des récits « figurés » (comme d'ailleurs il n'y a pas de sens propre) ; tous les récits sont figurés. Il n'y a que le mythe du récit propre ; et en fait, il renvoie à un récit doublement figuré : la figure obligatoire est secondée par une autre, que Du Marsais appelait le « correctif » : une figure qui est là pour dissimuler la présence des autres figures.

---

1. « *Exciser*, enlever avec un instrument tranchant : exciser une tumeur » (*Petit Larousse*).

Examinons maintenant quelques-unes des propriétés du récit dans *l'Odyssée*. Et, tout d'abord, essayons de caractériser les types de discours dont le récit se sert et que nous retrouvons dans la société décrite par le poème.

Il y a deux grands types de parole, aux propriétés si différentes qu'on peut se demander s'ils appartiennent bien au même phénomène : ce sont la parole-action et la parole-récit.

La parole-action : il s'agit toujours ici, en effet, d'accomplir un acte qui n'est pas simplement l'énonciation de ces paroles. Cet acte est généralement accompagné, pour celui qui parle, d'un *risque*. Il ne faut pas avoir peur pour parler (« la terreur les faisait tous verdir, et le seul Eurymaque trouvait à lui répondre [1] »). La piété correspond au silence, la parole se lie à la révolte (« L'homme devrait toujours se garder d'être impie, mais jouir *en silence* des dons qu'envoient les dieux »).

Ajax qui assume les risques de la parole périt, puni par les dieux : « il s'en tirait, malgré la haine d'Athéna, s'il n'eût pas proféré une parole impie et fait un fol écart : c'est en dépit des dieux qu'il échappait, dit-il, au grand gouffre des mers ! Poséidon l'entendit, comme il criait si fort. Aussitôt, saisissant, de ses puissantes mains, son trident, il fendit l'une de ces Gyrées. Le bloc resta debout mais un pan dans la mer tomba, et c'était là qu'Ajax s'était assis pour lancer son blasphème : la vague, dans la mer immense, l'emporta. »

Toute la vengeance d'Ulysse où alternent ruses et audaces, se traduit par une série de silences et de paroles, les uns étant commandées par sa raison, les autres, par son cœur. « Sans mot dire, le prévient Athéna à son arrivée à Ithaque, il faudra pâtir de bien des maux et te prêter à tout, même à la violence. » Pour ne pas courir un risque, Ulysse doit se taire, mais s'il suit les appels de son cœur, il parle : « Bouvier, et toi, porcher, puis-je vous dire un mot?... vaudrait-il mieux me taire?... J'obéis à mon cœur et je parle. » Il y a peut-être des paroles pieuses qui ne comportent pas de risque; mais en principe, parler, c'est être audacieux, oser. Ainsi aux mots d'Ulysse, qui ne manquent pas de respect pour l'interlocuteur, on répond :

---

1. Ici comme plus loin, je cite la traduction française de Victor Bérard.

« Misérable! je vais sans plus te châtier! Voyez-vous cette langue! tu viens hâbler ici devant tous ces héros! vraiment tu n'as pas peur! » etc. Le fait même que quelqu'un ose parler justifie la constatation « tu n'as pas peur ».

Le passage de Télémaque de l'adolescence à la virilité est marqué presque uniquement par le fait qu'il commence à parler : « tous s'étonnaient, les dents plantées aux lèvres, que Télémaque osât leur parler de si haut ». Parler, c'est assumer une responsabilité, c'est pourquoi c'est aussi courir un danger. Le chef de la tribu a droit à la parole, les autres risquent de parler à leurs dépens.

Si la parole-action est considérée avant tout comme un risque, la parole-récit est un *art* — de la part du locuteur, ainsi qu'un plaisir pour les deux communicants. Les discours vont de pair ici non avec les dangers mortels, mais avec les joies et les délices. « Laissez-vous aller en cette salle au plaisir des discours comme aux joies du festin! » « Voici les nuits sans fin, qui laissent du loisir pour le sommeil et pour le plaisir des histoires! »

Comme le chef d'un peuple était l'incarnation du premier type de parole, ici un autre membre de la société devient son champion incontesté : c'est l'aède. L'admiration générale va à l'aède car il sait bien dire; il mérite les plus grands honneurs : « il est tel que sa voix l'égale aux Immortels »; c'est un bonheur que de l'écouter. Jamais un auditeur ne commente le contenu du chant, mais seulement l'art de l'aède et sa voix. En revanche, il est impensable que Télémaque, monté sur l'agora pour parler, soit reçu par des remarques sur la qualité de son discours; ce discours est transparent et on ne réagit qu'à sa référence : « Quel prêcheur d'agora à la tête emportée!... Télémaque, voyons, laisse là tes projets et tes propos méchants! » etc.

Notons ici que cette opposition entre la parole dont on dit qu'elle est juste et celle qu'on qualifie de belle, a disparu de notre société; on demande aujourd'hui, en principe, au poète de dire la vérité, on discute de la signification de ses paroles, non de leur beauté.

La parole-récit trouve sa sublimation dans le chant des Sirènes, qui passe en même temps au-delà de la dichotomie de base. Les Sirènes ont la plus belle voix de la terre, et leur chant est le plus beau — sans être très différent de celui de l'aède : « As-tu vu le public regarder vers l'aède, inspiré par les dieux pour la joie des mortels? Tant qu'il chante, on ne veut que l'entendre, et toujours! » Déjà, on ne peut quitter l'aède tant qu'il chante; les Sirènes sont comme un aède qui ne s'interrompt pas. Le chant des Sirènes est donc un degré supérieur de la poésie, de l'art du poète. Il faut retenir ici tout particulièrement la description qu'en fait Ulysse. De quoi traite ce chant irrésistible, qui fait immanquablement périr les hommes qui l'entendent, tant sa force d'attrait est grande? C'est un chant qui traite de lui-même. Les Sirènes ne disent qu'une chose : c'est qu'elles sont en train de chanter! « Viens ici! viens à nous! Ulysse tant vanté! l'honneur de l'Achaïe!... Arrête ton croiseur : viens écouter nos voix! Jamais un noir vaisseau n'a doublé notre cap sans ouïr les doux airs qui sortent de nos lèvres... » La parole la plus belle est celle qui se parle.

En même temps, c'est une parole qui égale à l'acte le plus violent qui soit : (se) donner la mort. Celui qui entend le chant des Sirènes ne pourra survivre : chanter signifie vivre si entendre égale mourir. « Mais une version plus tardive de la légende, disent les commentaires de l'*Odyssée*, voulait que, de dépit, après le passage d'Ulysse, elles se fussent, du haut de leur rocher, précipitées dans la mer. » Si entendre égale vivre, chanter signifie mourir. Celui qui parle subit la mort si celui qui entend lui échappe. Les Sirènes font perdre la vie à celui qui les entend parce qu'autrement elles doivent perdre la leur.

Le chant des Sirènes est, en même temps, cette poésie qui doit disparaître pour qu'il y ait vie, et cette réalité qui doit mourir pour que naisse la littérature. Le chant des Sirènes doit s'arrêter pour qu'un chant sur les Sirènes puisse apparaître. Si Ulysse n'avait pas échappé aux Sirènes, s'il avait péri à côté de leur rocher, nous n'aurions pas connu leur chant : tous ceux qui l'avaient entendu, en étaient morts et ne pouvaient pas le retransmettre. Ulysse, en privant les Sirènes de vie, leur a donné, par l'intermédiaire d'Homère, l'immortalité.

LA PAROLE FEINTE

Si nous cherchons à découvrir quelles propriétés internes distinguent les deux types de parole, deux oppositions indépendantes apparaissent. Premièrement, dans le cas de la parole-action, on réagit à l'aspect référentiel de l'énoncé (comme on l'a vu pour Télémaque); s'il s'agit d'un récit, le seul aspect que retiennent les interlocuteurs semble

71

être son aspect littéral. La parole-action est perçue comme une information, la parole-récit comme un discours. Deuxièmement, et ceci semble contradictoire, la parole-récit relève du mode constatif du discours, alors que la parole-action est toujours un performatif. C'est dans le cas de la parole-action que le procès d'énonciation prend une importance primordiale et devient le facteur essentiel de l'énoncé ; la parole-récit traite d'autre chose et évoque la présence d'un procès autre que celui de son énonciation. Contrairement à nos habitudes, la transparence va de pair avec le performatif, l'opacité, avec le constatif.

Le chant des Sirènes n'est pas le seul qui vienne brouiller cette configuration déjà complexe. Il s'y ajoute un autre registre verbal, très répandu dans *l'Odyssée*, qu'on peut appeler « la parole feinte ». Ce sont les mensonges proférés par les personnages.

Le mensonge fait partie d'un cas plus général qui est celui de toute parole inadéquate. On peut désigner ainsi le discours où un décalage visible s'opère entre la référence et le référent, entre le designatum et le denotatum. A côté du mensonge, on trouve ici les erreurs, le fantasme, le merveilleux. Dès qu'on prend conscience de ce type de discours, on s'aperçoit combien fragile est la conception selon laquelle la signification d'un discours est constituée par son référent.

Les difficultés commencent si nous cherchons à quel type de parole appartient la parole feinte dans *l'Odyssée*. D'une part, elle ne peut appartenir qu'au constatif : seule la parole constative peut être vraie ou fausse, le performatif échappe à cette catégorie. De l'autre, parler pour mentir n'égale pas parler pour constater, mais pour agir : tout mensonge est nécessairement performatif. La parole feinte est à la fois récit et action.

Le constatif et le performatif s'interpénètrent sans cesse. Mais cette interpénétration n'annule pas l'opposition elle-même. A l'intérieur de la parole-récit, nous voyons maintenant deux pôles distincts bien qu'il y ait passage possible entre les deux : il y a d'une part le chant même de l'aède ; on ne parlera jamais de vérité et mensonge à son propos ; ce qui retient les auditeurs est uniquement l'aspect littéral de l'énoncé. D'autre part, on lit les multiples brefs récits que se font les personnages tout au long de l'histoire, sans qu'ils deviennent aèdes pour autant. Cette catégorie de discours marque un degré dans le rapprochement vers la parole-action : la parole reste ici constative mais elle prend aussi une autre dimension qui est celle de l'acte; tout récit est proféré pour servir à un but précis qui n'est pas le seul plaisir des auditeurs. Le constatif est ici enchâssé dans le performatif. De là résulte la profonde parenté du récit avec la parole feinte. On frôle toujours le mensonge, tant qu'on est dans le récit. Dire des vérités, c'est presque déjà mentir. Nous retrouvons cette parole tout au long de *l'Odyssée*. (Mais sur un plan seulement : les personnages mentent les uns aux autres, le narrateur ne nous ment jamais. Les surprises des personnages ne sont pas des surprises pour nous. Le dialogue du narrateur avec le lecteur n'est pas isomorphe à celui des personnages entre eux.) L'apparition de la parole feinte se signale par un indice particulier : on invoque nécessairement la vérité.

Télémaque demande : « Mais voyons, réponds-moi *sans feinte*, point par point; quel est ton nom, ton peuple, et ta ville, et ta race?... » Athéna, la déesse aux yeux pers, réplique : « Oui, je vais là-dessus te répondre *sans feinte*. Je me nomme Mentès : j'ai l'honneur d'être fils du sage Anchialos, et je commande à nos bons rameurs de Taphos » etc.

Télémaque lui-même ment au porcher et à sa mère, pour cacher l'arrivée d'Ulysse à Ithaque; et il accompagne ses paroles de formules telles que « j'aime mon *franc parler* », « voici, tout au long, mère, la *vérité*. »

Ulysse dit : « Je ne demande, Eumée, qu'à dire tout de suite à la fille d'Icare, la sage Pénélope, *toute la vérité*. » Vient un peu plus tard le récit d'Ulysse devant Pénélope, tout en mensonges. De même, Ulysse rencontrant son père Laerte : « Oui, je vais là-dessus te répondre *sans feinte*. » Suivent de nouveaux mensonges.

L'invocation de la vérité est un signe de mensonge. Cette loi semble si forte qu'Eumée, le porcher, en déduit un corrélat : la vérité porte pour lui un indice de mensonge. Ulysse lui raconte sa vie; ce récit est entièrement inventé (et précédé évidemment de la formule : « je vais te répondre sans feinte »), sauf sur un détail : c'est qu'Ulysse vit toujours. Eumée croit tout mais ajoute : « Il n'est qu'un point, vois-tu, qui me semble inventé. Non! Non! je ne crois pas aux contes sur Ulysse! En ton état, pourquoi ces vastes menteries? Je suis bien renseigné sur le retour du maître! C'est la haine de tous les dieux qui l'accable... » La seule partie du récit qu'il traite de fausse, est la seule vraie.

On voit que les mensonges apparaissent le plus souvent dans les récits d'Ulysse. Ces récits sont nombreux et ils couvrent une bonne partie de *l'Odyssée*. *L'Odyssée* n'est donc pas un simple récit, mais un récit de récits, elle consiste en la relation des récits que se font les personnages. Encore une fois, rien d'un récit primitif et naturel; celui-ci devrait, semble-t-il, dissimuler sa nature de récit; alors que *l'Odyssée* l'exhibe sans cesse. Même le récit proféré au nom du narrateur n'échappe pas à cette règle, car il y a, à l'intérieur de *l'Odyssée*, un aède aveugle qui chante, précisément, les aventures d'Ulysse. Nous sommes en face d'un discours qui ne cherche pas à dissimuler son procès d'énonciation, mais à l'expliciter. En même temps, cette explicitation révèle rapidement ses limites. Traiter du procès de l'énonciation à l'intérieur de l'énoncé, c'est produire un énoncé dont le procès d'énonciation reste toujours à décrire. Le récit qui traite de sa propre création ne peut jamais s'interrompre, sauf arbitrairement, car il reste toujours un récit à faire, il reste toujours à raconter comment ce récit qu'on est en train de lire ou d'écrire, a pu surgir. La littérature est infinie, en ce sens qu'elle dit toujours sa propre création. L'effort du récit, de se dire par une auto-réflexion, ne peut être qu'un échec; chaque nouvelle déclaration ajoute une nouvelle couche à cette épaisseur qui cache le procès d'énonciation. Ce vertige infini ne cessera que si le discours acquiert une parfaite opacité : à ce moment, le discours se dit sans qu'il ait besoin de parler de lui-même.

Dans ses récits, Ulysse n'éprouve pas de tels remords. Les histoires qu'il raconte forment, apparemment, une série de variations, car il traite toujours de la même chose : il raconte sa vie. Mais la teneur de l'histoire change suivant l'interlocuteur, qui est toujours différent : Alkinoos (notre récit de référence), Athéna, Eumée, Télémaque, Antinoos, Pénélope, Laerte. La multitude de ces récits fait non seulement d'Ulysse une incarnation vivante de la parole feinte, mais permet aussi de découvrir quelques constantes. Tout récit d'Ulysse se détermine par sa fin, par le point d'arrivée : il sert à justifier la situation présente. Ces récits concernent toujours un déjà fait et relient un passé à un présent : ils doivent se terminer par un « je — ici — maintenant ». Si les récits divergent, c'est que les situations dans lesquelles ils ont été proférés, sont différentes. Ulysse apparaît bien habillé devant Athéna et Laerte : le récit doit expliquer sa richesse. Inversement, dans les autres cas, il est couvert de loques et l'histoire racontée doit justifier cet état. Le contenu de l'énoncé est entièrement dicté par le procès d'énonciation : la singularité de ce type de discours apparaîtrait encore plus fortement si nous pensions à ces récits plus récents, où ce n'est pas le point d'arrivée mais le point de départ qui est le seul élément fixe. Là, un pas en avant est un pas dans l'inconnu, la direction à suivre est remise en question à chaque nouveau mouvement. Ici, c'est le point d'arrivée qui détermine le chemin à parcourir. Le récit de Tristram Shandy, lui, ne relie pas un présent à un passé, ni même un passé à un présent, mais un présent à un futur.

Il y a deux Ulysses dans *l'Odyssée* : l'un qui court les aventures, l'autre qui les raconte. Il est difficile de dire lequel des deux est le personnage principal. Athéna, elle-même, en doute. « Pauvre éternel brodeur! n'avoir faim que de ruses!... Tu rentres au pays et ne penses encore qu'aux contes de brigands, aux mensonges chers à ton cœur depuis l'enfance... » Si Ulysse met si longtemps à rentrer chez lui, c'est que ce n'est pas là son désir profond : son désir est celui du narrateur (qui raconte les mensonges d'Ulysse, Ulysse ou Homère?). Or le narrateur désire raconter. Ulysse ne veut pas rentrer à Ithaque pour que l'histoire puisse continuer. Le thème de *l'Odyssée* n'est pas le retour d'Ulysse à Ithaque ; ce retour est, au contraire, la mort de *l'Odyssée*, sa fin. Le thème de *l'Odyssée*, ce sont les récits qui forment *l'Odyssée*, c'est *l'Odyssée* elle-même. C'est pourquoi, en rentrant dans son pays, Ulysse n'y pense pas et ne s'en réjouit pas ; il ne pense qu'aux « contes de brigands et aux mensonges » : il pense *l'Odyssée*.

UN FUTUR PROPHÉTIQUE

Les récits mensongers d'Ulysse sont une forme de répétition : des discours différents dissimulent une référence identique. Une autre forme de répétition est constituée par l'emploi tout particulier du futur que connaît *L'Odyssée*, et qu'on peut appeler prophétique. Il s'agit à nouveau d'une identité de la référence; mais à côté de cette ressemblance avec les mensonges, il y a aussi une opposition symétrique : il s'agit ici d'énoncés identiques, dont les procès d'énonciation diffèrent ; dans le cas des mensonges c'est le procès d'énonciation qui était identique, la différence se situant entre les énoncés. Le futur prophétique de *l'Odyssée* se rapproche davantage de notre image habituelle de la répétition. Cette modalité narrative apparaît dans différentes sortes de prédictions, et elle est toujours secondée par une description de l'action prédite réalisée. La plupart des événements de *l'Odyssée* se trouvent ainsi racontés deux ou plusieurs fois (le retour d'Ulysse étant prédit beaucoup plus d'une fois). Mais ces deux récits des mêmes événements ne se trouvent pas sur le même plan ; ils s'opposent, à l'intérieur de ce discours qu'est *l'Odyssée*, comme un discours à une réalité. Le futur semble en effet entrer, avec tous les autres temps du verbe, en une opposition, dont les termes sont l'absence et la présence d'une réalité, du référent. Seul le futur n'existe qu'à l'intérieur du discours ; le présent et le passé se réfèrent à un acte qui n'est pas le discours lui-même.

On peut relever plusieurs subdivisions à l'intérieur du futur prophétique. D'abord du point de vue de l'état ou de l'attitude du sujet de l'énonciation. Parfois, ce sont les dieux qui parlent au futur ; ce futur n'est alors pas une supposition mais une certitude, ce qu'ils projettent se réalisera. Ainsi en est-il de Circé, ou Calypso, ou Athéna qui prédisent à Ulysse ce qui va lui arriver. A côté de ce futur divin, il y a le futur divinatoire des hommes : les hommes essayant de lire les signes que les dieux leur envoient. Ainsi, un aigle passe : Hélène se lève et dit : « Voici quelle est la prophétie qu'un dieu me jette au cœur et qui s'accomplira... Ulysse rentrera chez lui pour se venger... » De multiples autres interprétations humaines des signes divins se trouvent dispersées dans *l'Odyssée*. Enfin, ce sont parfois les hommes qui projettent leur avenir ; ainsi Ulysse, au début du chant 19, projette jusqu'aux moindres détails la scène qui suivra peu après. Ici se rapportent également certaines paroles impératives.

Les prédictions des dieux, les prophéties des devins, les projets des hommes : tous se réalisent, tous se révèlent justes. Le futur prophétique ne peut être faux. Il y a pourtant un cas où se produit cette combinaison impossible : Ulysse rencontrant Télémaque ou Pénélope à Ithaque, prédit qu'Ulysse rentrera au pays natal et verra les siens. Le futur ne peut être faux que si ce qu'il prédit est vrai — déjà vrai.

Une autre gamme de subdivisions nous est offerte par les relations du futur avec l'instance du discours. Le futur qui se réalisera aux cours des pages suivantes n'est qu'un de ces types : appelons-le le futur prospectif. A côté de lui existe le futur rétrospectif; c'est le cas où on nous raconte un événement sans manquer de rappeler qu'il était bien prévu d'avance. Ainsi le Cyclope, apprenant que le nom de son bourreau est Ulysse : « Ah! Misère! je vois s'accomplir les oracles de notre vieux devin!... Il m'avait bien prédit ce qui m'arriverait et que, des mains d'Ulysse, je serais aveuglé... » Ainsi Alkinoos, voyant ses bateaux couler devant sa propre ville : « Ah! Misère! je vois s'accomplir les oracles du vieux temps de mon père », etc. — Tout événement non-discursif n'est que l'incarnation d'un discours, la réalité n'est qu'une réalisation.

Cette certitude dans l'accomplissement des événements prédits affecte profondément la notion d'intrigue. L'Odyssée ne comporte aucune surprise; tout est dit par avance; et tout ce qui est dit arrive. Ceci la met à nouveau en opposition radicale avec les récits ultérieurs, où l'intrigue joue un rôle beaucoup plus important, où nous ne savons pas ce qui arrivera. Dans l'Odyssée, non seulement nous le savons, mais on nous le dit avec indifférence. Ainsi, à propos d'Antinoos : « c'est lui, le premier, qui goûterait des flèches envoyées par la main de l'éminent Ulysse », etc. Cette phrase qui apparaît dans le discours du narrateur, serait impensable dans un roman plus récent. Si nous continuons d'appeler intrigue le fil suivi d'événements à l'intérieur de l'histoire, ce n'est que par facilité : qu'ont en commun l'intrigue de causalité qui nous est habituelle avec cette intrigue de prédestination propre à l'Odyssée?

1967.

6. Les hommes-récits

« Qu'est-ce qu'un personnage sinon la détermination de l'action? Qu'est-ce que l'action sinon l'illustration du personnage? Qu'est-ce qu'un tableau ou un roman qui *n'est pas* une description de caractères? Quoi d'autre y cherchons-nous, y trouvons-nous? »

Ces exclamations viennent d'Henry James et elles se trouvent dans son article célèbre *The Art of Fiction* (1884). Deux idées générales se font jour à travers elles. La première concerne la liaison indéfectible des différentes constituantes du récit : les personnages et l'action. Il n'y a pas de personnage hors de l'action, ni d'action indépendamment du personnage. Mais, subrepticement, une seconde idée apparaît dans les dernières lignes : si les deux sont indissolublement liés, l'un est quand même plus important que l'autre : les personnages. C'est-à-dire les caractères, c'est-à-dire la psychologie. Tout récit est « une description de caractères ».

Il est rare qu'on observe un cas si pur d'égocentrisme qui se prend pour de l'universalisme. Si l'idéal théorique de James était un récit où tout est soumis à la psychologie des personnages, il est difficile d'ignorer l'existence de toute une tendance de la littérature où les actions ne sont pas là pour servir d' « illustration » au personnage mais où, au contraire, les personnages sont soumis à l'action; où, d'autre part, le mot « personnage » signifie tout autre chose qu'une cohérence psychologique ou description de caractère. Cette tendance dont l'*Odyssée* et le *Décaméron*, *les Mille et une nuits* et le *Manuscrit trouvé à Saragosse* sont quelques-unes des manifestations les plus célèbres, peut être considérée comme un cas-limite d'a-psychologisme littéraire.

Essayons de l'observer de plus près en prenant comme exemple les deux dernières œuvres [1].

On se contente habituellement, en parlant de livres comme *les Mille et une nuits*, de dire que l'analyse interne des caractères en est absente, qu'il n'y a pas de description des états psychologiques; mais cette manière de décrire l'a-psychologisme ne sort pas de la tautologie. Il faudrait, pour caractériser mieux ce phénomène, partir d'une certaine image de la marche du récit, lorsque celui-ci obéit à une structure causale. On pourra alors représenter tout moment du récit sous la forme d'une proposition simple, qui entre en relation de consécution (notée par un +) ou de conséquence (notée par ⇒) avec les propositions précédentes et suivantes.

La première opposition entre le récit prôné par James et celui des *Mille et une nuits* peut être illustrée ainsi : S'il y a une proposition « X voit Y », l'important pour James, c'est X, pour Chahrazade, Y. Le récit psychologique considère chaque action comme une voie qui ouvre l'accès à la personnalité de celui qui agit, comme une expression, sinon comme un symptôme. L'action n'est pas considérée en elle-même, elle est *transitive* envers son sujet. Le récit a-psychologique, au contraire, se caractérise par ses actions intransitives : l'action importe en elle-même et non comme indice de tel trait de caractère. Les *Mille et une nuits* relèvent, on peut dire, d'une littérature *prédicative :* l'accent tombera toujours sur le prédicat et non sur le sujet de la proposition. L'exemple le plus connu de cet effacement du sujet grammatical est l'histoire de Sindbad le marin. Même Ulysse sort plus déterminé de ses aventures que lui : on sait qu'il est rusé, prudent, etc. Rien de tout cela ne peut être dit de Sindbad : son récit (mené pourtant à la première personne) est impersonnel; on devrait le noter non « X voit Y » mais « On voit Y ». Seul le récit de voyage le plus froid peut rivaliser avec les histoires de Sindbad pour leur impersonnalité; mais non

---

1. L'accès au texte de ces livres pose encore des problèmes sérieux. On connaît l'histoire mouvementée des traductions des *Mille et une nuits;* ici on se référera à la nouvelle traduction de René Klawam (t. I: *Dames insignes et Serviteurs galants;* t. II : *Les Cœurs inhumains*, Paris, Albin Michel, 1965 et 1966) [les deux autres volumes de cette traduction sont parus depuis]; pour les contes non publiés dans cette traduction, à celle de Galland (Paris, Garnier-Flammarion, t. I-III, 1965). Pour le texte de Potocki, toujours incomplet en français, je me réfère au *Manuscrit trouvé à Saragosse* (Paris, Gallimard, 1958, 1967) et à *Avadoro, histoire espagnole* (t. I-IV, Paris, 1813).

tout récit de voyage : pensons au *Voyage sentimental* de Sterne !
La suppression de la psychologie se fait ici à l'intérieur de la proposition narrative; elle continue avec plus de succès encore dans le
champ des relations entre propositions. Un certain trait de caractère
provoque une action; mais il y a deux manières différentes pour le faire.
On pourrait parler d'une causalité *immédiate* opposée à la causalité
médiatisée. La première serait du type « X est courageux ⇒ X défie
le monstre ». Dans la seconde, l'apparition de la première proposition
ne serait suivie d'aucune conséquence; mais dans le cours du récit X
apparaîtrait comme quelqu'un qui agit avec courage. C'est une causalité diffuse, discontinue, qui ne se traduit pas par une seule action,
mais par des aspects secondaires d'une série d'actions, souvent éloignées les unes des autres.

Or *les Mille et une nuits* ne connaissent pas cette deuxième causalité.
A peine nous a-t-on dit que les sœurs de la sultane sont jalouses,
qu'elles mettent un chien, un chat, et un morceau de bois à la place des
enfants de celle-ci. Cassime est avide : donc il va chercher de l'argent.
Tous les traits de caractère sont immédiatement causals; dès qu'ils
apparaissent, ils provoquent une action. La distance entre le trait
psychologique et l'action qu'il provoque est d'ailleurs minimale; et
plutôt que de l'opposition qualité/action, il s'agit de celle entre deux
aspects de l'action, duratif/ponctuel, ou itératif/non-itératif. Sindbad
aime voyager (trait de caractère) ⇒ Sindbad part en voyage (action) :
la distance entre les deux tend vers une réduction totale.

Une autre manière d'observer la réduction de cette distance est de
chercher si une même proposition attributive peut avoir, au cours du
récit, plusieurs conséquences différentes. Dans un roman du XIXe siècle, la proposition « X est jaloux de Y » peut entraîner « X fuit le
monde », « X se suicide », « X fait la cour à Y », « X nuit à Y ».
Dans *les Mille et une nuits* il n'y a qu'une possibilité : « X est jaloux
de Y ⇒ X nuit à Y ». La stabilité du rapport entre les deux propositions prive l'antécédent de toute autonomie, de tout sens intransitif. L'implication tend à devenir une identité. Si les conséquents
sont plus nombreux, l'antécédent aura une plus grande valeur
propre.

On touche ici à une propriété curieuse de la causalité psychologique.
Un trait de caractère n'est pas simplement la cause d'une action, ni simplement son effet : il est les deux à la fois, tout comme l'action. X tue

sa femme parce qu'il est cruel; mais il est cruel parce qu'il tue sa femme. L'analyse causale du récit ne renvoie pas à une origine, première et immuable, qui serait le sens et la loi des images ultérieures; autrement dit, à l'état pur, il faut pouvoir saisir cette causalité hors du temps linéaire. La cause n'est pas un *avant* primordial, elle n'est qu'un des éléments du couple « cause-effet » sans que l'un soit par là-même supérieur à l'autre.

Il serait donc plus juste de dire que la causalité psychologique double la causalité événementielle (celle des actions) plutôt qu'elle n'interfère avec celle-ci. Les actions se provoquent les unes les autres; et, par surcroît, un couple cause-effet psychologique apparaît, mais sur un plan différent. C'est ici que peut se poser la question de la cohérence psychologique : ces « suppléments » caractériels peuvent former ou non un système. *Les Mille et une nuits* en offrent à nouveau un exemple extrême. Prenons le fameux conte d'Ali Baba. La femme de Cassim, frère d'Ali Baba, est inquiète de la disparition de son mari. « Elle passa la nuit dans les pleurs. » Le lendemain, Ali Baba apporte le corps de son frère en morceaux et dit, en guise de consolation : « Belle-sœur, voilà un sujet d'affliction pour vous d'autant plus grand que vous vous y attendiez moins. Quoique le mal soit sans remède, si quelque chose néanmoins est capable de vous consoler, je vous offre de joindre le peu de bien que Dieu m'a envoyé au vôtre, en vous épousant... » Réaction de la belle-sœur : « Elle ne refusa pas le parti, elle le regarda au contraire comme un motif raisonnable de consolation. En essuyant ses larmes, qu'elle avait commencé de verser en abondance, en supprimant les cris perçants ordinaires aux femmes qui ont perdu leurs maris, elle témoigna suffisamment à Ali Baba qu'elle acceptait son offre... » (Galland, III). Ainsi passe du désespoir à la joie la femme de Cassim. Les exemples similaires sont innombrables.

Évidemment, en contestant l'existence d'une cohérence psychologique, on entre dans le domaine du bon sens. Il y a sans doute une autre psychologie où ces deux actes consécutifs forment une unité. Mais *les Mille et une nuits* appartiennent au domaine du bon sens (du folklore); et l'abondance des exemples suffit pour se convaincre qu'il ne s'agit pas ici d'une autre psychologie, ni même d'une anti-psychologie, mais bien d'a-psychologie.

Le personnage n'est pas toujours, comme le prétend James, la détermination de l'action; et tout récit ne consiste pas en une « description de caractères ». Mais qu'est-ce alors que le personnage? *Les Mille et une nuits* nous donnent une réponse très nette que reprend et confirme le *Manuscrit trouvé à Saragosse* : le personnage, c'est une histoire virtuelle qui est l'histoire de sa vie. Tout nouveau personnage signifie une nouvelle intrigue. Nous sommes dans le royaume des hommes-récits.

Ce fait affecte profondément la structure du récit.

Digressions et enchâssements

L'apparition d'un nouveau personnage entraîne immanquablement l'interruption de l'histoire précédente, pour qu'une nouvelle histoire, celle qui explique le « je suis ici maintenant » du nouveau personnage, nous soit racontée. Une histoire seconde est englobée dans la première; ce procédé s'appelle *enchâssement*.

Ce n'est évidemment pas la seule justification de l'enchâssement. *Les Mille et une nuits* nous en offrent déjà d'autres : ainsi dans « Le pêcheur et le djinn » (Khawam, II) les histoires enchâssées servent comme arguments. Le pêcheur justifie son manque de pitié pour le djinn par l'histoire de Doubane; à l'intérieur de celle-ci le roi défend sa position par celle de l'homme jaloux et de la perruche; le vizir défend la sienne par celle du prince et de la goule. Si les personnages restent les mêmes dans l'histoire enchâssée et dans l'histoire enchâssante, cette motivation même est inutile : dans l' « Histoire des deux sœurs jalouses de leur cadette » (Galland, III) le récit de l'éloignement des enfants du sultan du palais et de leur reconnaissance par le sultan englobe celui de l'acquisition des objets magiques; la succession temporelle est la seule motivation. Mais la présence des hommes-récits est certainement la forme la plus frappante de l'enchâssement.

La structure formelle de l'enchâssement coïncide (et ce n'est pas là, on s'en doute, une coïncidence gratuite) avec celle d'une forme syntaxique, cas particulier de la subordination, à laquelle la linguistique moderne donne précisément le nom d'enchâssement *(embedding)*. Pour mettre cette structure à nu, prenons cet exemple allemand (la syntaxe allemande permettant des enchâssements beaucoup plus spectaculaires[1]) :

Derjenige, der den Mann, der den Pfahl, der auf der Brücke, der auf dem Weg, der nach Worms führt, liegt, steht, umgeworfen hat, anzeigt, bekommt eine Belohnung. (Celui qui indique la personne qui a renversé le poteau qui est dressé sur le pont qui se trouve sur le chemin qui mène à Worms recevra une récompense.)

Dans la phrase, l'apparition d'un nom provoque immédiatement une proposition subordonnée qui, pour ainsi dire, en raconte l'histoire ; mais comme cette deuxième proposition contient aussi un nom, elle demande à son tour une proposition subordonnée, et ainsi de suite, jusqu'à une interruption arbitraire, à partir de laquelle on reprend, tour à tour, chacune des propositions interrompues. Le récit à enchâssement a exactement la même structure, le rôle du nom étant joué par le personnage : chaque nouveau personnage entraîne une nouvelle histoire.

Les Mille et une nuits contiennent des exemples d'enchâssement non moins vertigineux. Le record semble tenu par celui que nous offre l'histoire de la malle sanglante (Khawam, I). En effet ici

Chahrazade raconte que
>Dja'far raconte que
>>le tailleur raconte que
>>>le barbier raconte que
>>>>son frère (et il en a six)...

La dernière histoire est une histoire au cinquième degré ; mais il est vrai que les deux premiers degrés sont tout à fait oubliés et ne jouent plus aucun rôle. Ce qui n'est pas le cas d'une des histoires du *Manuscrit trouvé à Saragosse* (*Avadoro,* III) où

Alphonse raconte que
>Avadoro raconte que
>>Don Lopé raconte que
>>>Busqueros raconte que
>>>>Frasquetta raconte que...

---

1. Je l'emprunte à Kl. Baumgärtner, « Formale Erklärung poetischer Texte », in *Matematik und Dichtung,* Munich, Nymphenburger, 1965, p. 77.

et où tous les degrés, à part le premier, sont étroitement liés et incompréhensibles si on les isole les uns des autres [1].

Même si l'histoire enchâssée ne se relie pas directement à l'histoire enchâssante (par l'identité des personnages), des passages de personnages sont possibles d'une histoire à l'autre. Ainsi le barbier intervient dans l'histoire du tailleur (il sauve la vie du bossu). Quant à Frasquetta, elle traverse tous les degrés intermédiaires pour se retrouver dans l'histoire d'Avadoro (c'est elle la maîtresse du chevalier de Tolède); et de même Busqueros. Ces passages d'un degré à l'autre ont un effet comique dans le *Manuscrit*.

Le procédé d'enchâssement arrive à son apogée avec l'auto-enchâssement, c'est-à-dire lorsque l'histoire enchâssante se trouve, à quelque cinquième ou sixième degré, enchâssée par elle-même. Cette « dénudation du procédé » est présente dans *les Mille et une nuits* et on connaît le commentaire que fait Borges à ce propos : « Aucune [interpolation] n'est plus troublante que celle de la six cent deuxième nuit, magique entre les nuits. Cette nuit-là, le roi entend de la bouche de la reine sa propre histoire. Il entend l'histoire initiale, qui embrasse toutes les autres, qui — monstrueusement — s'embrasse elle-même... Que la reine continue et le roi immobile entendra pour toujours l'histoire tronquée des *Mille et une nuits*, désormais infinie et circulaire... » Rien n'échappe plus au monde narratif, recouvrant l'ensemble de l'expérience.

L'importance de l'enchâssement se trouve indiquée par les dimensions des histoires enchâssées. Peut-on parler de digressions lorsque celles-ci sont plus longues que l'histoire dont elles s'écartent? Peut-on considérer comme un supplément, comme un enchâssement gratuit tous les contes des *Mille et une nuits* parce qu'ils sont tous

---

1. Je ne me propose pas ici d'établir tout ce qui dans le *Manuscrit trouvé à Saragosse*, vient des *Mille et une nuits*, mais la part en est certainement très grande. Je me contente de signaler quelques-unes des coïncidences les plus frappantes : les noms de Zibeddé et Emina, les deux sœurs maléfiques, rappellent ceux de Zobéide et Amine (« Histoire de trois calenders... », Galland, I); le bavard Busqueros qui empêche le rendez-vous de Don Lopé est lié au barbier bavard qui accomplit la même action (Khawam, I); la femme charmante se transformant en vampire est présente dans « Le prince et la goule » (Khawam, II); les deux femmes d'un homme qui se réfugient en son absence dans le même lit apparaissent dans l' « Histoire des amours de Camaralzaman » (Galland, II), etc. Mais ce n'est bien sûr pas l'unique source du *Manuscrit*.

enchâssés dans celui de Chahrazade? De même dans le *Manuscrit* : alors que l'histoire de base semblait être celle d'Alphonse, c'est le loquace Avadoro qui, en fait, couvre par ses récits plus des trois quarts du livre.

Mais quelle est la signification interne de l'enchâssement, pourquoi tous ces moyens se trouvent-ils rassemblés pour lui donner de l'importance? La structure du récit nous en fournit la réponse : l'enchâssement est une mise en évidence de la propriété la plus essentielle de tout récit. Car le récit enchâssant, c'est le *récit d'un récit*. En racontant l'histoire d'un autre récit, le premier atteint son thème fondamental et en même temps se réfléchit dans cette image de soi-même; le récit enchâssé est à la fois l'image de ce grand récit abstrait dont tous les autres ne sont que des parties infimes, et aussi du récit enchâssant qui le précède directement. Être le récit d'un récit, c'est le sort de tout récit, qui se réalise à travers l'enchâssement.

Les Mille et une nuits révèlent et symbolisent cette propriété du récit avec une netteté particulière. On dit souvent que le folklore se caractérise par la répétition d'une même histoire; et en effet il n'est pas rare, dans un des contes arabes, que la même aventure soit rapportée deux fois, sinon plus. Mais cette répétition a une fonction précise, qu'on ignore : elle sert non seulement à réitérer la même aventure mais aussi à introduire le récit qu'un personnage en fait; or, la plupart du temps c'est ce récit qui compte pour le développement ultérieur de l'intrigue. Ce n'est pas l'aventure vécue par la reine Badoure qui lui mérite la grâce du roi Armanos mais le récit qu'elle en fait (« Histoire des amours de Camaralzaman », Galland, II). Si Tourmente ne peut pas faire avancer sa propre intrigue, c'est qu'on ne lui permet pas de raconter son histoire au khalife (« Histoire de Ganem », Galland, II). Le prince Firouz gagne le cœur de la princesse de Bengale non en vivant son aventure mais en la lui racontant (« Histoire du cheval enchanté », Galland, III). L'acte de raconter n'est jamais, dans les *Mille et une nuits*, un acte transparent; au contraire, c'est lui qui fait avancer l'action.

L'opacité du procès d'énonciation reçoit dans le conte arabe une interprétation qui ne laisse plus de doute quant à son importance. Si tous les personnages ne cessent pas de raconter des histoires, c'est que cet acte a reçu une consécration suprême : raconter égale vivre. L'exemple le plus évident est celui de Chahrazade elle-même qui vit uniquement dans la mesure où elle peut continuer à raconter; mais cette situation est répétée sans cesse à l'intérieur du conte. Le derviche a mérité la colère d'un ifrit; mais en lui racontant l'histoire de l'envieux, il obtient sa grâce (« Le portefaix et les dames », Khawam, I). L'esclave a accompli un crime; pour sauver sa vie, son maître n'a qu'une seule voie : « Si tu me racontes une histoire plus étonnante que celle-ci, je pardonnerai à ton esclave. Sinon, j'ordonnerai qu'il soit tué », a dit le khalife (« La malle sanglante », Khawam, I). Quatre personnes sont accusées du meurtre d'un bossu; l'un d'entre eux, inspecteur, dit au roi : « O Roi fortuné, nous feras-tu don de la vie, si je te raconte l'aventure qui m'est advenue hier, avant que je ne rencontre le bossu, introduit par ruse dans ma propre maison? Elle est certainement plus étonnante que l'histoire de cet homme. — Si elle est comme tu le dis, je vous laisserai la vie à tous les quatre, répondit le Roi. » (« Un cadavre itinérant », Khawam, I).

Le récit égale la vie; l'absence de récit, la mort. Si Chahrazade ne trouve plus de contes à raconter, elle sera exécutée. C'est ce qui arrive au médecin Doubane lorsqu'il est menacé par la mort : il demande au roi la permission de raconter l'histoire du crocodile; on le lui refuse et il périt. Mais Doubane se venge par le même moyen et l'image de cette vengeance est une des plus belles des *Mille et une nuits* : il offre au roi impitoyable un livre que celui-ci doit lire pendant qu'on coupe la tête à Doubane. Le bourreau fait son travail; la tête de Doubane dit :

« — O roi, tu peux compulser le livre.

Le roi ouvrit le livre. Il en trouva les pages collées les unes aux autres. Il mit son doigt dans sa bouche, l'humecta de salive et tourna la première page. Puis il tourna la seconde et les suivantes. Il continua d'agir de la sorte, les pages ne s'ouvrant qu'avec difficulté, jusqu'à ce qu'il fût arrivé au septième feuillet. Il regarda la page et n'y vit rien d'écrit :

— O médecin, dit-il, je ne vois rien d'écrit sur ce feuillet.

— Tourne encore les pages, répondit la tête.

Il ouvrit d'autres feuillets et ne trouva encore rien. Un court moment s'était à peine écoulé que la drogue pénétra en lui : le livre était imprégné de poison. Alors il fit un pas, vacilla sur ses jambes et se pencha vers le sol... » (« Le pêcheur et le djinn », Khawam, II).

La page blanche est empoisonnée. Le livre qui ne raconte aucun récit tue. L'absence de récit signifie la mort.

A côté de cette illustration tragique de la puissance du non-récit, en voici une autre, plus plaisante : un derviche racontait à tous les passants quel était le moyen de s'approprier l'oiseau qui parle; mais ceux-ci avaient tous échoué, et s'étaient transformés en pierres noires. La princesse Parizade est la première à s'emparer de l'oiseau, et elle libère les autres candidats malheureux. « La troupe voulut voir le derviche en passant, le remercier de son bon accueil et de ses conseils salutaires qu'ils avaient trouvés sincères; mais il était mort et l'on n'a pu savoir si c'était de vieillesse, ou parce qu'il n'était plus nécessaire pour enseigner le chemin qui conduisait à la conquête des trois choses dont la princesse Parizade venait de triompher. » (« Histoire des deux sœurs », Galland, III). L'homme n'est qu'un récit; dès que le récit n'est plus nécessaire, il peut mourir. C'est le narrateur qui le tue, car il n'a plus de fonction.

Enfin, le récit imparfait égale aussi, dans ces circonstances, la mort. Ainsi l'inspecteur qui prétendait que son histoire était meilleure que celle du bossu, la termine en s'adressant au roi : « Telle est l'histoire étonnante que je voulais te raconter, tel est le récit que j'ai entendu hier et que je te rapporte aujourd'hui dans tous ses détails. N'est-il pas plus prodigieux que l'aventure du bossu? — Non, il ne l'est pas, et ton affirmation ne correspond pas à la réalité, répondit le roi de la Chine. Il faut que je vous fasse pendre tous les quatre. » (Khawam, I).

L'absence de récit n'est pas la seule contrepartie du récit-vie; vouloir entendre un récit, c'est aussi courir des dangers mortels. Si la loquacité sauve de la mort, la curiosité l'entraîne. Cette loi est à la base de l'intrigue d'un des contes les plus riches, « Le portefaix et les dames » (Khawam, I). Trois jeunes dames de Baghdad reçoivent chez elles des hommes inconnus; elles leur posent une seule condition, comme récompense des plaisirs qui les attendent : « sur tout ce que vous verrez, ne demandez aucune explication ». Mais ce que les hommes voient est si étrange qu'ils demandent que les trois dames racontent leur histoire. A peine ce souhait est-il formulé, que les dames appellent leurs esclaves. « Chacun d'eux choisit son homme, se précipita sur lui et le renversa à terre en le frappant du plat de son sabre. » Les hommes doivent être tués car la demande d'un récit, la curiosité est passible de mort. Comment s'en sortiront-ils? Grâce à la curiosité de leurs bourreaux. En effet, une des dames dit : « Je leur permets de sortir pour s'en aller sur le chemin de leur destinée, à la condition de raconter chacun son histoire, de narrer la suite des aventures qui l'ont mené à nous rendre visite dans notre maison. S'ils refusent, vous leur couperez la tête. » La curiosité du récepteur, quand elle n'égale sa propre mort, rend la vie aux condamnés ; ceux-ci, en revanche, ne peuvent s'en tirer qu'à condition de raconter une histoire. Enfin, troisième renversement : le khalife qui, travesti, était parmi les invités des trois dames, les convoque le lendemain à son palais; il leur pardonne tout; mais à une condition : raconter... Les personnages de ce livre sont obsédés par les contes; le cri des *Mille et une nuits* n'est pas « La bourse ou la vie! » mais « Un récit ou la vie! »

Cette curiosité est source à la fois d'innombrables récits et de dangers incessants. Le derviche peut vivre heureux en compagnie des dix jeunes gens, tous borgnes de l'œil droit, à une seule condition : « ne pose aucune question indiscrète ni sur notre infirmité si sur notre état ». Mais la question est posée et le calme disparaît. Pour chercher la réponse, le derviche va dans un palais magnifique; il y vit comme un roi, entouré de quarante belles dames. Un jour elles s'en vont, en lui demandant, s'il veut rester dans ce bonheur, de ne pas entrer dans une certaine pièce; elles le préviennent : « Nous avons bien peur que tu ne puisses te défendre de cette curiosité indiscrète qui sera la cause de ton malheur. » Bien entendu, entre le bonheur et la curiosité, le derviche choisit la curiosité. De même Sindbad, malgré tous ses malheurs, repart après chaque voyage : il veut que la vie lui raconte de nouveaux et de nouveaux récits.

Le résultat palpable de cette curiosité, ce sont *les Mille et une nuits*. Si ses personnages avaient préféré le bonheur, le livre n'aurait pas existé.

Pour que les personnages puissent vivre, ils doivent raconter. C'est ainsi que le récit premier se subdivise et se multiplie en mille et une nuits de récits. Essayons maintenant de nous placer au point de vue opposé, non plus celui du récit enchâssant, mais celui du récit enchâssé, et de nous demander : pourquoi ce dernier a-t-il besoin d'être repris dans un autre récit ? Comment s'expliquer qu'il ne se suffise pas à lui-même mais qu'il ait besoin d'un prolongement, d'un cadre dans lequel il devient la simple partie d'un autre récit ?

Si l'on considère ainsi le récit non comme englobant d'autres récits, mais comme s'y englobant lui-même, une curieuse propriété se fait jour. Chaque récit semble avoir quelque chose *de trop*, un excédent, un supplément, qui reste en dehors de la forme fermée produite par le développement de l'intrigue. En même temps, et par là-même, ce quelque chose de plus, propre au récit, est aussi quelque chose de moins ; le supplément est aussi un manque ; pour suppléer à ce manque créé par le supplément, un autre récit est nécessaire. Ainsi le récit du roi ingrat, qui fait périr Doubane après que celui-ci lui a sauvé la vie, a quelque chose de plus que ce récit lui-même ; c'est d'ailleurs pour cette raison, en vue de ce supplément, que le pêcheur le raconte ; supplément qui peut se résumer en une formule : il ne faut pas avoir pitié de l'ingrat. Le supplément demande à être intégré dans une autre histoire ; ainsi il devient le simple argument qu'utilise le pêcheur lorsqu'il vit une aventure semblable à celle de Doubane, vis-à-vis du djinn. Mais l'histoire du pêcheur et du djinn a aussi un supplément qui demande un nouveau récit ; et il n'y a pas de raison pour que cela s'arrête quelque part. La tentative de suppléer est donc vaine : il y aura toujours un supplément qui attend un récit à venir.

Ce supplément prend plusieurs formes dans *les Mille et une nuits*. L'une des plus connues est celle de l'argument comme dans l'exemple précédent : le récit devient un moyen de convaincre l'interlocuteur. D'autre part, aux niveaux plus élevés d'enchâssement, le supplément se transforme en une simple formule verbale, en une sentence, destinée autant à l'usage des personnages qu'à celui des lecteurs. Enfin une intégration plus grande du lecteur est également possible (mais elle n'est pas caractéristique des *Mille et une nuits*) : un comportement provoqué par la lecture est aussi un supplément ; et une loi s'instaure : plus ce supplément est consommé à l'intérieur du récit, moins ce récit provoque de réaction de la part de son lecteur. On pleure à la lecture de *Manon Lescaut* mais non à celle des *Mille et une nuits.* Voici un exemple de sentence morale. Deux amis se disputent sur l'origine de la richesse : suffit-il d'avoir de l'argent au départ ? Suit l'histoire qui illustre une des thèses défendues; puis vient celle qui illustre l'autre thèse; et à la fin on conclut : « L'argent n'est pas toujours un moyen sûr pour en amasser d'autre et devenir riche. » (« Histoire de Cogia Hassan Alhabbal », Galland, III).

De même que pour la cause et l'effet psychologiques, il s'impose de penser ici cette relation logique hors du temps linéaire. Le récit précède ou suit la maxime, ou les deux à la fois. De même, dans *le Décaméron,* certaines nouvelles sont créées pour illustrer une métaphore (par exemple « racler le tonneau ») et en même temps elles la créent. Il est vain de se demander aujourd'hui si c'est la métaphore qui a engendré le récit, ou le récit qui a engendré la métaphore. Borges a même proposé une explication inversée de l'existence du recueil entier : « Cette invention [les récits de Chahrazade]... est, paraît-il, postérieure au titre et a été imaginée pour le justifier. » La question de l'origine ne se pose pas; nous sommes hors de l'origine et incapables de la penser. Le récit suppléé n'est pas plus originel que le récit suppléant; ni l'inverse; chacun d'eux renvoie à un autre, dans une série de reflets qui ne peut prendre fin que si elle devient éternelle : ainsi par auto-enchâssement.

Tel est le foisonnement incessant des récits dans cette merveilleuse machine à raconter que sont *les Mille et une nuits.* Tout récit doit rendre explicite son procès d'énonciation; mais pour cela il est nécessaire qu'un nouveau récit apparaisse où ce procès d'énonciation n'est plus qu'une partie de l'énoncé. Ainsi l'histoire racontante devient toujours aussi une histoire racontée, en laquelle la nouvelle histoire se réfléchit et trouve sa propre image. D'autre part, tout récit doit en créer de nouveaux; à l'intérieur de lui-même, pour que ses personnages puissent vivre; et à l'extérieur de lui-même, pour y faire consommer le supplément qu'il comporte inévitablement. Les multiples traducteurs des *Mille et une nuits* semblent tous avoir subi la puissance de cette machine narrative : aucun n'a pu se contenter d'une traduction simple et fidèle de l'original; chaque traducteur a ajouté et supprimé des histoires (ce qui est aussi une manière de créer de nouveaux récits, le récit étant toujours une sélection); le procès d'énonciation réitéré, la traduction, représente à lui tout seul un nouveau conte qui n'attend plus son narrateur : Borges en a raconté une partie dans « Les traducteurs des *Mille et une nuits* ».

Il y a donc tant de raisons pour que les récits ne s'arrêtent jamais qu'on se demande involontairement : que se passe-t-il avant le premier récit? et qu'arrive-t-il après le dernier? *Les Mille et une nuits* n'ont pas manqué d'apporter la réponse, ironique s'il en est, pour ceux qui veulent connaître l'avant et l'après. La première histoire, celle de Chahrazade commence par ces mots, valables dans tous les sens (mais on ne devrait pas ouvrir le livre pour les chercher, on devrait les deviner, tant ils sont bien à leur place) : « On raconte... » Inutile de chercher l'origine des récits dans le temps, c'est le temps qui s'origine dans le récit. Et si avant le premier récit il y a « on a raconté », après le dernier il y a « on racontera » : pour que l'histoire s'arrête, on doit nous dire que le khalife émerveillé ordonne qu'on l'inscrive en lettres d'or dans les annales du royaume; ou encore que « cette histoire... se répandit et fut racontée partout dans ses moindres détails ».

1967.

7. Introduction au vraisemblable

I

Un jour, au Vᵉ siècle avant J.-C., en Sicile, deux individus se disputent; un accident s'ensuit. Ils apparaissent le lendemain devant les autorités qui doivent décider lequel des deux est coupable. Mais comment choisir? La querelle ne s'est pas produite sous les yeux des juges qui n'ont pu observer et constater la vérité; les sens sont impuissants; il ne reste qu'un moyen : écouter les récits des plaideurs. De ce fait, la position de ces derniers se trouve modifiée : il ne s'agit plus d'établir une vérité (ce qui est impossible) mais de l'approcher, d'en donner l'impression; et cette impression sera d'autant plus forte que le récit sera plus habile. Pour gagner le procès, il importe moins d'avoir bien agi que de bien parler. Platon écrira amèrement : « Dans les tribunaux en effet on ne s'inquiète pas le moins du monde de dire la vérité, mais de persuader, et la persuasion relève de la vraisemblance. » Mais par là-même, le récit, le discours cesse d'être, dans la conscience de ceux qui parlent, un reflet soumis des choses, pour acquérir une valeur indépendante. Les mots ne sont donc pas simplement les noms transparents des choses, ils forment une entité autonome, régie par ses propres lois, et qu'on peut juger pour elle-même. Leur importance dépasse celle des choses qu'ils étaient censés refléter.

Ce jour-là a vu la naissance simultanée de la conscience du langage, d'une science qui formule les lois du langage, la rhétorique, et d'un concept, le vraisemblable, qui vient combler le vide entre ces lois et ce que l'on prétend être la propriété constitutive du langage: sa référence au réel. La découverte du langage donnera vite ses premiers résultats : la théorie rhétorique, la philosophie du langage des sophistes. Mais plus tard on essaiera, au contraire, d'oublier le langage, d'agir comme si les mots n'étaient, encore une fois, que les noms dociles des choses; et on commence à peine à entrevoir aujourd'hui la fin de la période anti-verbale de l'histoire de l'humanité. Pendant vingt-cinq siècles on essayera de faire croire que le réel est une raison suffisante de la parole; pendant vingt-cinq siècles, il faudra sans cesse reconquérir le droit de percevoir le langage. La littérature qui pourtant symbolise l'autonomie du discours, n'a pas suffi à vaincre l'idée que les mots reflètent les choses. Le trait fondamental de toute notre civilisation reste cette conception du langage-ombre, aux formes peut-être changeantes mais qui n'en sont pas moins les conséquences directes des objets qu'elles reflètent. Étudier le vraisemblable équivaut à montrer que les discours ne sont pas régis par une correspondance avec leur référent mais par leurs propres lois, et à dénoncer la phraséologie qui, à l'intérieur de ces discours, veut nous faire croire le contraire. Il s'agit de sortir le langage de sa transparence illusoire, d'apprendre à le percevoir et d'étudier en même temps les techniques dont il se sert pour, tel l'invisible de Wells avalant sa potion chimique, ne plus exister à nos yeux.

Le concept de vraisemblable n'est plus à la mode. On ne le trouve pas dans la littérature scientifique « sérieuse »; en revanche, il continue à sévir dans les commentaires de deuxième ordre, dans les éditions scolaires des classiques, dans la pratique pédagogique. Voici un exemple de cet usage, extrait d'un commentaire du *Mariage de Figaro* (Les petits classiques Bordas, 1965) : « *Le mouvement fait oublier l'invraisemblance. — Le Comte*, à la fin du deuxième acte, avait envoyé Bazile et Gripe-Soleil au village pour deux motifs précis : prévenir les juges; retrouver " le paysan du billet " (...). Il n'est guère vraisemblable que le Comte, parfaitement au courant maintenant de la présence de Chérubin le matin dans la chambre de la Comtesse, ne demande aucune explication à Bazile sur son mensonge et n'essaie pas de le confronter avec Figaro dont l'attitude vient de lui apparaître de plus en plus équivoque. Nous savons, et il nous sera confirmé au cinquième acte, que son attente du rendez-vous avec Suzanne n'est pas suffisante pour le troubler à ce point lorsque la Comtesse est en jeu. — Beaumarchais était conscient de cette invraisemblance (il l'a notée dans ses manuscrits) mais il pensait avec raison qu'au théâtre aucun spectateur ne s'en apercevrait. » Ou encore : « Beaumarchais avouait lui-même volontiers à son ami Gudin de la

Brenellerie " qu'il y avait peu de vraisemblance dans les méprises des scènes nocturnes ". Mais il ajoutait : " Les spectateurs se prêtent volontiers à cette sorte d'illusion quand il en naît un imbroglio divertissant " ».

Le terme « vraisemblable » est ici employé dans son sens le plus naïf de « conforme à la réalité ». On déclare certaines actions, certaines attitudes invraisemblables car elles ne semblent pas pouvoir se produire dans la réalité. Corax, premier théoricien du vraisemblable, était déjà allé plus loin : le vraisemblable n'était pas pour lui une relation avec le réel (comme l'est le vrai), mais avec ce que la majorité des gens croient être le réel, autrement dit, avec l'opinion publique. Il faut donc que le discours se conforme à un autre discours (anonyme, impersonnel), non à son référent. Mais si on lit mieux le commentaire précédent, on verra que Beaumarchais se référait à autre chose encore : il explique l'état du texte par une référence non à l'opinion commune, mais aux règles particulières du genre qui est le sien (« au théâtre aucun spectateur ne s'en apercevrait », « les spectateurs se prêtent volontiers à cette sorte d'illusion », etc.). Dans le premier cas, il ne s'agissait donc pas d'opinion publique, mais simplement d'un genre littéraire qui n'est pas celui de Beaumarchais.

Ainsi plusieurs sens du terme *vraisemblable* se font jour et il faut bien les distinguer car la polysémie du mot est précieuse et on ne s'en débarrassera pas. On n'écartera que le premier sens naïf, celui d'après lequel il s'agit d'une relation avec la réalité. Le second sens est celui de Platon et Aristote : le vraisemblable est le rapport du texte particulier à un autre texte, général et diffus, que l'on appelle : l'opinion publique. Chez les classiques français, on trouve déjà un troisième sens : la comédie a son propre vraisemblable, différent de celui de la tragédie ; il y a autant de vraisemblables que de genres, et les deux notions tendent à se confondre (l'apparition de ce sens du mot est un pas important dans la découverte du langage : on passe ici du niveau du dit à celui du dire). Enfin, de nos jours, un autre emploi devient prédominant : on parlera de la vraisemblance d'une œuvre dans la mesure où celle-ci essaye de nous faire croire qu'elle se conforme au réel et non à ses propres lois ; autrement dit le vraisemblable est le masque dont s'affublent les lois du texte, et que nous sommes censés prendre pour une relation avec la réalité.

Prenons encore un exemple de ces différents sens (et différents niveaux) du vraisemblable. On le trouve dans un des livres les plus contraires à la phraséologie réaliste : *Jacques le Fataliste*. A tout instant du récit, Diderot est conscient des multiples possibles qui s'ouvrent devant lui : le récit n'est pas déterminé d'avance, tous les chemins sont (dans l'absolu) bons. Cette censure qui va obliger l'auteur à en choisir un seul, nous le nommons : vraisemblable. « Ils... virent une troupe d'hommes armés de gaules et de fourches qui s'avançaient vers eux à toutes jambes. Vous allez croire que c'étaient les gens de l'auberge, leurs valets et les brigands dont nous avons parlé. (...) Vous allez croire que cette petite armée tombera sur Jacques et son maître, qu'il y aura une action sanglante, des coups de bâton donnés, des coups de pistolets tirés, et il ne tiendrait qu'à moi que tout cela n'arrivât ; mais adieu la vérité de l'histoire, adieu le récit des amours de Jacques. (...) Il est bien évident que je ne fais pas un roman puisque je néglige ce qu'un romancier ne manquerait pas d'employer. Celui qui prendrait ce que j'écris pour la vérité serait peut-être moins dans l'erreur que celui qui le prendrait pour une fable. »

Dans ce bref extrait, allusion est faite aux principales propriétés du vraisemblable. La liberté du récit est restreinte par les exigences internes du livre lui-même (« la vérité de l'histoire », « le récit des amours de Jacques »), autrement dit, par son appartenance à un genre ; si l'œuvre appartenait à un autre genre, les exigences auraient été différentes (« je ne fais pas un roman », « un romancier ne manquerait pas d'employer »). En même temps, tout en déclarant ouvertement que le récit obéit à sa propre économie, à sa propre fonction, Diderot éprouve le besoin d'ajouter : ce que j'écris est la vérité ; si je choisis tel développement plutôt que tel autre, c'est que les événements que je relate se sont déroulés ainsi. Il doit travestir la liberté en nécessité, le rapport à l'écriture en un rapport au réel par une phrase, rendue d'autant plus ambiguë (mais aussi plus convaincante) par la déclaration précédente. Ce sont là les deux niveaux essentiels du vraisemblable : le vraisemblable comme loi discursive, absolue et inévitable ; et le vraisemblable comme masque, comme système de procédés rhétoriques, qui tend à présenter ces lois comme autant de soumissions au référent.

II

Alberta French veut sauver son mari de la chaise électrique ; celui-ci est accusé d'avoir assassiné sa maîtresse. Alberta doit trouver le vrai coupable ; elle dispose d'un seul indice : une boîte d'allumettes, oubliée par l'assassin sur les lieux du crime et sur laquelle on lit ses initiales, la lettre M. Alberta retrouve le carnet de la victime et fait successivement la connaissance de tous ceux dont le nom commence par un M. Le troisième est celui à qui appartiennent les allumettes ; mais, convaincue de son innocence, Alberta va chercher le quatrième M.

Un des plus beaux romans de William Irish, *Ange (Black Angel)* est donc construit sur une faille logique. En découvrant le possesseur de la boîte d'allumettes, Alberta a perdu son fil conducteur. Il n'y a pas plus de chances que l'assassin soit la quatrième personne dont le nom commence par un M, plutôt que n'importe quel autre dont le nom figure dans le carnet. Du point de vue de l'intrigue, ce quatrième épisode n'a pas de raison d'être.

Comment se fait-il qu'Irish ne se soit pas aperçu d'une telle inconséquence logique ? Pourquoi ne pas avoir placé l'épisode concernant le possesseur des allumettes après les trois autres, de sorte que cette révélation ne prive pas la suite de plausibilité ? La réponse est facile : l'auteur a besoin de mystère ; jusqu'au dernier moment, il ne doit pas nous révéler le nom du coupable ; or une loi narrative générale veut qu'à la succession temporelle corresponde une gradation d'intensité. Suivant cette loi, la dernière expérience doit être la plus forte, le dernier suspect est le coupable. C'est pour se soustraire à cette loi, pour empêcher une révélation trop facile, qu'Irish place le coupable avant la fin de la série de suspects. C'est donc pour respecter une règle du genre, pour obéir au vraisemblable du roman policier que l'écrivain brise le vraisemblable dans le monde qu'il évoque.

Cette rupture est importante. Elle montre, par la contradiction qu'elle fait vivre, à la fois la multiplicité des vraisemblables et la manière dont le roman policier se soumet à ses règles conventionnelles. Cette soumission ne va pas de soi, au contraire même : le roman policier cherche à s'en montrer parfaitement dégagé, et pour ce faire, un moyen ingénieux a été mis en œuvre. Si tout discours entre dans une relation de vraisemblance avec ses propres lois, le roman policier prend le vraisemblable pour thème; ce n'est plus seulement sa loi mais aussi son objet. Un objet inversé, pour ainsi dire : car la loi du roman policier consiste à instaurer l'*anti-vraisemblable*. Cette logique de la vraisemblance inversée n'a d'ailleurs rien de neuf; elle est aussi ancienne que toute réflexion sur le vraisemblable car nous trouvons chez les inventeurs de cette notion, Corax et Tisias, l'exemple suivant : « Qu'un fort ait battu un faible, cela est vraisemblable *physiquement*, puisqu'il avait tous les moyens matériels de le faire; mais cela est invraisemblable *psychologiquement*, parce qu'il est impossible que l'accusé n'ait pas prévu les soupçons. »

A prendre n'importe quel roman à énigme, une même régularité s'observe. Un crime est accompli, il faut en découvrir l'auteur. A partir de quelques pièces isolées, on doit reconstituer un tout. Mais la loi de reconstitution n'est jamais celle de la vraisemblance commune; au contraire, ce sont précisément les suspects qui se révèlent innocents, et les innocents, suspects. Le coupable du roman policier est celui qui ne semble pas coupable. Le détective s'appuiera, dans son discours final, sur une logique qui mettra en relation les éléments jusqu'alors dispersés; mais cette logique relève d'un possible scientifique, et non du vraisemblable. La révélation doit obéir à ces deux impératifs : être possible et invraisemblable.

La révélation, c'est-à-dire la vérité est incompatible avec la vraisemblance. Une série d'intrigues policières fondées sur la tension entre vraisemblance et vérité en témoignent. Dans le film de Fritz Lang *l'Invraisemblable vérité (Beyond a reasonable doubt)*, cette antithèse est poussée jusqu'à la limite. Tom Garett veut prouver que la peine de mort est excessive, que l'on condamne souvent des innocents; soutenu par son futur beau-père, il choisit un crime sur lequel la police piétine, et feint d'en être l'auteur : il sème habilement des indices autour de lui en provoquant ainsi sa propre arrestation. Jusque-là, tous les personnages du film croient Garett coupable; mais le spectateur sait qu'il est innocent : la vérité est invraisemblable, la vraisemblance n'est pas vraie. Un double renversement se produit à ce moment : la justice découvre des documents prouvant l'innocence de Garett; mais en même temps nous apprenons que son attitude n'a été qu'une manière particulièrement habile de dissimuler son crime :

c'est bien lui qui a commis le meurtre. A nouveau le divorce entre vérité et vraisemblance est total : si nous savons Garett coupable, les personnages doivent le croire innocent. A la fin seulement vérité et vraisemblance se rejoignent; mais cela signifie la mort du personnage et la mort du récit : celui-ci ne peut continuer qu'à condition qu'il y ait un décalage entre vérité et vraisemblance.

Le vraisemblable est le thème du roman policier; l'antagonisme entre vérité et vraisemblance en est la loi. Mais en établissant cette loi, nous sommes à nouveau mis en face du vraisemblable. En s'appuyant sur l'anti-vraisemblable, le roman policier est tombé sous la loi d'un autre vraisemblable, celui de son propre genre. Il a donc beau contester les vraisemblances communes, il restera toujours assujetti à un vraisemblable quelconque. Or ce fait représente une menace grave pour la vie du roman policier fondé sur le mystère, car la découverte de la loi entraîne la mort de l'énigme. On n'aura pas besoin de suivre l'ingénieuse logique du détective pour découvrir le coupable; il suffit de relever celle, beaucoup plus simple, de l'auteur de romans policiers. Le coupable ne sera pas un des suspects; il ne sera mis en lumière à aucun moment du récit; il sera toujours lié d'une certaine façon aux événements mais une raison, en apparence très importante, en vérité secondaire, nous fait ne pas le tenir pour un coupable potentiel. Il n'est donc pas difficile de découvrir le coupable dans un roman policier : il suffit pour cela de suivre la vraisemblance du texte et non la vérité du monde évoqué.

Il y a un certain tragique dans le sort de l'auteur de romans policiers : son but était de contester les vraisemblances; or mieux il y parvient, et plus fortement il établit une nouvelle vraisemblance, celle qui lie son texte au genre auquel il appartient. Le roman policier nous offre ainsi l'image la plus pure d'une impossibilité de fuir le vraisemblable. Plus on condamnera le vraisemblable, plus on lui sera assujetti.

L'auteur de romans policiers n'est pas le seul à subir ce sort; nous le sommes tous, et à tout instant. D'emblée nous nous trouvons dans une situation moins favorable que la sienne : il peut contester les lois de la vraisemblance, et même faire de l'anti-vraisemblable sa loi; nous avons beau découvrir les lois et les conventions de la vie qui nous entoure, il n'est pas de notre pouvoir de les changer, nous serons obligés de nous y conformer toujours, alors que la soumission est devenue doublement plus difficile après cette découverte. Il y a une amère surprise à s'apercevoir un jour que notre vie est gouvernée par les mêmes lois que nous découvrions dans les pages de *France-Soir*, et de ne pas pouvoir les altérer. Savoir que la justice obéit aux lois du vraisemblable, non du vrai, n'empêchera personne d'être condamné.

Mais indépendamment de ce caractère sérieux et immuable des lois du vraisemblable, auxquelles nous avons affaire, le vraisemblable nous guette de partout et nous ne pouvons pas lui échapper — pas plus que l'auteur de romans policiers. La loi constitutive de notre discours nous y contraint. Si je parle, mon énoncé obéira à une certaine loi et s'inscrira dans une vraisemblance que je ne peux expliciter et rejeter sans me servir pour cela d'un autre énoncé dont la loi sera implicite. Par le biais de l'énonciation, mon discours relèvera toujours d'un vraisemblable ; or l'énonciation ne peut pas, par définition, être explicitée jusqu'au bout : si je parle d'elle ce n'est plus d'elle que je parle, mais d'une énonciation énoncée, qui a sa propre énonciation et que je ne saurai énoncer.

La loi que les Hindous avaient, paraît-il, formulée à propos de l'auto-connaissance se rapporte en fait précisément au sujet de l'énonciation. « Parmi les nombreux systèmes philosophiques de l'Inde qu'énumère Paul Deussen, le septième nie que le moi puisse être un objet immédiat de connaissance, " car si notre âme était connaissable, il en faudrait une deuxième pour connaître la première et une troisième pour connaître la seconde ". » Les lois de notre propre discours sont à la fois vraisemblables (par le fait même d'être des lois) et inconnaissables, car ce n'est qu'un autre discours qui peut les décrire. En contestant le vraisemblable, l'auteur de romans policiers s'enfonce dans un vraisemblable d'un autre niveau mais non moins fort.

Ainsi ce texte même, qui traite du vraisemblable, l'est à son tour : il obéit à un vraisemblable idéologique, littéraire, éthique qui nous amène aujourd'hui à nous occuper du vraisemblable. Seule la destruction du discours peut en détruire le vraisemblable, encore que le vraisemblable du silence n'est pas si difficile à imaginer... Seulement, ces dernières phrases relèvent d'un vraisemblable différent, d'un degré supérieur, et en cela elles ressemblent à la vérité : celle-ci est-elle autre chose qu'un vraisemblable distancé et différé?

1967.

8. La parole selon Constant

Le *mot* semble être doué d'un pouvoir magique dans *Adolphe*. « Un mot de moi l'aurait calmée : pourquoi n'ai-je pu prononcer ce mot? » (p. 146). « Elle m'insinuait qu'un seul mot la ramènerait à moi tout entière » (p. 149). « Un mot fit disparaître cette tourbe d'adorateurs » (p. 151) [1].

Cette puissance du mot ne fait que traduire, sous une forme condensée, le rôle accordé à la parole dans le monde de Constant. L'homme est pour lui avant tout un homme parlant, et le monde, un monde discursif. Tout au long d'*Adolphe*, ses personnages ne feront rien d'autre que proférer des paroles, écrire des lettres ou s'enfermer dans des silences ambigus. Toutes les qualités, toutes les attitudes se traduisent par une certaine manière de discourir. La solitude est un comportement verbal; le désir d'indépendance, un autre; l'amour, un troisième. La dégradation de l'amour d'Adolphe pour Ellénore n'est qu'une suite de différentes attitudes linguistiques : les « mots irréparables », au quatrième chapitre; le secret, la dissimulation, au cinquième; la révélation faite devant un tiers, au chapitre huit; la promesse d'Adolphe devant le baron et la lettre qu'il lui écrit, au chapitre neuf. Cela va jusqu'à la mort; le dernier acte qu'essayera d'accomplir Ellénore est parler. « Elle voulut parler, il n'y avait plus de voix : elle laissa tomber, comme résignée, sa tête sur le bras qui l'appuyait; sa respiration devint plus lente; quelques instants après, elle n'était plus » (p. 173). La mort n'est rien d'autre que l'impossibilité de parler.

Cette relation du langage avec la mort n'est pas gratuite. La parole

---

1. Les chiffres entre parenthèses renvoient aux pages : pour *Adolphe*, à l'édition Garnier-Flammarion (Paris, 1965); pour tous les autres écrits, à celle de la Pléiade (Paris, 1957).

est violente, le « mot, cruel » (p. 165). Ellénore décrit les paroles tantôt comme un instrument tranchant qui déchire le corps (« que cette voix que j'ai tant aimée, que cette voix qui retentissait au fond de mon cœur n'y pénètre pas pour le déchirer », p. 165), tantôt comme d'étranges bêtes nocturnes qui la poursuivent et dévorent jusqu'à la mort (« Ces paroles acérées retentissent autour de moi : je les entends la nuit, elles me suivent, elles me dévorent, elles flétrissent tout ce que vous faites. Faut-il donc que je meure, Adolphe? », p. 175). Et, de fait, ce sont les mots qui provoqueront l'acte le plus grave du livre : la mort d'Ellénore. C'est une lettre d'Adolphe au baron de T *** qui tuera Ellénore. Rien n'est plus violent que le langage.

Pour bien comprendre le sens de la parole, on doit s'interroger d'abord sur la relation que celle-ci entretient avec ce qu'elle signifie, relation qui peut prendre plusieurs formes. Il y a d'abord la relation la plus classique, qu'on peut appeler symbolique : ici, le comportement verbal ne fait que traduire une certaine disposition interne, sans avoir avec celle-ci un rapport de nécessité; c'est une relation arbitraire et conventionnelle entre deux séries qui existent indépendamment l'une de l'autre. Par exemple Adolphe dira : « Quelquefois je cherchais à contraindre mon ennui, je me réfugiais dans une taciturnité profonde » (p. 56). Il y a ici un sentiment à communiquer, qui est la contrainte de l'ennui, et une manière de le faire, qui est la taciturnité; la seconde symbolise la première.

Les attitudes verbales ont plusieurs sens, ce qui prouve aussi le caractère immotivé de la relation entre signifiants et signifiés. Prenons le silence : il signifie, suivant le contexte, une grande variété de sentiments. Par exemple : « Le mépris est silencieux » (p. 59); « lorsqu'elle me vit, ses paroles s'arrêtèrent sur ses lèvres; elle demeura tout interdite » (p. 74 : ici c'est l'étonnement qui se traduit par le silence); « Une de ses amies, frappée de son silence et de son abattement, lui demanda si elle était malade » (p. 75, donc silence = maladie). Ou encore : « Le comte de P ***, taciturne et soucieux » (p. 95) : mais nous lisons « taciturne = soucieux ». « Puis, offensée de mon silence » (p. 149) : c'est-à-dire que le silence signifie l'offense. Il en est de même pour l'acte de parler ou celui d'écrire.

Il serait intéressant de faire, à partir de phrases semblables, une étude des formes linguistiques qui nous permettent à nous, lecteurs, d'interpréter sans peine cette langue des comportements verbaux. La forme la plus utilisée serait la coordination : le parallélisme syntaxique nous fait découvrir une ressemblance sémantique. Ainsi : « je me ranimais, je parlais », « le silence et l'humeur », « taciturne et soucieux, « je cherchais à contraindre..., je me réfugiais dans une taciturnité », etc. On y trouve aussi des phrases attributives : le verbe *être* ou un substitut établit la relation de signification entre les deux parties de la phrase. Par exemple : « Mes paroles furent considérées comme des preuves d'une âme haineuse »; « Le mépris est silencieux »; « Le silence devenait embarrassant ». Parfois de l'un à l'autre on établira une relation de causalité : « Je n'étais soutenu par aucune impulsion qui partît du cœur. Je m'exprimai *donc* avec embarras »; « Les raisonnements que j'alléguais étaient faibles *parce qu'*ils n'étaient pas les véritables ». Ou encore : « offensée *de* mon silence... »

La relation symbolique, dans laquelle la nature du signe est indifférente à la nature de l'objet désigné, ne couvre pas l'ensemble des occurrences de la parole. Prenons par exemple la scène du dîner où Adolphe parvient à égayer Ellénore. La conversation brillante d'Adolphe symbolise les qualités de son âme; et en même temps, elle en fait partie. Une des qualités d'Adolphe sera précisément son art de la conversation. On ne peut plus parler d'une attitude verbale qui symbolise une propriété interne, puisqu'elle en fait partie. — Ou encore : pour arriver à la conclusion « Ellénore n'avait jamais été aimée de la sorte » (p. 85), Adolphe ne fait que nous citer une de ses lettres. Autrement dit, la tendresse, la densité de cette lettre désignent, symbolisent l'amour d'Adolphe; mais en même temps elles en font partie : l'amour est, sinon exclusivement, du moins partiellement, cette tendresse, cette densité du sentiment; elles ne le symbolisent pas d'une manière arbitraire et conventionnelle. Nous sommes donc ici en face d'une autre relation entre le signe et l'objet désigné, qui est celle de l'indice, comme opposé au symbole; ou, si l'on préfère, de la synecdoque comme opposée à l'allégorie.

Parfois, un comportement verbal ne désigne même rien d'autre que ce comportement verbal. La puissance indicielle est si grande qu'elle amène une auto-référence; par là-même, la relation de signification est réduite à zéro. Ainsi dans cette scène, importante pour le développement du sentiment dans *Adolphe*, de la dissimulation, du secret (chap. v). Il y a ici un silence qui signifie précisément le silence, l'absence de paroles, le secret, la dissimulation. « Nous nous taisions donc sur la pensée unique qui nous occupait constamment. (...) Dès qu'il existe un secret entre deux cœurs qui s'aiment, dès que l'un d'eux a pu se résoudre à cacher à l'autre une seule idée, le charme est rompu, le bonheur est détruit. (...) La dissimulation jette dans l'amour un élément étranger qui le dénature et le flétrit à ses propres yeux » (p. 104). Ce qui tue l'amour, c'est précisément la dissimulation, le silence ; ce silence ne se désigne donc que lui-même.

Très souvent, une signification symbolique apparente aura pour seul but de mieux dissimuler la signification indicielle qui se trouve dans l'acte même de parler ou de se taire. Ainsi Adolphe, parlant de lui-même : « Je me laissais aller à quelques plaisanteries (...) ; c'était le besoin de parler qui me saisissait, et non la confiance » (p. 57). La confiance aurait été le signifié symbolique ; mais ce n'est pas elle qui importe, elle n'est même pas présente ; ce que ces paroles désignent, c'est le besoin de parler, la parole elle-même. Ou encore : « Nous parlions d'amour ; mais nous parlions d'amour de peur de nous parler d'autre chose » (p. 104). Le contenu symbolique apparent de ces paroles est l'amour ; mais leur contenu indiciel caché est le fait même qu'elles soient prononcées, à la place d'autres paroles.

L'existence de cette relation indicielle explique la tendance de Constant à identifier l'être humain à la conversation que celui-ci sait mener (tendance qui deviendra loi absolue chez Proust). Elle est manifeste dans *Amélie et Germaine,* son premier journal, beaucoup plus nettement que dans *Adolphe ;* ici Amélie n'est représentée que comme une série de paroles. « C'est un parlage perpétuel, presque toujours en ricanement ou cousu de phrases qui ne se suivent pas et auquel il est impossible qu'elle attache aucun sens » (p. 228). « Elle a eu ce soir assez de gaieté et dans cette gaieté des mots assez drôles mais toujours d'une fille de dix ans » (p. 235), etc. Cette importance va jusqu'au comique involontaire : « Je l'épouserai sans illusions, préparé à une conversation souvent commune... » (p. 238) : on épouse la conversation plutôt que la femme ! Et enfin cette phrase qui, par sa précision, pourrait figurer telle quelle dans la *Recherche :* « On ne peut jamais s'en faire entendre sans parler à la première personne et le plus clairement possible, et son manque de finesse est tel qu'à la première phrase impersonnelle, elle ne sait plus ce qu'on veut lui dire » (p. 255). Ne pas comprendre les phrases impersonnelles est un défaut personnel grave. Cette identification du personnage aux paroles qu'il profère explique l'importance que peut prendre la voix ou l'écriture d'une personne. Ainsi Adolphe : « J'étais heureux de retarder le moment où j'allais entendre de nouveau sa voix » (p. 136) : on ne parle pas du sens des mots mais de la voix qui les prononce. De même pour Ellénore : en entendant Adolphe, elle s'écrie : « C'est la voix qui m'a fait du mal » (p. 164) : la voix devient presque un objet matériel, elle passe de l'ordre auditif à l'ordre tactile. Ou dans *Cécile* : « l'ébranlement que j'avais éprouvé à la vue de son écriture... » (p. 185).

Qu'est-ce que parler ?

On peut dire que Constant propose une théorie du signe ; que l'existence de signes « contigus », qui font partie de l'objet désigné, conteste une image naïve du signe, qui voit les signifiants à une distance toujours égale des signifiés (ce que la philosophie analytique appelle *the descriptive fallacy*). Mais si la théorie de la parole de Constant se limitait à cela, elle n'aurait aujourd'hui aucun intérêt autre qu'historique et on devrait simplement inscrire son auteur parmi les prédécesseurs de la sémiotique. En fait, cette théorie va beaucoup plus loin — si loin que notre image traditionnelle du signe se trouve changée du tout au tout. Ce à quoi Constant s'oppose est l'idée que les mots désignent les choses d'une manière adéquate, que les signes peuvent être fidèles à leurs designata. Supposer que les mots peuvent rendre fidèlement compte des choses, c'est admettre que : 1) les « choses » sont là ; 2) les mots sont transparents, inoffensifs, sans conséquences pour ce qu'ils désignent ; 3) l'un et l'autre entrent dans une relation statique. Or aucune de ces propositions sous-entendues n'est vraie, selon Constant. Les objets n'existent pas avant d'être nommés, ou en tous les cas ils ne restent pas les mêmes avant et après l'acte de dénomination ; et la relation des mots et des choses est une relation dynamique, non statique.

On ne peut pas verbaliser impunément ; nommer les choses, c'est les changer. Adolphe en fait sans cesse l'expérience. « A peine eus-je tracé quelques lignes que ma disposition changea » (p. 109), se plaint-il. Penser une chose, d'une part, et la dire, ou l'écrire, ou l'entendre, ou la lire, de l'autre, ce sont deux actes très différents. Pourtant, pourrait-on dire, les pensées sont, elles aussi, verbales, on ne pense pas sans mots. En effet; mais le mot « parole » désigne quelque chose de plus que la simple série de mots. La différence est double : d'abord, il y a cet acte de prononciation ou d'écriture qui n'est nullement gratuit (souvenons-nous de la « voix qui m'a fait du mal », selon les mots d'Ellénore); ensuite, et ceci est capital, la parole est constituée de mots adressés à un autre, alors que la pensée, même verbale, ne s'adresse qu'à soi-même. L'idée de parole implique celle de l'autre, d'un *tu*-interlocuteur; par là-même, la parole se trouve profondément liée à l'autre, qui joue un rôle décisif dans le monde de Constant.

Prenons un exemple : les rencontres d'Adolphe avec le baron de T ***. Tout ce que le baron lui dit, Adolphe le sait parfaitement; mais il ne l'avait jamais entendu dire, et c'est le fait que ces mots aient été prononcés qui devient significatif. « Ces mots funestes : "Entre tous les genres de succès et vous, il existe un obstacle insurmontable, et cet obstacle, c'est Ellénore" retentissaient autour de moi » (p. 132). Ce n'est pas la nouveauté de l'idée qui frappe Adolphe, c'est la phrase, qui, du fait même qu'elle existe, change la relation entre Ellénore et Adolphe, qu'elle était censée décrire. De même, Adolphe s'est répété mille fois (mais sans le *dire*) qu'il doit quitter Ellénore; un jour, il le dit au baron : la situation en est changée du tout au tout. « J'avais imploré le ciel pour qu'il élevât soudain entre Ellénore et moi un obstacle que je ne pusse franchir. Cet obstacle s'était élevé » (p. 161). Le fait d'avoir désigné, verbalisé sa décision, en change la nature même. Ce qui amène Constant à formuler cette maxime : « Il y a des choses qu'on est longtemps sans se dire, mais quand une fois elles sont dites, on ne cesse jamais de les répéter » (p. 97).

Les sentiments d'Adolphe n'existent que par la parole, ce qui veut dire aussi qu'ils n'existent que par autrui. La présence de l'autre dans la parole donne à cette dernière son caractère créateur; de même que l'imitation de l'autre détermine les sentiments du personnage : Adolphe découvrira Ellénore parce qu'un de ses amis s'est trouvé une maîtresse; et au plus fort de ses rêves pour une autre femme, compagne idéale, il ne la décrira pas autrement que par le désir imaginaire de son père : « J'imaginais la joie de mon père »,

« si le ciel m'eût accordé une femme... que mon père ne rougît pas d'accepter pour fille » (p. 134). La mariage ne consiste pas dans le choix par le sujet d'une femme pour lui, mais d'une fille pour un autre, le père.

Désigner les sentiments, verbaliser les pensées, c'est les changer. Regardons de plus près la nature et la direction de ces changements. Cette direction est double, suivant les qualités des mots mêmes qu'on prononce, et elle affecte avant tout leur valeur de vérité. La première règle de la modification peut être formulée ainsi : si une parole se prétend vraie, elle devient fausse. Vouloir décrire un état d'âme tel qu'il est, c'est en donner une description fausse, car après la description il ne sera plus ce qu'il était avant. C'est ce qu'éprouve sans cesse Adolphe : « A mesure que je parlais sans regarder Ellénore, je sentais mes idées devenir plus vagues et ma résolution faiblir « (p. 119) : dès qu'on nomme la résolution, elle n'existe plus. Ou ailleurs : « Je sortis en achevant ces paroles : mais qui m'expliquera par quelle mobilité le sentiment qui me les dictait, s'éteignit avant même que j'eusse fini de les prononcer? » (p. 132). Nous connaissons maintenant la réponse : le sentiment s'est éteint précisément parce que des paroles le désignant ont été prononcées. — Ou encore : « J'étais oppressé des paroles que je venais de prononcer, et je ne croyais qu'à peine à la promesse que j'avais donnée » (p. 157-158). On cesse de croire à la promesse aussitôt qu'elle est prononcée.

Cette loi, suivant laquelle si une parole cherche à être vraie, elle devient fausse, a son corollaire (que nous aurions pu déduire par symétrie) qui est le suivant : si une parole se prétend fausse, elle devient vraie. Ou, pour reprendre la formule de Constant lui-même : « Les sentiments que nous feignons, nous finissons par les éprouver » (p. 117). Tout le sentiment d'Adolphe pour Ellénore naît de quelques paroles, formulées d'abord délibérément comme fausses. « Échauffé d'ailleurs que j'étais par mon propre style, je ressentais, en finissant d'écrire, un peu de la passion que j'avais cherché à exprimer avec toute la force possible » (p. 70). Et, une circonstance favorable s'y ajoutant : « L'amour, qu'une heure auparavant je m'applaudissais de feindre, je crus tout à coup l'éprouver avec fureur » (p. 70-71). Les paroles fausses deviennent vraies, on ne peut pas parler, ou écrire, impunément. — Une scène semblable, se trouve décrite dans *le Cahier rouge* : « A force de le dire, je parvenais presque à le croire »

(p. 138-139). — Et si les paroles créent la réalité qu'elles évoquaient fictivement auparavant, le silence, lui, fait disparaître cette même réalité. « Les chagrins que je cachais, je les oubliais en partie » (p. 117), etc.

Ces deux règles, aussi simples soient-elles, couvrent l'ensemble de la production verbale. Il s'ensuit un paradoxe concernant la sincérité ou la véracité que Constant a su bien formuler : « Presque jamais personne n'est tout à fait sincère ni tout à fait de mauvaise foi » (p. 70). Cette affirmation renvoie aussi bien à l'absence d'unité dans la personnalité qu'aux propriétés de la parole elle-même qui, mensongère, devient vraie, et sincère, devient fausse. Il n'y a pas de pur mensonge, ni de pure vérité.

Les signes et ce qu'ils désignent ne se présentent plus comme deux séries indépendantes, chacune pouvant représenter l'autre ; ils forment un tout et toute délimitation territoriale en fausse l'image. On ne peut pas dénommer ou communiquer un sentiment sans l'altérer ; il n'existe pas de parole purement constative. Ou, d'une manière plus générale : on ne doit parler de l'essence d'un acte ou d'un sentiment, en essayant de faire abstraction de l'expérience que nous en avons. Constant nous propose une conception dynamique de la psyché : il n'existe pas de cadre stable, fixé une fois pour toutes, dans lequel apparaîtraient, l'un après l'autre, des éléments nouveaux : l'apparition de chacun modifie la nature des autres et ils ne se définissent que par leurs relations mutuelles. Ce n'est pas que les sentiments n'existent pas en dehors des mots qui les désignent ; mais ils ne sont tels que par leur relation avec ces mots. Tout effort pour connaître le fonctionnement psychique dans un cadre statique est voué à l'échec.

On a vu que la parole fausse devenait vraie, qu'elle avait cette puissance de créer le référent qu'elle évoquait d'abord « en plaisantant ». On peut généraliser cette règle et dire que les paroles ne viennent pas à la suite d'une réalité psychique qu'elles verbalisent, mais qu'elles en sont l'origine même : au début était le verbe... Les mots créent les choses au lieu d'en être un pâle reflet. Ou comme le dit Constant dans *Cécile*, à propos d'un cas particulier : « Comme il arrive souvent dans la vie, les précautions qu'il prit pour que ce sentiment ne se réalisât point furent précisément ce qui le fit se réaliser » (p. 190). Tout le commerce de l'amour, par exemple, obéit à cette loi ;

les personnages de Constant la connaissent et agissent en conséquence. Lorsqu'Ellénore veut se garder de l'amour d'Adolphe, elle essaie d'abord d'écarter les paroles qui le désignent. « Elle ne consentit à me recevoir que rarement, ... avec l'engagement que je ne lui parlerais jamais d'amour » (p. 79). Ellénore est méfiante car elle sait qu'accepter le langage, c'est accepter l'amour lui-même, les mots ne tarderont pas à créer les choses. C'est ce qui se produit, très peu après : « Elle me permit de lui peindre mon amour ; elle se familiarisa par degrés avec ce langage : bientôt elle m'avoua qu'elle m'aimait » (p. 81). Accepter le langage, accepter l'amour : la distance entre les deux n'est que d'une proposition. — Il en est de même pour Germaine, dans *Amélie et Germaine :* « Germaine a besoin du langage de l'amour, de ce langage qu'il m'est chaque jour plus impossible de lui parler » (p. 226). Germaine ne demande pas l'amour mais le langage de l'amour ; ce qui, nous le savons maintenant, n'est pas moins mais plus ; Constant le sait bien, lui aussi ; ce n'est pas l'amour qui est devenu impossible mais précisément l'emploi de ce langage. — Adolphe n'agira pas autrement lorsqu'il essayera d'interrompre ses rapports avec Ellénore : « Je me félicitais quand j'avais pu substituer les mots d'affection, d'amitié, de dévouement à celui d'amour... » (p. 107).

Une autre scène remarquable, dans *Adolphe*, décrit ainsi l'apparition de la pitié. Ellénore dit à Adolphe : « Vous croyez avoir de l'amour et vous n'avez que de la pitié. » Et il commente : « Pourquoi prononça-t-elle ces mots funestes ? Pourquoi me révéla-t-elle un secret que je voulais ignorer ?... Le mouvement était détruit ; j'étais déterminé dans mon sacrifice, mais je n'en étais pas plus heureux... » (p. 114). Ainsi la pitié prend la place de l'amour par la force d'une phrase : la pitié dont l'existence était jusque-là problématique, devient le sentiment dominant chez Adolphe.

Toutes les paroles, et non seulement celles du magicien, ont un caractère incantatoire. Perrault décrit, dans son conte *les Fées*, le don merveilleux qu'accorde une fée à deux sœurs. A la première : « Je vous donne pour don, poursuivit la fée, qu'à chaque parole que vous direz, il vous sortira de la bouche ou une fleur, ou une pierre précieuse. » Et à la seconde : « Je vous donne pour don qu'à chaque parole que vous direz, il vous sortira de la bouche ou un serpent, ou un crapaud. » Et la prédiction se réalise aussitôt : « Eh bien! ma mère, lui répondit la brutale, en jetant deux vipères et deux crapauds. » Mais nous avons tous, dirait Constant, reçu ce même don et les paroles qui sortent de notre bouche se transforment immanquablement en réalité palpable. Une responsabilité insoupçonnée se trouve peser sur nos épaules : on ne peut pas parler pour parler, les paroles sont toujours plus que les paroles, et il y a un grand danger à ne pas tenir compte des conséquences de ce qu'on dit. Constant lui-même formule ainsi l' « idée principale » d'*Adolphe* : signaler le danger qu'il y a « dans la simple habitude d'emprunter le langage de l'amour ». En parlant ainsi, « l'on s'engage dans une route dont on ne saurait prévoir le terme » (p. 37).

Ainsi les paroles sont plus importantes — et plus difficiles — que les actions qu'elles désignent. Adolphe ne saura défendre l'honneur d'Ellénore par ses mots, alors qu'il n'hésite pas à se battre en duel pour elle ; et il remarque : « J'aurais beaucoup mieux aimé me battre avec eux que de leur répondre » (p. 102). Et Constant dira de lui-même : « Ce qui m'a toujours fait du tort, ce sont mes paroles. Elles ont toujours gâté le mérite de mes actions » (*Journal*, p. 300-301) : les mots pèsent plus lourd que les choses. Ainsi pensera Ellénore : « Vous êtes bon ; vos actions sont nobles et dévouées ; mais quelles actions effaceraient vos paroles ? » (p. 175).

Cette priorité de la parole sur l'action (ou peut-être : de la parole parmi les actions) est si évidente que la société en a fait sa loi. Constant caractérise ainsi dans *Cécile* « l'opinion française... qui pardonne tous les vices mais qui est inexorable sur les convenances » (p. 192) et répètera la même observation dans la préface à la troisième édition d'*Adolphe:* « Elle accueille assez bien le vice quand le scandale ne s'y trouve pas » (p. 44). Les mots sont plus importants que les choses ; plus même, ce sont les mots qui créent les choses.

PAROLE PERSONNELLE ET IMPERSONNELLE
CHOSES PRÉSENTES ET ABSENTES

Toute parole n'a pas le même pouvoir d'évoquer au monde ce qu'elle nomme. Une scène du huitième chapitre nous en fournit une bonne illustration. Ellénore fait qu'Adolphe rencontre une de ses amies qui doit servir d'intermédiaire entre les amants désunis. Adolphe, dans un élan de sincérité, révèle son sentiment véritable pour Ellénore devant l'amie : « Je n'avais dit jusqu'à ce moment à personne que je n'aimais plus Ellénore » (p. 142); et, comme nous le savons déjà, entre penser une chose, serait-ce mille fois, et la dire, il y a une distance infinie. Mais le fait devient ici particulièrement significatif car cette parole est adressée à une personne *tierce*. « Cette vérité, jusqu'alors refermée dans mon cœur, et quelquefois seulement révélée à Ellénore au milieu du trouble et de la colère, prit à mes propres yeux plus de réalité et de force par cela seul qu'un autre en était devenu dépositaire » (p. 143). Les mêmes paroles adressées à Ellénore n'avaient pas la même signification, ne pouvaient pas jouer le même rôle, car Ellénore était un *tu* et non un *il*. L'opposition des deux est celle d'une parole *personnelle* qui ne connaît que *je* et *tu*, à la parole *impersonnelle*, qui est celle du *il* et surtout, comme on le verra, celle d'un *on*. La différence entre les deux est clairement sentie par Adolphe : « C'est un grand pas, c'est un pas irréparable, lorsqu'on dévoile tout à coup aux yeux d'un tiers les replis cachés d'une relation intime... » (p. 143). La parole impersonnelle transforme le sentiment en réalité : mais la réalité est-elle autre chose que ce qui se trouve énoncé par cette parole impersonnelle, par la parole des non-personnes?

On peut s'expliquer maintenant l'importance qu'accorde Adolphe (ainsi que Constant dans ses journaux) à l'opinion publique : celle-ci n'est rien d'autre que cette même parole impersonnelle, dont le sujet d'énonciation reste anonyme et qui a le pouvoir de créer des faits. En essayant de se rendre compte de ce qu'il vaut, Adolphe ne s'interroge pas lui-même mais tente d'évoquer à sa mémoire des jugements impersonnels. « Je me rappelais... les éloges accordés à mes premiers essais » (p. 132). « Toute louange, toute approbation pour mon esprit ou mes connaissances me semblaient un reproche insupportable... » (p. 133), etc. Remarquons d'une part le caractère incontestable (pour Adolphe) de ces jugements, de l'autre, le fait qu'il n'y a pas de sens à s'interroger sur leur auteur. — Voici ce que Constant appelle, pour lui-même, « une situation pareille à l'enfer » : « le parlage perpétuel, cet étonnement des hommes les plus éclairés de France sur l'étrange association sur laquelle j'aurai fini... (*Amélie et Germaine*, p. 251). Il n'est pas question de contester la justesse de l'opinion publique (de même, Adolphe ne saura le faire lorsqu'il s'agit de ne pas tenir compte de la condamnation d'Ellénore faite par la société) : cela ne se conteste pas. Au contraire, tout personnage essayera de s'y adapter du mieux qu'il peut : ainsi le narrateur du *Cahier rouge* qui, faisant la cour à une jeune fille, ne cherchera pas à obtenir ses faveurs, mais celles de l'opinion publique : « Mon but était qu'on parlât de moi » (p. 125). Voici donc ce *on* d'où émane la parole la plus sûre, la plus réelle, plus réelle que la réalité — puisqu'elle vaut plus que le fait désigné.

L'écriture partage les caractéristiques de la parole impersonnelle. Constant s'interroge souvent, surtout dans son *Journal*, sur la portée et la signification de l'écriture ; et il relève à chaque fois des affinités entre écriture et parole publique. Voici un passage souvent cité du *Journal* : « En le commençant [ce journal], je me suis fait une loi d'écrire tout ce que j'éprouverais. Je l'ai observée cette loi, du mieux que j'ai pu, et cependant telle est l'influence de l'habitude de parler pour la galerie, que quelquefois je ne l'ai pas complètement observée » (p. 428). Écrire, c'est « parler pour la galerie » : du simple fait qu'il écrit (et ne parle pas) Constant voit son discours se rapprocher de celui qui serait adressé à un public, de la parole impersonnelle. Cette présence du public dans l'écriture, il la remarquera encore maintes fois. « Soyons de bonne foi et n'écrivons pas pour nous comme pour le public » (*Amélie et Germaine*, p. 248). Sa conscience d'un lecteur qui n'est personne en particulier, qui est la non-personne, est constante : « Vous verrez que... » (*Journal*, p. 352); « Si l'on lisait ce que j'en ai écrit quelquefois... » (p. 518). Du fait même qu'on écrit, les paroles ne s'adressent plus au *je* (comme dans la « pensée »), ni à un *tu* défini (ce qui était le cas de la parole ; les lettres personnelles sont donc l'écriture la plus proche de la parole), mais à un *on*. Et les conséquences sont là : écrire, c'est instaurer la réalité, de même que ce l'était pour la parole impersonnelle. Ainsi Constant écrira : « Je consigne au moins ici mon impression pour qu'elle ne puisse être changée » (p. 385). Ou, lorsqu'il aura décrit dans son *Journal* la mort de Julie Talma, il se verra obligé d'abandonner le journal pour ne plus sentir la présence de la mort.

On voit ici, entre autres, quels risques prennent ceux qui considèrent les journaux de Constant comme étant de la pure constatation, comme reflétant la vie de Constant sans en faire partie. Identifier Constant avec le personnage des journaux est illégitime précisément parce que Constant écrit ce journal (et ce Constant que l'on retrouve sous les traits d'Adolphe n'est jamais qu'un Constant *écrit* : celui du journal, celui des lettres). Lui-même nous met sans cesse en garde : le journal n'est pas une description transparente, un pur reflet de la « vie » : l'écriture ne saurait jamais l'être. « Je dois consigner ici que je traite mon journal comme ma vie », écrira-t-il (*Journal*, p. 391). Ou encore : « ce journal est devenu pour moi une sensation dont j'ai une sorte de besoin » (p. 428). Le journal évince la vie, il est plus opaque, plus matériel qu'elle. Ainsi s'expliquent ces notations étranges où le temps de la vie se trouve remplacé par l'espace de l'écriture : « J'espère bien au bas de l'autre page être hors d'ici » (p. 668), ou « A la fin de la vingt-cinquième page après celle-ci, je serai bien étonné peut-être de tout ce que j'éprouve à présent » (p. 642)...

L'impersonnalité de l'écriture explique peut-être la facilité qu'ont les personnages d'*Adolphe* d'écrire, comparée à leur difficulté de parler. Ainsi le père d'Adolphe : « Ses lettres étaient affectueuses..., mais à peine étions-nous en présence l'un de l'autre, qu'il y avait en lui quelque chose de contraint » (p. 52). Ainsi Adolphe lui-même : « Convaincu par ces expériences réitérées que je n'aurai jamais le courage de parler à Ellénore, je me déterminai à lui écrire » (p. 70). Et on peut dire que, d'une manière plus générale, Adolphe arrive mal à s'expliquer avec Ellénore (par la parole), mais qu'il y parvient parfaitement avec le lecteur, par l'écriture.

Revenons encore une fois aux règles qu'on a isolées au départ : la parole, si vraie, est fausse; si fausse, est vraie. Si nous voulons réunir ces deux règles en une seule, il faudra dire : les paroles ne signifient pas la présence des choses mais leur absence. Formulée de la sorte, cette loi est pertinente pour l'ensemble des référents, et non seulement pour une de ses parties : la verbalisation change la nature des activités psychiques et en indique l'absence; elle ne change pas la nature des objets matériels mais fixe leur absence plutôt que leur présence.

Tous les cas analysés jusqu'ici entrent dans le cadre de cette loi. En voici un autre, particulièrement éloquent, que l'on trouve dans *Cécile* : « Le soin qu'elle prenait de m'assurer qu'une fois mariée, elle ne s'était jamais repentie de cette union, me convainquit tout de suite qu'elle n'avait plus tardé à s'en repentir » (p. 188). Ou encore cette phrase d'*Adolphe* : « Charme de l'amour, qui vous éprouva, ne saurait vous décrire! » (p. 90). La description de l'amour désigne son absence, de même que l'affirmation de l'absence de repentir en désigne la présence (l'absence de l'absence). Les mots ne désignent pas les choses mais le contraire des choses.

Il faut comprendre ces affirmations paradoxales précisément en tant que telles. On ne peut pas remplacer les mots par leurs contraires pour pallier les menaces qui guettent la communication; il ne s'agit pas ici d'un mauvais emploi du langage. Le sens du paradoxe serait oblitéré s'il n'existait qu'une loi unique qui postule que l'emploi des mots implique l'absence de leur référent. Les mots désignent le contraire de ce qu'ils semblent désigner; si cette apparence, cette « semblance » disparaissait, tout le sens de la loi contradictoire du langage s'évanouirait aussitôt.

On nous rappelle sans cesse, dans *Adolphe*, cette réalité première, nécessaire pour que la transgression soit possible. Ainsi le baron de T *** dira à Adolphe : «Les faits sont positifs, ils sont publics [encore l'opinion publique qui rend un « fait » « positif »]; en m'empêchant de les rappeler, pensez-vous les détruire? » (p. 130). Et Adolphe affirmera lui-même : « Ce qu'on ne dit pas, n'en existe pas moins » (p. 86). Ces phrases ne contredisent donc nullement la doctrine de la parole qui se dégage de tout ce qui précède; elles en fournissent, au contraire, la condition nécessaire, cette relation première sans laquelle le paradoxe de la parole n'aurait pas existé.

La réflexion sur la nature de la parole et, par là, de toute communication, amène chez Constant un sentiment qu'on pourrait caractériser comme étant celui du « verbe tragique ». La communication n'est pas autre chose qu'un malentendu dissimulé ou différé; l'effort de communiquer est un amusement d'enfants. Ce que Constant a dû profondément ressenti si l'on en juge par ces quelques phrases tirées de son journal : « On n'est jamais connu que de soi, on ne peut être jugé que par soi : il y a entre les autres et soi une barrière invincible » (p. 139). « Les autres sont les autres, on ne fera jamais qu'ils soient soi... Il y a entre nous et ce qui n'est pas nous une barrière insurmontable » (p. 428). « Ma vie au fond n'est nulle part qu'en moi-même..., l'intérieur [en] est environné de je ne sais quelle barrière que les autres ne franchissent pas... » (p. 494). Cette barrière obsédante que Constant ne peut s'empêcher de sentir réside dans la nature même de la parole et elle est, en effet, insurmontable : raison suffisante à ce pessimisme qui frappe souvent lorsqu'on lit les textes de Constant. On ne saurait pas se consoler par l'idée que la communication ne se faisant pas, les sentiments qui devaient en devenir l'objet restent intacts : nous savons maintenant qu'ils n'existent que dans cette communication. Nous agissons alors, dira Constant, « comme si nous voulions nous venger sur nos sentiments mêmes de la douleur que nous éprouvons à ne pouvoir les faire connaître » (p. 53). Coupé de l'autre, l'être n'existe plus.

L'unique consolation qu'on pourrait adresser à Constant vient de sa théorie elle-même : puisque toute parole vraie devient, aussitôt articulée, fausse, à cause du changement qu'elle produit dans l'objet décrit, ainsi cette théorie même est certainement fausse, dans la mesure où la parole, après l'articulation de la théorie, n'est plus la même.

PAROLE ET DÉSIR

Une grande partie du texte d'*Adolphe* traite, on le voit, de la parole. Il n'y a peut-être qu'un seul thème qui soit représenté aussi abondamment : c'est celui du désir. La coexistence des deux à l'intérieur d'un texte n'est pas gratuite; et il sera instructif de comparer la structure de la parole, telle qu'on vient de l'observer, à celle du désir. Rappelons brièvement ici cette structure du désir (dont on peut trouver une étude approfondie dans l'essai de Maurice Blanchot, « Adolphe ou le malheur des sentiments vrais », *la Part du feu*).

Le désir d'Adolphe ne durera que le temps de son insatisfaction car il désire son désir plus que l'objet du désir. Vivant avec Ellénore, il ne sera plus heureux, et il ne rêvera qu'à l'indépendance qui lui manque; mais une fois libre, il ne peut pas en jouir : « Combien elle me pesait, cette liberté que j'avais tant regrettée! Combien elle manquait à mon cœur, cette dépendance qui m'avait révolté souvent! » (p. 173-174). L'abolition de la distance entre sujet et objet du désir abolit le désir lui-même.

De là, plusieurs conséquences. D'abord, le désir ne sera jamais aussi fort qu'en l'absence de son objet; ce qui amène Constant à une valorisation absolue de l'absence, à une dévalorisation de la présence. Il écrira dans son journal : « Mon imagination qui sent si vivement les inconvénients de toute situation présente... » (p. 363); « Quelle que soit ma volonté, ce n'est qu'en absence qu'une résolution quelconque peut s'exécuter » (p. 383). Il arrivera même à cette formule, unique dans sa concision : « Je n'aime qu'en absence... » (p. 716).

La satisfaction du désir signifie sa mort et donc le malheur. Être aimé, c'est être malheureux. « Personne ne fut plus aimé, plus loué, plus caressé que moi, et jamais homme ne fut moins heureux », écrira encore Constant (p. 507). Dès qu'on est aimé, on ne peut plus aimer. — Comment s'expliquer qu'on cesse de désirer l'objet auquel on aspirait avec tant d'ardeur un quart d'heure plus tôt, comment le même objet peut-il provoquer, l'une à la suite de l'autre, deux attitudes aussi différentes? C'est que cet objet n'est le même que matériellement et non symboliquement; or seule cette dernière dimension nous importera ici. Il faut de nouveau délaisser toute image statique de la conscience : l'objet n'est pas le même suivant qu'il est absent ou présent; il n'existe pas indépendamment de la relation que nous avons avec lui. Ou comme le formule Constant lui-même : « L'objet qui nous échappe est nécessairement tout différent de celui qui nous poursuit » (p. 302).

Rien ne favorise autant le désir que l'obstacle. L'amour d'Adolphe ne commence qu'à partir du premier obstacle qui s'y oppose (une lettre froide d'Ellénore); et par la suite, chaque obstacle levé diminuera son désir. Plus même : non seulement l'obstacle renforce le désir, mais c'est lui qui le crée (thème favori des mythes et des contes populaires : pensons à toutes les histoires d'interdiction). Constant écrira à propos de sa seconde femme : « Horriblement fatigué d'elle, lorsqu'elle avait voulu s'unir à moi, au premier mot qu'elle me dit, que sur les prières de son père, elle voulait ajourner cette union, je m'étais senti ressaisi d'une passion dévorante » (p. 302).

En même temps, il ne suffit pas de dire qu'on désire non la présence d'un objet mais son absence; à nouveau, il ne s'agit pas d'un mauvais usage linguistique, et remplacer les mots par leurs contraires n'arrangerait pas les choses. Le paradoxe et la tragédie du désir viennent précisément de sa nature double. On désire à la fois le désir et son objet, Adolphe serait malheureux en n'obtenant pas l'amour d'Ellénore, comme il est malheureux de l'avoir fait. Le choix n'est qu'entre différents malheurs. Constant le dira dans son commentaire du caractère d'Adolphe : « Sa position et celle d'Ellénore étaient sans ressource, et c'est précisément ce que j'ai voulu. Je l'ai montré tourmenté parce qu'il n'aimait que faiblement Ellénore; mais il n'eût pas été moins tourmenté, s'il l'eût aimé davantage. Il souffrait par elle, faute de sentiments : avec un sentiment plus passionné, il eût souffert pour elle » (p. 40). Ou de la même manière, à propos de Mme de Staël : « Elle a toujours eu ce genre d'inquiétude sur notre liaison qui l'empêchait de la trouver fatigante, parce qu'elle ne s'en croyait jamais suffisamment sûre » (p. 355). Le choix est donc entre inquiétude et fatigue, entre douleur et indifférence.

Dans ce monde déchiré par la loi contradictoire qui le constitue, Constant ne voit qu'une certitude positive : c'est éviter la douleur d'autrui. Si la logique du désir nous met dans un monde relatif, la douleur de l'autre est une valeur absolue, et sa négation, son refus, le seul repère positif. Ce principe déterminera la conduite d'Adolphe, de même qu'il l'a fait pour Constant (c'est ce à quoi on pense en parlant de leur « faiblesse de caractère »). Le bonheur, ou plutôt ce qui le remplace ici, l'absence de malheur, dépend à nouveau entièrement de l'autre : « Le *nec plus ultra* du bonheur serait de nous faire réciproquement le moins de mal possible » (p. 511).

On peut maintenant rétablir sans mal la relation profonde entre parole et désir. L'une et l'autre fonctionnent d'une manière analogue. Les paroles impliquent l'absence des choses, de même que le désir implique l'absence de son objet; et ces absences s'imposent malgré la nécessité « naturelle » des choses et de l'objet du désir. L'une et l'autre défient la logique traditionnelle qui veut concevoir les objets en eux-mêmes, indépendamment de leur relation avec celui pour qui ils existent. L'une et l'autre aboutissent à l'impasse : celle de la communication, celle du bonheur. Les mots sont aux choses ce que le désir est à l'objet du désir.

Cela ne veut pas dire, on le voit, qu'on désire ce qu'on dit. L'équivalence est plus profonde, elle consiste dans l'analogie du mécanisme, du fonctionnement, et elle peut se réaliser aussi bien dans l'identité que dans l'opposition. « D'autant plus violent que je me sentais plus faible », dira de lui-même Adolphe (p. 157); mots auxquels ceux de Constant font écho : « Je suis dur parce que je suis faible » (*Journal*, p. 507). Ici les mots remplacent les choses : mais les choses, c'est précisément le désir.

On pourrait se demander maintenant dans quelle mesure cette théorie de la parole, esquissée par Constant, a quelque chose à voir avec la littérature; ne s'agissait-il pas plutôt d'écrire un chapitre de l'histoire de la psychologie (ce que J. Hytier suggérait dans *Les romans de l'individu* : « Le nom de Constant devrait figurer dans les manuels de psychologie »)? Il y a cependant un fait matériel qui devrait déjà nous mettre en garde : presque tous les éléments de cette théorie se trouvent dans *Adolphe*, et même exclusivement dans *Adolphe*. Les journaux ou les autres écrits ne font que confirmer une partie des idées de Constant. Serait-ce un hasard que son seul texte proprement littéraire soit presque entièrement consacré à ce thème?

On peut proposer à ce fait l'explication suivante. Il est raisonnable de supposer que la variété thématique de la littérature n'est qu'apparente; qu'à la base de toute littérature se retrouvent les mêmes, disons, universaux sémantiques, très peu nombreux, mais dont les combinaisons et les transformations fournissent toute la variété des textes existants. S'il en est ainsi, on peut être certain que le désir serait un de ces universaux (l'échange pourrait en être un autre). Or en traitant de la parole, Constant traite aussi du désir : nous avons observé l'équivalence formelle des deux. On peut dire alors que toute cette problématique est foncièrement littéraire; le désir serait même une de ces constantes qui permettent de définir la littérature elle-même.

Mais pourquoi, peut-on demander, le désir serait-il un des universaux sémantiques de la littérature (sa seule importance dans la vie humaine n'est pas une raison suffisante)? Nous venons de voir que le désir fonctionne comme la parole (de même que l'échange, d'ailleurs); or la littérature est, elle aussi, parole, bien que parole différente. En prenant le désir comme une de ces constantes thématiques, la littérature nous livre, d'une manière détournée, son secret qui est sa loi première : c'est qu'elle reste son propre objet essentiel. En parlant du désir elle continue à se parler elle-même. On peut donc dès maintenant avancer une hypothèse sur la nature des universaux sémantiques de la littérature : ils ne seront jamais que des transformations de la littérature elle-même.

1967.

9. La grammaire du récit

L'emploi métaphorique dont jouissent des termes comme « langage », « grammaire », « syntaxe », etc. nous fait habituellement oublier que ces mots pourraient avoir un sens précis, même lorsqu'ils ne se rapportent pas à une langue naturelle. En se proposant de traiter de « la grammaire du récit », on doit d'abord préciser quel sens prend ici le mot « grammaire ».

Depuis les débuts mêmes de la réflexion sur le langage, une hypothèse est apparue, selon laquelle au-delà des différences évidentes des langues, on peut découvrir une structure commune. Les recherches sur cette grammaire universelle se sont poursuivies, avec un succès inégal, pendant plus de vingt siècles. Avant l'époque actuelle, leur sommet se situe sans doute chez les modistes du XIIIe et du XIVe siècles; voici comment l'un d'entre eux, Robert Kilwardby, formulait leur credo : «La grammaire ne peut constituer une science qu'à la condition d'être une pour tous les hommes. C'est par accident que la grammaire énonce des règles propres à une langue particulière, comme le latin ou le grec; de même que la géométrie ne s'occupe pas de lignes ou de surfaces concrètes, de même la grammaire établit la correction du discours pour autant que celui-ci fait abstraction du langage réel [l'usage actuel nous ferait inverser ici les termes de *discours* et *langage*]. L'objet de la grammaire est le même pour tout le monde [1]. »

Mais si l'on admet l'existence d'une grammaire universelle, on ne doit plus la limiter aux seules langues. Elle aura, visiblement, une réalité psychologique; on peut citer ici Boas, dont le témoignage prend d'autant plus de valeur que son auteur a inspiré précisément

---

1. Cité d'après G. Wallerand, *Les Œuvres de Siger de Courtray* (Les philosophes belges, VIII), Louvain, Institut supérieur de philosophie de l'Université, 1913.

la linguistique anti-universaliste : « L'apparition des concepts grammaticaux les plus fondamentaux dans toutes les langues doit être considérée comme la preuve de l'unité des processus psychologiques fondamentaux » (*Handbook*, I, p. 71). Cette réalité psychologique rend plausible l'existence de la même structure ailleurs que dans la langue.

Telles sont les prémisses qui nous autorisent à chercher cette même grammaire universelle en étudiant des activités symboliques de l'homme autres que la langue naturelle. Comme cette grammaire reste toujours une hypothèse, il est évident que les résultats d'une étude sur une telle activité seront au moins aussi pertinents pour sa connaissance que ceux d'une recherche sur le français, par exemple. Malheureusement, il existe très peu d'explorations poussées de la grammaire des activités symboliques ; un des rares exemples qu'on puisse citer est celui de Freud et son étude du langage onirique. D'ailleurs, les linguistes n'ont jamais essayé d'en tenir compte lorsqu'ils s'interrogent sur la nature de la grammaire universelle.

Une théorie du récit contribuera donc aussi à la connaissance de cette grammaire, dans la mesure où le récit est une telle activité symbolique. Il s'instaure ici une relation à double sens : on peut emprunter des catégories au riche appareil conceptuel des études sur les langues ; mais en même temps il faut se garder de suivre docilement les théories courantes sur le langage : il se peut que l'étude de la narration nous fasse corriger l'image de la langue, telle qu'on la trouve dans les grammaires.

Je voudrais illustrer ici par quelques exemples les problèmes qui se posent dans le travail de description des récits, lorsque ce travail est situé dans une perspective semblable [1].

1. Prenons d'abord le problème des parties du discours. Toute théorie sémantique des parties du discours doit se fonder sur la distinction entre description et dénomination. Le langage remplit aussi bien ces deux fonctions, et leur interpénétration dans le lexique nous fait souvent oublier leur différence. Si je dis « l'enfant », ce mot sert à décrire un objet, à en énumérer les caractéristiques (âge, taille,

---

1. Les récits particuliers auxquels je me réfère sont tous tirés du *Décaméron* de Boccace. Le chiffre romain indiquera la journée, le chiffre arabe, la nouvelle. — Pour une étude plus détaillée de ces récits, on se rapportera à notre *Grammaire du Décaméron*, La Haye, Mouton, 1969.

etc.); mais en même temps il me permet d'identifier une unité spatio-temporelle, de lui donner un nom (en particulier, ici, par l'article). Ces deux fonctions sont distribuées irrégulièrement dans la langue : les noms propres, les pronoms (personnels, démonstratifs, etc.), l'article servent avant tout la dénomination, alors que le nom commun, le verbe, l'adjectif et l'adverbe sont surtout descriptifs. Mais il ne s'agit là que d'une prédominance, c'est pourquoi il est utile de concevoir la description et la dénomination comme décalées, disons, du nom propre et du nom commun; ces parties du discours n'en sont qu'une forme presque accidentelle. Ainsi s'explique le fait que les noms communs peuvent facilement devenir propres (Hôtel « Avenir ») et inversement (« un Jazy ») : chacune des deux formes sert les deux processus mais à des degrés différents.

Pour étudier la structure de l'intrigue d'un récit, nous devons d'abord présenter cette intrigue sous la forme d'un résumé, où à chaque action distincte de l'histoire correspond une proposition. L'opposition entre dénomination et description apparaîtra de manière beaucoup plus nette ici que dans la langue. Les agents (sujets et objets) des propositions seront toujours des noms propres idéaux (il convient de rappeler que le sens premier de « nom *propre* » n'est pas « nom qui appartient à quelqu'un » mais « nom au sens propre », « nom par excellence »). Si l'agent d'une proposition est un nom commun (un substantif), nous devons le soumettre à une analyse qui distinguera, à l'intérieur du même mot, ses aspects dénominatif et descriptif. Dire, comme le fait souvent Boccace, « le roi de France » ou « la veuve » ou « le valet », c'est à la fois identifier une personne unique, et décrire certaines de ses propriétés. Une telle expression égale une proposition entière : ses aspects descriptifs forment le prédicat de la proposition, ses aspects dénominatifs en constituent le sujet. « Le roi de France part en voyage » contient en fait deux propositions : « X est roi de France » et « X part en voyage », où X joue le rôle du nom propre, même si ce nom est absent de la nouvelle. L'agent ne peut être pourvu d'aucune propriété, il est plutôt comme une forme vide que viennent remplir des différents prédicats. Il n'a pas plus de sens qu'un pronom comme « celui » dans « celui qui court » ou « celui qui est courageux ». Le sujet grammatical est toujours vide de propriétés internes, celles-ci ne peuvent venir que d'une jonction provisoire avec un prédicat.

Nous garderons donc la description uniquement à l'intérieur du prédicat. Pour distinguer maintenant plusieurs classes de prédicats, nous devons regarder de plus près la construction des récits. L'intrigue minimale complète consiste dans le passage d'un équilibre à un autre. Un récit idéal commence par une situation stable qu'une force quelconque vient perturber. Il en résulte un état de déséquilibre ; par l'action d'une force dirigée en sens inverse, l'équilibre est rétabli ; le second équilibre est semblable au premier mais les deux ne sont jamais identiques.

Il y a par conséquent deux types d'épisodes dans un récit : ceux qui décrivent un état (d'équilibre ou de déséquilibre) et ceux qui décrivent le passage d'un état à l'autre. Le premier type sera relativement statique et, on peut dire, itératif : le même genre d'actions pourrait être répété indéfiniment. Le second, en revanche, sera dynamique et ne se produit, en principe, qu'une seule fois.

Cette définition des deux types d'épisodes (et donc de propositions les désignant) nous permet de les rapprocher de deux parties du discours, l'adjectif et le verbe. Comme on l'a souvent noté, l'opposition entre verbe et adjectif n'est pas celle d'une action sans commune mesure avec une qualité, mais celle de deux aspects, probablement itératif et non-itératif. Les « adjectifs » narratifs seront donc ces prédicats qui décrivent des états d'équilibre ou de déséquilibre, les « verbes », ceux qui décrivent le passage de l'un à l'autre.

On pourrait s'étonner de ce que notre liste des parties du discours ne comporte pas de substantifs. Mais le substantif peut toujours être réduit à un ou plusieurs adjectifs, comme l'ont déjà remarqué certains linguistes. Ainsi H. Paul écrit : « L'adjectif désigne une propriété simple ou qui est représentée comme simple ; le substantif contient un complexe de propriétés » (*Prinzipien der Sprachgeschichte*, § 251). Les substantifs dans *le Décaméron* se réduisent presque toujours à un adjectif ; ainsi « gentilhomme » (II, 6 ; II, 8 ; III, 9), « roi » (X, 6 ; X, 7), « ange » (IV, 2) reflètent tous une seule propriété qui est « être de bonne naissance ». Il faut remarquer ici que les mots français par lesquels nous désignons telle ou telle propriété ou action ne sont pas pertinents pour déterminer la partie du discours narratif. Une propriété peut être désignée aussi bien par un adjectif que par un substantif ou même par une locution entière. Il s'agit ici des adjectifs ou des verbes de la grammaire du récit et non de celle du français.

Prenons un exemple qui nous permettra d'illustrer ces « parties du discours » narratif. Peronnelle reçoit son amant en l'absence du mari, pauvre maçon. Mais un jour celui-ci rentre de bonne heure. Peronnelle cache l'amant dans un tonneau ; le mari une fois entré, elle lui dit que quelqu'un voulait acheter le tonneau et que ce quelqu'un est maintenant en train de l'examiner. Le mari la croit et se réjouit de la vente. Il va racler le tonneau pour le nettoyer ; pendant ce temps, l'amant fait l'amour à Peronnelle qui a passé sa tête et ses bras dans l'ouverture du tonneau et l'a ainsi bouchée (VII, 2).

Peronnelle, l'amant et le mari sont les agents de cette histoire. Tous les trois sont des noms propres narratifs, bien que les deux derniers ne soient pas nommés ; nous pouvons les désigner par X, Y et Z. Les mots d'amant et de mari nous indiquent de plus un certain état (c'est la légalité de la relation avec Peronnelle qui est ici en cause) ; ils fonctionnent donc comme des adjectifs. Ces adjectifs décrivent l'équilibre initial : Peronnelle est l'épouse du maçon, elle n'a pas le droit de faire l'amour avec d'autres hommes.

Ensuite vient la transgression de cette loi : Peronnelle reçoit son amant. Il s'agit là évidemment d'un « verbe » qu'on pourrait désigner comme : violer, transgresser (une loi). Il amène un état de déséquilibre car la loi familiale n'est plus respectée.

A partir de ce moment, deux possibilités existent pour rétablir l'équilibre. La première serait de punir l'épouse infidèle ; mais cette action aurait servi à rétablir l'équilibre initial. Or, la nouvelle (ou tout au moins les nouvelles de Boccace) ne décrit jamais une telle répétition de l'ordre initial. Le verbe « punir » est donc présent à l'intérieur de la nouvelle (c'est le danger qui guette Peronnelle) mais il ne se réalise pas, il reste à l'état virtuel. La seconde possibilité consiste à trouver un moyen pour éviter la punition ; c'est ce que fera Peronnelle ; elle y parvient en travestissant la situation de déséquilibre (la transgression de la loi) en situation d'équilibre (l'achat d'un tonneau ne viole pas la loi familiale). Il y a donc ici un troisième verbe, « travestir ». Le résultat final est à nouveau un état, donc un adjectif : une nouvelle loi est instaurée, bien qu'elle ne soit pas explicite, selon laquelle la femme peut suivre ses penchants naturels.

Ainsi l'analyse du récit nous permet d'isoler des unités formelles qui présentent des analogies frappantes avec les parties du discours : nom propre, verbe, adjectif. Comme on ne tient pas compte ici de la matière verbale qui supporte ces unités, il devient possible d'en donner des définitions plus nettes qu'on ne peut le faire en étudiant une langue.

2. On distingue habituellement, dans une grammaire, les catégories *primaires* qui permettent de définir les parties du discours, des catégories *secondaires* qui sont les propriétés de ces parties : ainsi la voix, l'aspect, le mode, le temps, etc. Prenons ici l'exemple de l'une de ces dernières, le mode, pour observer ses transformations dans la grammaire du récit.

Le mode d'une proposition narrative explicite la relation qu'entretient avec elle le personnage concerné; ce personnage joue donc le rôle du sujet de l'énonciation. On distinguera d'abord deux classes : l'indicatif, d'une part, tous les autres modes, de l'autre. Ces deux groupes s'opposent comme le réel à l'irréel. Les propositions énoncées à l'indicatif sont perçues comme désignant des actions qui ont véritablement eu lieu; si le mode est différent, c'est que l'action ne s'est pas accomplie mais existe en puissance, virtuellement (la punition virtuelle de Peronnelle nous en a fourni un exemple).

Les anciennes grammaires expliquaient l'existence des propositions modales par le fait que le langage sert non seulement à décrire et donc à se référer à la réalité, mais aussi à exprimer notre volonté. De là aussi l'étroite relation, dans plusieurs langues, entre les modes et le futur qui ne signifie habituellement qu'une intention. Nous ne les suivrons pas jusqu'au bout : on pourra établir une première dichotomie entre les modes propres au *Décaméron*, qui sont au nombre de quatre, en nous demandant s'ils sont liés ou non à une volonté. Cette dichotomie nous donne deux groupes : les modes de la *volonté* et les modes de l'*hypothèse*.

Les modes de la volonté sont deux : l'obligatif et l'optatif. L'*obligatif* est le mode d'une proposition qui doit arriver; c'est une volonté codée, non-individuelle qui constitue la loi d'une société. Pour cette raison, l'obligatif a un statut particulier : les lois sont toujours sous-entendues, jamais nommées (ce n'est pas nécessaire) et elles risquent de passer inaperçues pour le lecteur. Dans *le Décaméron*, la punition doit être écrite au mode obligatif : elle est une conséquence directe des lois de la société et elle est présente même si elle n'a pas lieu.

L'*optatif* correspond aux actions désirées par le personnage. En un certain sens, toute proposition peut être précédée par la même proposition à l'optatif, dans la mesure où chaque action dans *le Décaméron* — bien qu'à des degrés différents — résulte du désir qu'a quelqu'un de voir cette action réalisée. Le *renoncement* est un cas particulier de l'optatif : c'est un optatif d'abord affirmé, ensuite nié. Ainsi Gianni renonce à son premier désir de transformer sa femme en jument lorsqu'il apprend les détails de la transformation (IX, 10). De même, Ansaldo renonce au désir qu'il avait de posséder Dianora, lorsqu'il apprend quelle a été la générosité de son mari (X, 5). Une nouvelle connaît aussi un optatif au deuxième degré : dans III, 9, Gilette n'aspire pas seulement à coucher avec son mari, mais à ce que son mari l'aime, à ce qu'il devienne le sujet d'une proposition optative : elle désire le désir de l'autre.

Les deux autres modes, conditionnel et prédictif, offrent non seulement une caractéristique sémantique commune (l'hypothèse) mais se distinguent par une structure syntaxique particulière : ils se rapportent à une succession de deux propositions et non à une proposition isolée. Plus précisément, ils concernent la relation entre ces deux propositions qui est toujours d'implication mais avec laquelle le sujet de l'énonciation peut entretenir des rapports différents.

Le *conditionnel* se définit comme le mode qui met en relation d'implication deux propositions attributives, de sorte que le sujet de la deuxième proposition et celui qui pose la condition soient un seul et même personnage (on a désigné parfois le conditionnel sous le nom d'épreuve). Ainsi dans IX, 1, Francesca pose comme condition pour accorder son amour que Rinuccio et Alexandre accomplissent chacun un exploit : si la preuve de leur courage est faite, elle consentira à leurs prétentions. De même dans X, 5 : Dianora exige d'Ansaldo « un jardin qui, en janvier, soit fleuri comme au mois de mai »; s'il réussit, il pourra la posséder. Une nouvelle prend même l'épreuve comme thème central : Pyrrhus demande à Lidie, comme preuve de son amour, qu'elle accomplisse trois actes : tuer, sous les yeux de son mari, son meilleur épervier; arracher une touffe de poils à la barbe de son mari; extraire, enfin, une de ses meilleures dents. Une fois que Lidie aura passé l'épreuve, il consentira à coucher avec elle (VII, 9).

Le *prédictif*, enfin, a la même structure que le conditionnel, mais le sujet qui prédit ne doit pas être le sujet de la deuxième proposition (la conséquence); par là, il se rapproche du mode « transrelatif » dégagé par Whorf. Aucune restriction ne pèse sur le sujet de la première proposition. Ainsi il peut être le même que le sujet de l'énonciation (dans I, 3 : si je mets Melchisédech mal à l'aise, se dit Saladin, il me donnera de l'argent; dans X, 10 : si je suis cruel avec Griselda, se dit Gautier, elle essayera de me nuire). Les deux propositions peuvent avoir le même sujet (IV, 8 : si Girolamo s'éloigne de la ville, pense sa mère, il n'aimera plus Salvestra; VII, 7 : si mon mari est jaloux, suppose Béatrice, il se lèvera et sortira). Ces prédictions sont parfois fort élaborées : ainsi dans cette dernière nouvelle, pour coucher avec Ludovic, Béatrice dit à son mari que Ludovic lui faisait la cour; pareillement, dans III, 3, pour provoquer l'amour d'un chevalier, une dame se plaint à l'ami de celui-ci qu'il ne cesse de lui faire la cour. Les prédictions de ces deux nouvelles (qui se révèlent justes l'une et l'autre) ne vont évidemment pas de soi : les mots créent ici les choses au lieu de les refléter.

Ce fait nous amène à voir que le prédictif est une manifestation particulière de la logique du vraisemblable. On suppose qu'une action en entraînera une autre, parce que cette causalité correspond à une probabilité commune. Il faut se garder toutefois de confondre ce vraisemblable des personnages avec les lois que le lecteur éprouve comme vraisemblables : une telle confusion nous amènerait à chercher la probabilité de chaque action particulière; alors que le vraisemblable des personnages a une réalité formelle précise, le prédictif.

Si nous cherchons à mieux articuler les relations que présentent les quatre modes, nous aurons, à côté de l'opposition « présence/absence de volonté », une autre dichotomie qui opposera l'optatif et le conditionnel, d'un côté, à l'obligatif et au prédictif, de l'autre. Les deux premiers se caractérisent par une identité du sujet de l'énonciation avec le sujet de l'énoncé : on se met ici soi-même en question. Les deux derniers, en revanche, reflètent des actions extérieures au sujet énonçant : ce sont des lois sociales et non individuelles.

3. Si nous voulons dépasser le niveau de la proposition, des problèmes plus complexes apparaissent. En effet, jusqu'ici nous pouvions comparer les résultats de notre analyse à ceux des études sur les langues. Mais il n'existe pas de théorie linguistique du discours; on n'essayera donc pas de s'y référer. Voici quelques conclusions générales que l'on peut tirer de l'analyse du *Décaméron* sur la structure du discours narratif.

Les relations qui s'établissent entre propositions peuvent être de trois sortes. La plus simple est la relation temporelle où les événements se suivent dans le texte parce qu'ils se suivent dans le monde imaginaire du livre. La relation logique est un autre type de relation ; les récits sont habituellement fondés sur des implications et des présuppositions, alors que les textes plus éloignés de la fiction se caractérisent par la présence de l'inclusion. Enfin, une troisième relation est de type « spatial », dans la mesure où les deux propositions sont juxtaposées à cause d'une certaine ressemblance entre elles, en dessinant ainsi un espace propre au texte. Il s'agit, on le voit, du parallélisme, avec ses multiples subdivisions ; cette relation semble dominante dans les textes de poésie. Le récit possède les trois types de relations, mais dans un dosage toujours différent et selon une hiérarchie qui est propre à chaque texte particulier[1].

On peut établir une unité syntaxique supérieure à la proposition ; appelons-la *séquence*. La séquence aura des caractéristiques différentes suivant le type de relation entre propositions ; mais, dans chaque cas, une répétition incomplète de la proposition initiale en marquera la fin. D'autre part, la séquence provoque une réaction intuitive de la part du lecteur : à savoir qu'il s'agit là d'une histoire complète, d'une anecdote achevée. Une nouvelle coïncide souvent, mais non toujours avec une séquence : la nouvelle peut en contenir plusieurs, ou ne contenir qu'une partie de celle-ci.

En se plaçant au point de vue de la séquence, on peut distinguer plusieurs types de propositions. Ces types correspondent aux relations logiques d'exclusion (ou-ou), de disjonction (et-ou) et de conjonction (et-et). On appellera le premier type de propositions *alternatives* car une seule d'entre elles peut apparaître à un point de la séquence ; cette apparition est, d'autre part, obligatoire. Le second type sera celui des propositions *facultatives* dont la place n'est pas définie et dont l'apparition n'est pas obligatoire. Enfin, un troisième type sera formé par les propositions *obligatoires ;* celles-ci doivent toujours apparaître à une place définie.

Prenons une nouvelle qui nous permettra d'illustrer ces différentes relations. Une dame de Gascogne se fait outrager par « quelques

---

1. Je traite plus longuement ces trois types de relation dans le chapitre « Poé-tique » de l'ouvrage collectif *Qu'est-ce que le structuralisme?*, Paris, Seuil, 1968.

mauvais garçons » pendant son séjour en Chypre. Elle veut s'en plaindre au roi de l'île; mais on lui dit que cela serait peine perdue car le roi reste indifférent aux insultes qu'il reçoit lui-même. Néanmoins, elle le rencontre et lui adresse quelques paroles amères. Le roi en est touché et il abandonne sa veulerie (I, 9).

Une comparaison entre cette nouvelle et les autres textes qui forment *le Décaméron* nous permettra d'identifier le statut de chaque proposition. Il y a d'abord une proposition obligatoire : c'est le désir de la dame de modifier la situation précédente; on retrouve ce désir dans toutes les nouvelles du recueil. D'autre part, deux propositions contiennent les causes de ce désir (l'outrage des mauvais garçons et le malheur de la dame) et on peut les qualifier de facultatives : il s'agit là d'une motivation psychologique de l'action modifiante de notre héroïne, motivation qui est souvent absente du *Décaméron* (contrairement à ce qui se passe dans la nouvelle du xixe siècle.) Dans l'histoire de Peronnelle (VII, 2), il n'y a pas de motivations psychologiques; mais on y trouve également une proposition facultative : c'est le fait que les deux amants font de nouveau l'amour derrière le dos du mari. Qu'on nous entende bien : en qualifiant cette proposition de facultative, nous voulons dire qu'elle n'est pas nécessaire pour qu'on perçoive l'intrigue du conte comme un tout achevé. La nouvelle elle-même en a bien besoin, c'est même là le « sel de l'histoire »; mais il faut pouvoir séparer le concept d'intrigue de celui de nouvelle.

Il existe enfin des propositions alternatives. Prenons par exemple l'action de la dame qui modifie le caractère du roi. Du point de vue syntaxique elle a la même fonction que celle de Peronnelle qui cachait son amant dans le tonneau : les deux visent à établir un équilibre nouveau. Cependant ici cette action est une attaque verbale directe alors que Peronnelle se servait du travestissement. « Attaquer » et « travestir » sont donc deux verbes qui apparaissent dans des propositions alternatives; autrement dit, ils forment un paradigme.

Si nous cherchons à établir une typologie des intrigues, nous ne pouvons le faire qu'en nous fondant sur les éléments alternatifs : ni les propositions obligatoires qui doivent apparaître toujours, ni les facultatives qui peuvent apparaître toujours ne sauraient nous aider ici. D'autre part, la typologie pourrait se fonder sur des critères purement syntagmatiques : nous avons dit plus haut que le récit consistait en un passage d'un équilibre à un autre; mais un récit peut aussi ne présenter qu'une partie de ce trajet. Ainsi il peut décrire seulement le passage d'un équilibre à un déséquilibre, ou inversement. L'étude des nouvelles du *Décaméron* nous a amené par exemple à ne voir dans ce recueil que deux types d'histoire. Le premier dont la nouvelle sur Peronnelle était un exemple pourrait être appelé « la punition évitée ». Ici, le trajet complet est suivi (équilibre - déséquilibre - équilibre); d'autre part, le déséquilibre est provoqué par la transgression d'une loi, acte qui mérite la punition. Le second type d'histoire, illustré par la nouvelle sur la dame de Gascogne et le roi de Chypre, peut être désigné comme une « conversion ». Ici, seule la seconde partie du récit est présente : on part d'un état de déséquilibre (un roi mou) pour arriver à l'équilibre final, De plus, ce déséquilibre n'a pas pour cause une action particulière (un verbe) mais les qualités mêmes du personnage (un adjectif).

Ces quelques exemples peuvent suffire pour donner une idée de la grammaire du récit. On pourrait objecter que, ce faisant, nous ne sommes pas arrivé à « expliquer » le récit, à en tirer des conclusions générales. Mais l'état des études sur le récit implique que notre première tâche soit l'élaboration d'un appareil descriptif : avant de pouvoir expliquer les faits, il faut apprendre à les identifier.

On pourrait (et on devrait) trouver aussi des imperfections dans les catégories concrètes proposées ici; mon but était de soulever des questions plutôt que de fournir des réponses. Il me semble, toutefois, que l'idée même d'une grammaire du récit ne peut pas être contestée. Cette idée repose sur l'unité profonde du langage et du récit, unité qui nous oblige à réviser nos idées sur l'un et sur l'autre. On comprendra mieux le récit si l'on sait que le personnage est un nom, l'action, un verbe. Mais on comprendra mieux le nom et le verbe en pensant au rôle qu'ils assument dans le récit. En définitive, le langage ne pourra être compris que si l'on apprend à penser sa manifestation essentielle, la littérature. L'inverse est aussi vrai : combiner un nom et un verbe, c'est faire le premier pas vers le récit. En quelque sorte, l'écrivain ne fait que lire le langage.

1968.

10. La quête du récit

Il faut traiter la littérature comme littérature. Ce slogan, énoncé sous cette forme même depuis plus de cinquante ans, aurait dû devenir un lieu commun et donc perdre sa force polémique. Il n'en est rien, cependant; et l'appel pour un « retour à la littérature » dans les études littéraires garde toujours son actualité; plus même, il semble condamné à ne jamais être qu'une force, non un état acquis.

C'est que cet impératif est doublement paradoxal. D'abord les phrases du type « la littérature c'est la littérature » portent un nom précis : ce sont des tautologies, phrases où la jonction du sujet et du prédicat ne produit aucun sens dans la mesure où ce sujet et ce prédicat sont identiques. Autrement dit, ce sont des phrases qui constituent un degré zéro du sens. D'autre part, écrire sur un texte, c'est produire un autre texte; dès la première phrase qu'articule le commentateur, il fausse la tautologie, qui ne pouvait subsister qu'au prix de son silence. On ne peut plus rester fidèle à un texte dès l'instant où l'on écrit. Et même si le nouveau texte relève aussi de la littérature, ce n'est plus de la même littérature qu'il s'agit. Qu'on le veuille ou non, on écrit : la littérature *n*'est *pas* la littérature, ce texte *n*'est *pas* ce texte...

Le paradoxe est double; mais c'est précisément dans cette duplicité que réside la possibilité de le dépasser. Dire une telle tautologie n'est pas vain dans la mesure même où la tautologie ne sera jamais parfaite. On pourra jouer de l'imprécision de la règle, on se placera dans le jeu du jeu et l'exigence « considérer la littérature comme littérature » retrouvera sa légitimité.

Il suffit, pour le constater, de se tourner vers un texte précis et ses exégèses courantes : on s'aperçoit vite que demander de traiter un

129

texte littéraire en texte littéraire n'est ni une tautologie, ni une contradiction. Un exemple extrême nous est donné par la littérature du Moyen Age : ce sera un cas exceptionnel que de voir une œuvre médiévale interrogée dans une perspective proprement littéraire. N.S. Troubetzkoy, fondateur de la linguistique structurale, écrivait en 1926 à propos de l'histoire littéraire du Moyen Age : « Jetons un coup d'œil sur les manuels ou sur les cours universitaires se rattachant à cette science. Il y est rarement question de la littérature en tant que telle. On y traite de l'instruction (plus exactement, de l'absence d'instruction), des traits de la vie sociale, reflétés (plus exactement, insuffisamment reflétés) dans des sermons, chroniques et « vies », de la correction des textes ecclésiastiques ; en un mot, on y traite mainte question. Mais on parle rarement de littérature. Il existe quelques appréciations stéréotypées, que l'on applique à des œuvres littéraires du Moyen Age très différentes : certaines de ces œuvres sont écrites dans un style « fleuri », d'autres, d'une manière « naïve » ou « ingénue ». Les auteurs de ces manuels ou de ces cours ont une attitude précise à l'égard de ces œuvres : elle est toujours méprisante, dédaigneuse ; dans le meilleur des cas, elle est dédaigneuse et condescendante, mais parfois elle est carrément indignée et malveillante. L'œuvre littéraire du Moyen Age est jugée « intéressante » non pour ce qu'elle est, mais dans la mesure où elle reflète des traits de la vie sociale (c'est-à-dire qu'elle est jugée dans la perspective de l'histoire sociale, non de l'histoire littéraire), ou encore, dans la mesure où elle contient des indications, directes ou indirectes, sur les connaissances littéraires de l'auteur (portant, de préférence, sur des œuvres étrangères). » A quelques nuances près ce jugement pourrait s'appliquer aussi aux études actuelles sur la littérature médiévale (Leo Spitzer le répétait quelque quinze ans plus tard.)

Ces nuances ne sont pas sans importance, bien entendu. Un Paul Zumthor a tracé de nouvelles voies pour la connaissance de la littérature médiévale. On a commenté et étudié bon nombre de textes, avec une précision et un sérieux qui ne doivent pas être sous-estimés. Les paroles de Troubetzkoy restent cependant valables pour l'ensemble, quelque significatives que soient les exceptions.

Le texte dont nous esquisserons ici une lecture a déjà été l'objet d'une telle étude attentive et détaillée. Il s'agit de *La Quête du Saint-Graal*, ouvrage anonyme du XIIIe siècle, et du livre d'Albert Pauphilet

Etudes sur la Queste del Saint Graal (Paris, H. Champion, 1921).
L'analyse de Pauphilet tient compte des aspects proprement littéraires
du texte; ce qui nous reste à faire, c'est essayer de pousser cette
analyse plus loin.

LE RÉCIT SIGNIFIANT

« La plupart des épisodes, une fois racontés, sont interprétés
par l'auteur à la manière dont les docteurs de ce temps-là interpré-
taient les détails de l'Écriture sainte », écrit Albert Pauphilet.

Ce texte contient donc sa propre glose. A peine une aventure est-
elle achevée que son héros rencontre quelque ermite qui lui déclare
que ce qu'il a vécu n'est pas une simple aventure mais le signe d'autre
chose. Ainsi, dès le début, Galaad voit plusieurs merveilles et ne
parvient pas à les comprendre tant qu'il n'a pas rencontré un
prud'homme. « Sire, dit celui-ci, vous m'avez demandé la signification
de cette aventure, la voici. Elle présentait trois épreuves redoutables :
la pierre qui était bien lourde à soulever, le corps du chevalier qu'il
fallait jeter au-dehors et cette voix que l'on entendait et qui faisait
perdre sens et mémoire. De ces trois choses, voici le sens. » Et le
prud'homme de conclure : « Vous connaissez maintenant la signification de la chose. — Galaad déclara qu'elle avait beaucoup plus
de sens qu'il ne pensait. »

Aucun chevalier ne passe à côté de ces explications. Voici Gauvain :
« Elle n'est pas sans signification, cette coutume de retenir les Pucelles,
qu'avaient introduite les sept frères! — Ah! sire, dit Gauvain, expli-
quez-moi cette signifiance, que je puisse la conter quand je reviendrai
à la cour. » Et Lancelot : « Lancelot lui rapporta les trois paroles que
la voix avait prononcées dans la chapelle, lorsqu'il fut appelé pierre,
et fût, et figuier. Pour Dieu, conclut-il, dites-moi la signification de
ces trois choses. Car jamais je n'entendis parole que j'eusse telle envie
de comprendre. » Le chevalier peut deviner que son aventure a un
sens second mais il ne peut pas le trouver seul. Ainsi, « Bohort fut
très étonné de cette aventure et ne sut ce qu'elle signifiait; mais il
devinait bien qu'elle avait une signifiance merveilleuse ».

Les détenteurs du sens forment une catégorie à part parmi les
personnages : ce sont des « prud'hommes », ermites, abbés et recluses.

De même que les chevaliers ne pouvaient pas savoir, ceux-ci ne peuvent pas agir; aucun d'entre eux ne participera à une péripétie : sauf dans les épisodes d'interprétation. Les deux fonctions sont rigoureusement distribuées entre les deux classes de personnages; cette distribution est si bien connue que les héros s'y réfèrent eux-mêmes : « Nous en avons tant vu, endormis ou éveillés, reprit Gauvain, que nous devrions nous mettre en quête d'un ermite qui nous expliquerait le sens de nos songes. » Au cas où l'on ne parvient pas à en découvrir un, le ciel lui-même intervient et « une voix se fait entendre » qui explique tout.

Nous sommes confrontés, donc, dès le début et d'une manière systématique, à un récit double, avec deux types d'épisodes, de nature distincte, mais qui se rapportent au même événement et qui s'alternent régulièrement. Le fait de prendre les événements terrestres comme les signes des volontés célestes était chose courante dans la littérature de l'époque. Mais alors que d'autres textes séparaient totalement le signifiant du signifié, en omettant le second, en comptant sur sa notoriété, *la Quête du Graal* met les deux types d'épisodes les uns à côté des autres; l'interprétation est incluse dans la trame du récit. Une moitié du texte porte sur des aventures, une autre sur le texte qui les décrit. Le texte et le méta-texte sont mis en continuité.

Cette mise en équation pourrait déjà nous prévenir contre une distinction trop nette des signes et de leurs interprétations. Les uns et les autres épisodes se ressemblent (sans jamais s'identifier entre eux) par ceci de commun : les signes comme leur interprétation ne sont autre chose que des *récits*. Le récit d'une aventure signifie un autre récit; ce sont les coordonnées spatio-temporelles de l'épisode qui changent mais non sa nature même. C'était là, encore une fois, chose courante pour le Moyen Age, qui était habitué à déchiffrer les récits de l'Ancien Testament comme désignant les récits du Nouveau Testament; et on trouve des exemples de cette transposition dans *la Quête du Graal*. « La mort d'Abel, en ce temps où il n'y avait encore que trois hommes sur terre, annonçait la mort du vrai Crucifié; Abel signifiait la Victoire et Caïn représentait Judas. Ainsi que Caïn salua son frère avant de le tuer, Judas devait saluer son Seigneur avant de le livrer à la mort. Ces deux morts s'accordent donc bien, sinon de hautesse, du moins de signifiance. » Les commentateurs de la Bible sont à la recherche d'un invariant, commun aux différents récits.

Dans *la Quête du Graal*, les interprétations renvoient, avec plus ou moins d'imprécision, à deux séries d'événements. La première appartient à un passé distant de quelques centaines d'années; elle se rapporte à Joseph d'Arimathie, à son fils Josèphe, au roi Mordrain et au roi Méhaignié; c'est elle qui est habituellement désignée par les aventures des chevaliers ou par leurs rêves. Elle-même n'est qu'une nouvelle « semblance » par rapport à la vie du Christ, cette fois-ci. La relation des trois est clairement établie au cours du récit des trois tables, que fait à Perceval sa tante. « Vous savez que depuis l'avènement de Jésus-Christ, il y eut trois tables principales au monde. La première fut la table de Jésus-Christ où les apôtres mangèrent plusieurs fois. (...) Après cette table, il y en eut une autre à la semblance et remembrance de la première. Ce fut la Table du Saint-Graal, dont on vit un si grand miracle en ce pays au temps de Joseph d'Arimathie, au commencement de la Chrétienté sur la terre. (...) Après cette table, il y eut encore la Table ronde établie selon le conseil de Merlin et pour une grande signifiance. » Chaque événement de la dernière série signifie des événements des séries précédentes. Ainsi, parmi les toutes premières épreuves de Galaad, il y a celle de l'écu; l'aventure une fois terminée, un envoyé du ciel apparaît sur scène. « Écoutez-moi, Galaad. — Quarante-deux ans après la passion de Jésus-Christ il advint que Joseph d'Arimathie (...) quitta Jérusalem avec nombre de ses parents. Ils marchèrent », etc.; suit une autre aventure, plus ou moins semblable à celle qui est arrivée à Galaad et qui en constitue donc le sens. De même pour les références à la vie du Christ, plus discrètes celles-ci, dans la mesure où la matière est plus connue. « Par la semblance sinon par la grandeur, on doit comparer votre venue à celle du Christ, dit un prud'homme à Galaad. Et de même encore que les prophètes, bien avant Jésus-Christ, avaient annoncé sa venue et qu'il délivrerait l'homme de l'enfer, de même les ermites et les saints ont annoncé votre venue depuis plus de vingt années. »

La ressemblance entre les signes-à-interpréter et leur interprétation n'est pas purement formelle. La meilleure preuve en est le fait que parfois des événements qui appartenaient au premier groupe apparaissent par la suite dans le second. Ainsi, en particulier, d'un rêve étrange que fait Gauvain, où il voit un troupeau de taureaux à la robe tachetée.

Le premier prud'homme trouvé lui explique qu'il s'agit là précisément de la quête du Graal, à laquelle lui, Gauvain, participe. Les taureaux disent dans le rêve : « Allons quérir ailleurs meilleure pâture », ce qui renvoie aux chevaliers de la Table Ronde qui dirent le jour de Pentecôte : « Allons à la quête du Saint-Graal », etc. Or le récit du vœu fait par les chevaliers de la Table Ronde se trouve dans les premières pages de la *Quête*, et non dans un passé légendaire. Il n'y a donc aucune différence de nature entre les récits-signifiants et les récits-signifiés, puisqu'ils peuvent apparaître les uns à la place des autres. Le récit est toujours signifiant ; il signifie un autre récit.

Le passage d'un récit à l'autre est possible grâce à l'existence d'un code. Ce code n'est pas l'invention personnelle de l'auteur de *la Quête*, il est commun à tous les ouvrages de l'époque ; il consiste à relier un objet à un autre, une représentation à une autre ; on peut facilement envisager la constitution d'un véritable lexique.

Voici un exemple de cet exercice de traduction. « Quand elle t'eut gagné par ses paroles mensongères, elle fit tendre son pavillon et te dit : "Perceval, viens te reposer jusqu'à ce que la nuit descende et ôte-toi de ce soleil qui te brûle". Ces paroles ne sont pas sans une grande signifiance, et elle entendait bien autre chose que ce que tu pus entendre. Le pavillon, qui était rond à la manière de l'univers, représente le monde, qui ne sera jamais sans péché ; et parce que le péché y habite toujours, elle ne voulait pas que tu fusses logé ailleurs. En te disant de t'asseoir et de te reposer, elle signifiait que tu sois oisif et nourrisses ton corps de gourmandises terrestres. (...) Elle t'appelait, prétendant que le soleil allait te brûler, et il n'est point surprenant qu'elle l'ait craint. Car quand le soleil, par quoi nous entendons Jésus-Christ, la vraie lumière, embrase l'homme du feu du Saint-Esprit, le froid et le gel de l'Ennemi ne peuvent plus lui faire grand mal, son cœur étant fixé sur le grand soleil. »

La traduction va donc toujours du plus connu au moins connu, aussi surprenant que cela puisse paraître. Ce sont les actions quotidiennes : s'asseoir, se nourrir, les objets les plus courants : le pavillon, le soleil, qui se révèlent être des signes incompréhensibles pour les personnages et qui ont besoin d'être traduits dans la langue des valeurs religieuses. La relation entre la série-à-traduire et la traduction s'établit à travers une règle qu'on pourrait appeler l' « identification par le prédicat ». Le pavillon est rond ; l'univers est rond ; donc le pavillon peut signifier l'univers. L'existence d'un prédicat commun permet aux deux sujets de devenir le signifiant l'un de l'autre. Ou encore : le soleil est lumineux; Jésus-Christ est lumineux; donc le soleil peut signifier Jésus-Christ.

On reconnaît en cette règle d'identification par le prédicat le mécanisme de la métaphore. Cette figure, au même titre que les autres figures de rhétorique, se retrouve à la base de tout système symbolique. Les figures répertoriées par la rhétorique sont autant de cas particuliers d'une règle abstraite qui préside à la naissance de signification dans toute activité humaine, du rêve à la magie. L'existence d'un prédicat commun rend le signe motivé; l'arbitraire du signe, qui caractérise la langue quotidienne, semble être un cas exceptionnel.

Cependant le nombre de prédicats (ou de propriétés) que l'on peut rattacher à un sujet est illimité; les signifiés possibles de tout objet, de toute action sont donc en nombre infini. A l'intérieur d'un seul système d'interprétation, on propose déjà plusieurs sens : le prud'homme qui explique à Lancelot la phrase « Tu es plus dur que pierre », à peine la première explication terminée, en entame une nouvelle : « Mais, si l'on veut, on peut entendre "pierre" d'une autre manière encore. » La couleur noire signifie le péché dans une aventure de Lancelot; la Sainte-Église et donc la vertu, dans un rêve de Bohort. C'est ce qui permet à l'Ennemi, travesti en prêtre, de proposer de fausses interprétations aux crédules chevaliers. Le voici, s'adressant à Bohort : « L'oiseau qui ressemblait à un cygne signifie une demoiselle qui t'aime d'amour depuis longtemps et qui viendra bientôt te prier d'être son ami. (...) L'oiseau noir est le grand péché qui te la fera éconduire... » Et voici, quelques pages plus tard, l'autre interprétation, livrée par un prêtre non travesti : « L'oiseau noir qui vous apparut est sainte Église, qui dit : "Je suis noire, mais je suis belle, sachez que ma sombre couleur vaut mieux que la blancheur d'autrui." Quant à l'oiseau blanc qui ressemblait à un cygne, c'était l'Ennemi. En effet le cygne est blanc en dehors et noir en dedans », etc.

Comment se retrouver dans cet arbitraire des significations, arbitraire beaucoup plus dangereux que celui du langage ordinaire? Le représentant du bien et le représentant du mal se servent de la même règle générale d' « identification par le prédicat ». Ce n'est pas grâce à elle que nous aurions pu découvrir la fausseté de la première interprétation; mais parce que, et ceci est essentiel, le nombre des

135

signifiés est réduit et leur nature est connue d'avance. L'oiseau blanc ne pouvait pas signifier une demoiselle innocente car les rêves n'en parlent jamais; il ne peut signifier, en dernier compte, que deux choses : Dieu et le démon. Une certaine interprétation psychanalytique du rêve n'est pas faite autrement; l'arbitraire débordant que donne toute interprétation par le prédicat commun est circonscrit et régularisé par le fait qu'on sait ce qu'on va découvrir : « les idées de soi et des parents immédiatement consanguins, les phénomènes de la naissance, de l'amour et de la mort » (Jones). Les signifiés sont donnés d'avance, ici comme là. L'interprétation des rêves, que l'on trouve dans *la Quête du Graal*, obéit aux mêmes lois que celles de Jones, et comporte autant d'*a priori;* ce n'est que la nature des *a priori* qui est changée. En voici un dernier exemple (analyse d'un rêve de Bohort) : « L'une des fleurs se penchait vers l'autre pour lui ôter sa blancheur, comme le chevalier tenta de dépuceler la demoiselle. Mais le prud'homme les séparait, ce qui signifie que Notre Sire, qui ne voulait pas leur perte, vous envoya pour les séparer et sauver leur blancheur à tous deux... »

Il ne suffira pas que les signifiants et les signifiés, les récits à interpréter et les interprétations soient de même nature. *La Quête du Graal* va plus loin; elle nous dit : le signifié *est* signifiant, l'intelligible *est* sensible. Une aventure est *à la fois* une aventure réelle et le symbole d'une autre aventure; en cela ce récit médiéval se distingue des allégories auxquelles nous sommes habitués et dans lesquelles le sens littéral est devenu purement transparent, sans aucune logique propre. Pensons aux aventures de Bohort. Ce chevalier arrive un soir à une « forte et haute tour »; il y reste pour la nuit; pendant qu'il est assis à table avec la « dame de céans », un valet entre pour annoncer que la sœur aînée de celle-ci lui conteste la propriété de ses biens; qu'à moins qu'elle n'envoie le lendemain un chevalier pour rencontrer un représentant de la sœur aînée en combat singulier, elle sera privée de ses terres. Bohort propose ses services, pour défendre la cause de son hôte. Le lendemain, il va au champ de la rencontre et un rude combat s'engage. « Les deux chevaliers eux-mêmes s'éloignent, puis se jettent au galop, l'un sur l'autre, et se frappent si durement que leurs écus sont percés et que leurs hauberts sont rompus (...). Par en haut, par en bas, ils déchiquettent leurs boucliers, ils brisent les hauberts aux hanches et sur les bras; ils se blessent profondément, faisant jaillir le sang sous les claires épées tranchantes. Bohort rencontre dans le chevalier une bien plus grande résistance qu'il ne le pensait. » Il s'agit donc bien d'un combat réel, où l'on peut être blessé, où il faut déployer toutes ses forces (physiques) pour mener l'aventure à bien.

Bohort gagne le combat; la cause de la sœur cadette est sauvée et notre chevalier s'en va quérir d'autres aventures. Cependant, il tombe sur un prud'homme qui lui explique que la dame n'était nullement une dame, ni le chevalier-adversaire, chevalier. « Par cette dame, nous entendons Sainte-Église, qui tient la chrétienté dans la vraie foi, et qui est le patrimoine de Jésus-Christ. L'autre dame, qui avait été déshéritée et lui faisait la guerre, est l'Ancienne Loi, l'ennemi qui guerroie toujours contre la sainte Église et les siens. » Donc ce combat n'était pas un combat terrestre et matériel, mais symbolique; c'étaient deux idées qui se battaient, non deux chevaliers. L'opposition entre matériel et spirituel est continuellement posée et levée.

Une telle conception du signe contredit nos habitudes. Pour nous, le combat doit se dérouler ou bien dans le monde matériel ou bien dans celui des idées; il est terrestre ou céleste, mais non les deux à la fois. Si ce sont deux idées qui se battent, le sang de Bohort ne peut être versé, seul son esprit est concerné. Maintenir le contraire, c'est enfreindre une des lois fondamentales de notre logique, qui est la loi du tiers exclu. Ceci et le contraire ne peuvent pas être vrais en même temps, dit la logique du discours quotidien; *la Quête du Graal* affirme exactement l'opposé. Tout événement a un sens littéral *et* un sens allégorique.

Cette conception de la signification est fondamentale pour *la Quête du Graal* et c'est à cause d'elle que nous avons du mal à comprendre ce qu'est le Graal, entité à la fois matérielle et spirituelle. L'intersection impossible des contraires est pourtant sans cesse affirmée : « Eux qui jusque-là n'étaient rien qu'esprit bien qu'ils eussent un corps », nous dit-on d'Adam et Ève, et de Galaad : « Il se mit à trembler car sa chair mortelle apercevait les choses spirituelles. » Le dynamisme du récit repose sur cette fusion des deux en un.

On peut déjà donner, à partir de cette image de la signification, une première approximation sur la nature de la quête et sur le sens du Graal : la quête du Graal est la quête d'un code. Trouver le Graal, c'est apprendre à déchiffrer le langage divin, ce qui veut dire, nous l'avons vu, faire siens les *a priori* du système; d'ailleurs, tout comme en psychanalyse, il ne s'agit pas ici d'un apprentissage abstrait (n'importe qui connaît les principes de la religion, comme aujourd'hui du traitement analytique), mais d'une pratique très personnalisée. Galaad, Perceval et Bohort parviennent, plus ou moins facilement, à interpréter les signes de Dieu. Lancelot le pêcheur, malgré toute sa bonne volonté, n'y réussit pas. Au seuil du palais, où il pourrait contempler la divine apparition, il voit deux lions monter la garde. Lancelot traduit : danger, et dégaine son épée. Mais c'est là le code profane et non divin. « Aussitôt il vit venir d'en haut une main toute enflammée qui le frappa rudement au bras et fit voler son épée. Une voix lui dit : — Ah! homme de pauvre foi et de médiocre croyance, pourquoi te fies-tu en ton bras plutôt qu'en ton Créateur? Misérable, crois-tu que Celui qui t'a pris à Son service ne soit pas plus puissant que tes armes? » Il fallait donc traduire l'événement comme : épreuve de la foi. Pour cette raison même, à l'intérieur du palais, Lancelot ne verra qu'une partie infime du mystère du Graal. Ignorer le code, c'est se voir refuser à jamais le Graal.

STRUCTURE DU RÉCIT

Pauphilet écrit :
« Ce conte est un assemblage de transpositions dont chacune, prise à part, rend avec exactitude des nuances de la pensée. Il faut les ramener à leur signification morale pour en découvrir l'enchaînement. L'auteur compose, si l'on peut dire, dans le plan abstrait, et traduit ensuite. »
L'organisation du récit se fait donc au niveau de l'interprétation et non à celui des événements-à-interpréter. Les combinaisons de ces événements sont parfois singulières, peu cohérentes, mais cela ne veut pas dire que le récit manque d'organisation; simplement, cette organisation se situe au niveau des idées, non à celui des événements. Nous avions parlé à ce propos de l'opposition entre causalité événementielle et causalité philosophique; et Pauphilet rapproche avec justesse ce récit du conte philosophique du XVIIIe siècle.
La substitution d'une logique par une autre ne se produit pas sans problèmes. Dans ce mouvement, *la Quête du Graal* révèle une dichotomie fondamentale, à partir de laquelle s'élaborent différents méca-

nismes. Il devient alors possible d'expliciter, à partir de l'analyse de ce texte particulier, certaines catégories générales du récit.

Prenons les épreuves, cet événement des plus fréquents dans *la Quête du Graal*. L'épreuve est présente déjà dans les premiers récits folkloriques; elle consiste en la réunion de deux événements, sous la forme logique d'une phrase conditionnelle : « Si X fait telle ou telle chose, alors il (lui) arrivera ceci ou cela. » En principe, l'événement de l'antécédent offre une certaine difficulté, alors que celui du conséquent est favorable au héros. *La Quête du Graal* connaît, bien entendu, ces épreuves, avec leurs variations : épreuves positives, ou exploits (Galaad retire l'épée du perron), et négatives, ou tentations (Perceval réussit à ne pas succomber aux charmes du diable transformé en belle demoiselle); épreuves réussies (celles de Galaad, avant tout) et épreuves manquées (celles de Lancelot), qui inaugurent respectivement deux séries symétriques : épreuve-réussite-récompense ou épreuve-échec-pénitence.

Mais c'est une autre catégorie qui permet de mieux situer les différentes épreuves. Si l'on compare les épreuves que subissent Perceval ou Bohort, d'une part, avec celles de Galaad, de l'autre, on s'aperçoit d'une différence essentielle. Lorsque Perceval entreprend une aventure, nous ne savons pas d'avance s'il sera victorieux ou non; parfois il échoue et parfois il réussit. L'épreuve modifie la situation précédente : avant l'épreuve, Perceval (ou Bohort) n'était pas digne de continuer la recherche du Graal; après elle, s'il réussit, il l'est. Il n'en est pas de même en ce qui concerne Galaad. Dès le début du texte, Galaad est désigné comme le Bon Chevalier, l'invincible, celui qui achèvera les aventures du Graal, image et réincarnation de Jésus-Christ. Il est impensable que Galaad échoue; la forme conditionnelle de départ n'est plus respectée. Galaad n'est pas élu parce qu'il réussit les épreuves mais réussit les épreuves parce qu'il est élu.

Ceci modifie profondément la nature de l'épreuve; il s'impose même de distinguer deux types d'épreuves et dire que celles de Perceval ou Bohort sont des épreuves narratives, alors que celles de Galaad, des épreuves rituelles. En effet, les actions de Galaad ressemblent beaucoup plus à des rites qu'à d'ordinaires aventures. S'asseoir sur le Siège Périlleux sans périr; retirer l'épée du perron; porter l'écu sans danger, etc., ne sont pas de véritables épreuves. Le Siège était initialement destiné à « son maître »; mais lorsque Galaad s'en approche, l'inscription se transforme en « C'est ici le siège de Galaad ». Est-ce alors un exploit de la part de Galaad que de s'y asseoir ? De même pour l'épée : le roi Arthur déclare que « les plus fameux chevaliers de ma maison ont échoué aujourd'hui à tirer cette épée du perron » ; à quoi Galaad répond judicieusement : « Sire, ce n'est point merveille, car l'aventure, étant à moi, ne pouvait être à eux ». De même encore pour l'écu qui porte malheur à tous sauf un ; le chevalier céleste avait déjà expliqué : « Prends cet écu et porte-le (...) au bon chevalier que l'on nomme Galaad (...). Dis-lui que le Haut Maître lui commande de le porter », etc. Il n'y a à nouveau ici aucun exploit, Galaad ne fait qu'obéir aux ordres venant d'en-haut, il ne fait que suivre le rite qui lui est prescrit.

Lorsqu'on a découvert l'opposition entre le narratif et le rituel dans *la Quête*, on s'aperçoit que les deux termes de cette opposition sont projetés sur la continuité du récit, de sorte que celui-ci se divise schématiquement en deux parties. La première ressemble au récit folklorique, elle est narrative au sens classique du mot ; la seconde est rituelle, car à partir d'un certain moment il ne se passe plus rien de surprenant, les héros se transforment en serviteurs d'un grand rite, le rite du Graal (Pauphilet parle à ce propos d'Épreuves et de Récompenses). Ce moment se situe à la rencontre de Galaad avec Perceval, Bohort et la sœur de Perceval ; cette dernière énonce ce que les chevaliers doivent faire et le récit n'est plus que la réalisation de ses paroles. Nous sommes alors à l'opposé du récit folklorique, tel qu'il apparaît encore dans la première partie, malgré la présence du rituel autour de Galaad.

La Quête du Graal est construite sur la tension entre ces deux logiques : la narrative et la rituelle, ou, si l'on veut, la profane et la religieuse. On peut les observer toutes les deux dès les premières pages : les épreuves, les obstacles (tel l'opposition du roi Arthur au commencement de la quête) relèvent de la logique narrative habituelle ; en revanche, l'apparition de Galaad, la décision de la quête — c'est-à-dire les événements importants du récit — se rattachent à la logique rituelle. Les apparitions du Saint-Graal ne se trouvent pas dans une relation nécessaire avec les épreuves des chevaliers qui se poursuivent entre-temps.

L'articulation de ces deux logiques se fait à partir de deux conceptions contraires du temps (et dont aucune ne coïncide avec celle qui nous est la plus habituelle). La logique narrative implique, idéalement, une temporalité qu'on pourrait qualifier comme étant celle du « présent perpétuel ». Le temps est constitué ici par l'enchaînement d'innombrables instances du discours ; or celles-ci définissent l'idée même du présent. On parle à tout instant de l'événement qui se produit pendant l'acte même de parole ; il y a un parallélisme parfait entre la série des événements dont on parle et la série des instances du discours. Le discours n'est jamais en retard, jamais en avance sur ce qu'il évoque. A tout instant aussi, les personnages vivent dans le présent, et dans le présent seulement ; la succession des événements est régie par une logique qui lui est propre, elle n'est influencée par aucun facteur extérieur.

En revanche, la logique rituelle repose, elle, sur une conception du temps qui est celle de l' « éternel retour ». Aucun événement ne se produit ici pour la première ni pour la dernière fois. Tout a été déjà annoncé ; et on annonce maintenant ce qui suivra. L'origine du rite se perd dans l'origine des temps ; ce qui importe en lui, c'est qu'il constitue une règle qui est déjà présente, déjà là. Contrairement au cas précédent, le présent « pur » ou « authentique », que l'on ressent pleinement comme tel, n'existe pas. Dans les deux cas, le temps est en quelque sorte suspendu, mais de manière inverse : la première fois, par l'hypertrophie du présent, la seconde, par sa disparition.

La Quête du Graal connaît, comme tout récit, l'une et l'autre logiques. Lorsqu'une épreuve se déroule et que nous ne savons pas comment elle se terminera ; lorsque nous la vivons avec le héros instant après instant et que le discours reste collé à l'événement : le récit obéit évidemment à la logique narrative et nous habitons le présent perpétuel. Lorsque, au contraire, l'épreuve est engagée et qu'il est annoncé que son issue a été prédite depuis des siècles, qu'elle n'est plus par conséquent que l'illustration de la prédiction, nous sommes dans l'éternel retour et le récit se déroule suivant la logique rituelle. Cette seconde logique ainsi que la temporalité du type « éternel retour » sortent ici vainqueurs du conflit entre les deux.

Tout a été prédit. Au moment où arrive l'aventure, le héros apprend qu'il ne faut que réaliser une prédiction. Les hasards de son chemin amènent Galaad dans un monastère ; l'aventure de l'écu s'engage ; soudain le chevalier céleste annonce : tout a été prévu. « Voici donc ce que vous ferez, dit Josèphe. Là où sera enterré Nascien, placez l'écu. C'est là que viendra Galaad, cinq jours après avoir reçu l'ordre de la chevalerie. — Tout s'est accompli comme il l'avait annoncé, puisque au cinquième jour vous êtes arrivé dans cette abbaye où gît le corps de Nascien. » Il n'y avait pas de hasard ni même d'aventure : Galaad a simplement joué son rôle dans un rite préétabli.

Messire Gauvain reçoit un rude coup de l'épée de Galaad ; il se souvient aussitôt : « Voici avérée la parole que j'entendis le jour de la Pentecôte, à propos de l'épée à laquelle je portai la main. Il me fut annoncé qu'avant longtemps j'en recevrais un coup terrible, et c'est l'épée même dont vient de me frapper ce chevalier. La chose est bien advenue telle qu'elle me fut prédite. » Le moindre geste, le plus infime incident relèvent du passé et du présent en même temps : les chevaliers de la Table Ronde vivent dans un monde fait de rappels.

Ce futur rétrospectif, rétabli au moment de la réalisation d'une prédiction, est complété par le futur prospectif, où l'on est placé devant la prédiction même. Le dénouement de l'intrigue est raconté, dès les premières pages, avec tous les détails nécessaires. Voici la tante de Perceval : « Car nous savons bien, dans ce pays comme en d'autres lieux, qu'à la fin trois chevaliers auront, plus que tous les autres, la gloire de la Quête : deux seront vierges et le troisième chaste. Des deux vierges, l'un sera le chevalier que vous cherchez, et vous l'autre ; le troisième sera Bohort de Gaunes. Ces trois-là achèveront la Quête. » Quoi de plus clair et de plus définitif ? Et pour qu'on n'oublie pas la prédiction, on nous la répète sans cesse. Ou encore, la sœur de Perceval, qui prévoit où mourront son frère et Galaad : « Pour mon honneur, faites-moi enterrer au Palais Spirituel. Savez-vous pourquoi je vous le demande ? Parce que Perceval y reposera et vous auprès de lui. »

Le narrateur de l'*Odyssée* se permettait de déclarer, plusieurs chants avant qu'un événement n'arrive, comment celui-ci allait se dérouler. Ainsi, à propos d'Antinoos : « C'est lui, le premier qui goûterait les flèches envoyées par la main de l'éminent Ulysse », etc. Mais le narrateur de *la Quête* en fait exactement autant, il n'y a pas de différence dans la technique narrative des deux textes (sur ce point précis) : « Il quitta son heaume ; Galaad fit de même ; et ils échangèrent un baiser, parce qu'ils s'entr'aimaient de grand amour : on le vit bien à leur mort, car l'un ne survécut que bien peu à l'autre. »

Enfin, si tout le présent était déjà contenu dans le passé, le passé, lui, reste présent dans le présent. Le récit revient sans cesse, bien que subrepticement, sur lui-même. Lorsqu'on lit le début de *la Quête*, on croit tout comprendre : voici les nobles chevaliers qui décident de partir à la quête, etc. Mais il faut que le présent devienne passé, souvenir, rappel, pour qu'un autre présent nous aide à le comprendre. Ce Lancelot que nous croyions fort et parfait est un pécheur incorrigible : il vit dans l'adultère avec la reine Guénièvre. Ce messire Gauvain qui a fait, le premier, le vœu de partir à la quête, ne l'achèvera jamais car son cœur est dur et il ne pense pas assez à Dieu. Ces chevaliers que nous admirions au début sont des pécheurs invétérés qui seront punis : depuis des années ils ne se sont pas confessés. Ce que nous observions naïvement dans les premières pages n'était que des apparences, qu'un simple présent. Le récit consistera en un apprentissage du passé. Même les aventures qui nous semblaient obéir à la logique narrative se trouvent être des signes d'autre chose, des parties d'un immense rite.

L'intérêt du lecteur (et on lit *la Quête du Graal* avec un intérêt certain) ne vient pas, on le voit, de la question qui provoque habituellement cet intérêt : que se passe-t-il après? On sait bien, et depuis le début, ce qui se passera, qui atteindra le Graal, qui sera puni et pourquoi. L'intérêt naît d'une tout autre question, qui est : qu'est-ce que le Graal? Ce sont là deux types différents d'intérêt, et aussi deux types de récit. L'un se déroule sur une ligne horizontale : on veut savoir ce que chaque événement provoque, ce qu'il fait. L'autre représente une série de variations qui s'empilent sur une verticale; ce qu'on cherche sur chaque événement, c'est ce qu'il est. Le premier est un récit de contiguïté, le second, de substitutions. Dans notre cas, on sait dès le début que Galaad achèvera victorieusement la quête : le récit de contiguïté est sans intérêt; mais on ne sait pas exactement ce qu'est le Graal et il y a donc la place pour un passionnant récit de substitutions, où l'on arrive, lentement, vers la compréhension de ce qui était posé dès le début.

Cette même opposition se retrouve, bien sûr, ailleurs. Les deux types fondamentaux de roman policier : le roman à mystère et le roman d'aventures, illustrent ces mêmes deux possibilités. Dans le premier cas, l'histoire est donnée dès les premières pages, mais elle est incompréhensible : un crime est accompli presque sous nos yeux mais nous n'en avons pas connu les véritables agents, ni les vrais mobiles.

L'enquête consiste à revenir sans cesse sur les mêmes événements, à vérifier et corriger les moindres détails, jusqu'à ce qu'à la fin éclate la vérité sur cette même histoire initiale. Dans l'autre cas, pas de mystère, pas de retour en arrière : chaque événement en provoque un autre et l'intérêt que nous portons à l'histoire ne vient pas de l'attente d'une révélation sur les données initiales; c'est celle de leurs conséquences qui maintient le suspense. La construction cyclique de substitutions s'oppose à nouveau à la construction unidirectionnelle et contiguë.

D'une manière plus générale, on peut dire que le premier type d'organisation est le plus fréquent dans la fiction, le second, en poésie (étant bien entendu que des éléments des deux se rencontrent toujours ensemble dans une même œuvre). On sait que la poésie se fonde essentiellement sur la symétrie, sur la répétition (sur un ordre spatial) alors que la fiction est construite sur des relations de causalité (un ordre logique) et de succession (un ordre temporel). Les substitutions possibles représentent autant de répétitions, et ce n'est pas un hasard si un aveu explicite de l'obéissance à cet ordre apparaît précisément dans la dernière partie de la Quête, celle où la causalité narrative ou la contiguïté ne jouent plus aucun rôle. Galaad voudrait emmener ses compagnons avec lui; le Christ le lui refuse en alléguant comme raison la seule répétition, non une cause utilitaire. « Ah! Sire, fit Galaad, pourquoi ne permettez-vous pas que tous viennent avec moi? — Parce que je ne le veux pas, et parce que ceci doit être à la ressemblance de mes Apôtres... »

Des deux techniques principales de combinaison d'intrigues, l'enchaînement et l'enchâssement, c'est la seconde qu'on doit s'attendre à découvrir ici; et c'est ce qui se produit. Les récits enchâssés foisonnent en particulier dans la dernière partie du texte, où ils ont une double fonction : offrir une nouvelle variation sur le même thème et expliquer les symboles qui continuent à apparaître dans l'histoire. En effet, les séquences d'interprétation, fréquentes dans la première partie du récit, disparaissent ici; la distribution complémentaire des interprétations et des récits enchâssés indique que les deux ont une fonction semblable. La « signifiance » du récit se réalise maintenant à travers les histoires enchâssées. Lorsque les trois compagnons et la sœur de Perceval montent sur la nef, tout objet s'y trouvant devient le prétexte d'un récit. Plus même : tout objet est l'aboutissement d'un récit, son dernier chaînon. Les histoires enchâssées suppléent à un dynamisme qui manque alors dans le récit-cadre : les objets deviennent héros de l'histoire, tandis que les héros s'immobilisent comme des objets.

La logique narrative est battue en brèche tout au long du récit. Il reste cependant quelques traces du combat, comme pour nous rappeler son intensité. Ainsi de cette scène effrayante où Lyonnel, déchaîné, veut tuer son frère Bohort; ou de cette autre, où la demoiselle, sœur de Perceval, donne son sang pour sauver une malade. Ces épisodes sont parmi les plus bouleversants du livre et il est en même temps difficile d'en découvrir la fonction. Ils servent, bien sûr, à caractériser les personnages, à renforcer l' « atmosphère »; mais on a aussi le sentiment que le récit a repris ici ses droits, qu'il parvient à émerger, par-delà les innombrables grilles fonctionnelles et signifiantes, dans la non-signification qui se trouve aussi être la beauté.

Il y a comme une consolation de trouver, dans un récit où tout est organisé, où tout est signifiant, un passage qui affiche audacieusement son non-sens narratif et qui forme ainsi le meilleur éloge possible du récit. On nous dit par exemple : « Galaad et ses deux compagnons chevauchèrent si bien qu'en moins de quatre jours ils furent au bord de la mer. Et ils auraient pu y arriver plus tôt, mais ne sachant pas très bien le chemin, ils n'avaient pas pris le plus court. » Quelle importance? — Ou encore, de Lancelot : « Il regarda tout autour, sans y découvrir son cheval; mais après l'avoir bien cherché, il le retrouva, le sella et monta. » Le « détail inutile » est peut-être, de tous, le plus utile au récit.

LA QUÊTE DU GRAAL

Qu'est-ce que le Graal? Cette question a suscité de multiples commentaires; citons la réponse qu'en donne le même Pauphilet : « Le Graal, c'est la manifestation romanesque de Dieu. La quête du Graal, par suite, n'est, sous le voile de l'allégorie, que la recherche de Dieu, que l'effort des hommes de bonne volonté vers la connaissance de Dieu. » Pauphilet affirme cette interprétation en face d'une autre, plus ancienne et plus littérale, qui, se fondant sur certains passages du texte, voulait voir dans le Graal un simple objet matériel (bien que relié au rite religieux), un récipient servant à la messe. Mais nous savons déjà que, dans *la Quête du Graal*, l'intelligible et le sensible, l'abstrait et le concret, peuvent faire un; aussi ne sera-t-on pas surpris de lire certaines descriptions du Graal le présentant comme un objet matériel, et d'autres, comme une entité abstraite. D'une part, le Graal égale Jésus-Christ et tout ce que celui-ci symbolise : « Ils virent alors sortir du Saint-Vase un homme tout nu, dont les pieds et les mains et le corps saignaient, et qui leur dit : "Mes chevaliers, mes sergents, mes loyaux fils, vous qui dans cette vie mortelle êtes devenus créatures spirituelles, et qui m'avez tant cherché que je ne puis plus me cacher à vos yeux" », etc. Autrement dit, ce que les chevaliers cherchaient — le Graal — était Jésus-Christ. D'autre part, quelques pages plus loin, nous lisons : « Lorsqu'ils regardèrent à l'intérieur de la nef, ils aperçurent sur le lit la table d'argent qu'ils avaient laissée chez le roi Méhaignié. Le Saint-Graal s'y trouvait, couvert d'une étoffe de soie vermeille. » Ce n'est évidemment pas Jésus-Christ qui y repose couvert d'un tissu, mais le récipient. La contradiction n'existe, on l'a vu, que pour nous qui voulons isoler le sensible de l'intelligible. Pour le conte, « la nourriture du Saint-Graal repaît l'âme en même temps qu'elle soutient le corps ». Le Graal est les deux à la fois.

Pourtant, le fait même que ces doutes existent sur la nature du Graal est significatif. Ce récit raconte la quête de quelque chose; or ceux qui cherchent ignorent sa nature. Ils sont obligés de chercher non ce que le mot désigne, mais ce qu'il signifie; c'est une quête de sens (« la quête du Saint-Graal... ne cessera pas avant que l'on ne *sache* la vérité »). Il est impossible d'établir qui mentionne le Graal en premier; le mot semble toujours avoir été déjà là; mais, même après la dernière page, nous ne sommes pas certains d'avoir bien compris son sens : la quête de ce que le Graal veut dire n'est jamais terminée. De ce fait, nous sommes continuellement obligés de mettre ce concept en relation avec d'autres, qui apparaissent au cours du texte. De cette mise en relation, il résulte une nouvelle ambiguïté, moins directe que la première mais aussi plus révélatrice.

La première série d'équivalences et d'oppositions relie le Graal à Dieu mais aussi, par l'intermédiaire de l'aventure, au récit. Les aventures sont envoyées par Dieu; si Dieu ne se manifeste pas, il n'y a plus d'aventures. Jésus-Christ dit à Galaad : « Il te faut donc y aller et accompagner ce Saint-Vase qui partira cette nuit du royaume de Logres où on ne le reverra jamais et où il n'adviendra plus aucune aventure. » Le bon chevalier Galaad a autant d'aventures qu'il veut; les pécheurs, comme Lancelot et surtout comme Gauvain, cherchent les aventures en vain. « Gauvain ... alla de nombreux jours sans rencontrer aventure »; il croise Yvain : « Rien, répondit-il, il n'avait pas trouvé aventure »; il part avec Hestor : « Huit jours ils allèrent sans rien trouver. » L'aventure est à la fois une récompense et un miracle divin; il suffit de le demander à un prud'homme qui vous apprendrait aussitôt la vérité. « Je vous prie de nous dire, dit messire Gauvain, pourquoi nous ne rencontrons plus autant d'aventures qu'autrefois. — En voici la raison, dit le prud'homme. Les aventures qui adviennent maintenant sont les signes et les apparitions du Saint-Graal... »

Dieu, le Graal et les aventures forment donc un paradigme, dont tous les membres ont un sens semblable. Mais l'on sait d'autre part que le récit ne peut prendre naissance que s'il y a une aventure à relater. C'est ce dont se plaint Gauvain : « Messire Gauvain... chevaucha longtemps sans trouver aucune aventure qu'il vaille la peine de rappeler. (...) Un jour il retrouva Hestor des Mares qui chevauchait tout seul, et ils se reconnurent avec joie. Mais ils se plaignirent l'un à l'autre de n'avoir à raconter aucun exploit extraordinaire. » Le récit se place donc à l'autre bout de la série d'équivalences, qui part du Graal et passe par Dieu et par l'aventure; le Graal n'est rien d'autre que la possibilité d'un récit.

Il existe cependant une autre série dont le récit fait également partie et dont les termes ne ressemblent nullement à ceux de la première. Nous avons vu déjà que la logique narrative était sans cesse en retrait devant une autre logique, rituelle et religieuse; le récit est le grand vaincu de ce conflit. Pourquoi? Parce que le récit, tel qu'il existe à l'époque de *la Quête,* se rattache au péché, non à la vertu; au démon, non à Dieu. Les personnages et les valeurs traditionnels du roman de chevalerie sont non seulement contestés mais bafoués. Lancelot et Gauvain étaient les champions de ces romans; ici ils sont humiliés à chaque page, et on ne cesse de leur répéter que les exploits dont ils sont capables n'ont plus de valeur (« Et ne croyez pas que les aventures d'à présent soient de massacrer des hommes ou d'occire des chevaliers », dit le prud'homme à Gauvain). Ils sont battus sur leur propre terrain : Galaad est meilleur chevalier qu'eux deux et il renverse l'un et l'autre de son cheval. Lancelot se fait insulter même par les valets, battre aux tournois; regardons-le dans son humiliation : « Il faut bien que vous m'entendiez, fit le valet, et vous ne pouvez plus espérer autre profit. Vous fûtes la fleur de la chevalerie terrienne! Chétif! vous voilà bien enfantômé par celle qui ne vous aime ni ne vous estime! (...) Lancelot ne répondit rien, si affligé qu'il eût voulu mourir. Le valet, cependant, l'injuriait et l'offensait de toutes les vilénies possibles. Lancelot l'écoutait dans une telle confusion qu'il n'osait lever les yeux sur lui. » Lancelot l'invincible n'ose lever les yeux sur celui qui l'insulte; l'amour qu'il porte à la reine Guénièvre et qui est le symbole du monde chevaleresque est traîné dans la boue. Aussi n'est-ce pas seulement Lancelot qui est à plaindre, c'est aussi le roman de chevalerie. « En chevauchant, il se prit à penser que jamais il n'avait été mis en si misérable état et qu'il ne lui était pas encore advenu d'aller à un tournoi qu'il n'en fût vainqueur. A cette pensée il fut tout marri et se dit que tout lui montrait qu'il était le plus pécheur des hommes, puisque ses fautes et sa malaventure lui avaient ôté la vue et la force. »

La Quête du Graal est un récit qui refuse précisément ce qui constitue la matière traditionnelle des récits : les aventures amoureuses ou guerrières, les exploits terrestres. *Don Quichotte* avant la lettre, ce livre déclare la guerre aux romans de chevalerie et, à travers eux, au romanesque. Le récit ne manque pas de se venger, d'ailleurs : les pages les plus passionnantes sont consacrées à Yvain le pécheur; alors que, de Galaad, il ne peut pas y avoir, à proprement parler, de récit; le récit est un aiguillage, le choix d'une voie plutôt que d'une autre; or avec Galaad, l'hésitation et le choix n'ont plus de sens : le chemin qu'il suit a beau se diviser en deux, Galaad suivra toujours la « bonne » voie. Le roman est fait pour raconter des histoires terrestres; or le Graal est une entité céleste. Il y a donc une contradiction dans le titre même de ce livre : le mot de « quête » renvoie au procédé le plus caractéristique du récit, et par là au terrestre; le Graal est un dépassement du terrestre vers le céleste. Ainsi lorsque Pauphilet dit que « le Graal est la manifestation romanesque de Dieu », il met l'un à côté de l'autre deux termes apparemment irréconciliables : Dieu ne se manifeste pas dans les romans; les romans relèvent du domaine de l'Ennemi, non de celui de Dieu.

Mais si le récit renvoie aux valeurs terrestres, et même carrément au péché et au démon (pour cette raison la *Quête du Graal* cherche sans cesse à le combattre), nous arrivons à un résultat surprenant : la chaîne d'équivalences sémantiques, qui était partie de Dieu, est parvenue, par le tourniquet du récit, à son contraire, le Démon. N'y cherchons pas, cependant, une perfidie quelconque de la part du narrateur : ce n'est pas Dieu qui est ambigu et polyvalent dans ce monde, c'est le récit. On a voulu se servir du récit terrestre à des buts célestes, et la contradiction est restée à l'intérieur du texte. Elle n'y serait pas si on louait Dieu dans des hymnes ou des sermons, ni si le récit traitait des exploits chevaleresques habituels.

L'intégration du récit dans ces chaînes d'équivalences et d'oppositions a une importance particulière. Ce qui apparaissait comme un signifié irréductible et dernier — l'opposition entre Dieu et le démon, ou la vertu et le péché, ou même, dans notre cas, la virginité et la luxure — n'est pas tel, et ceci grâce au récit. Il semblait à première vue que l'Écriture, que le Livre Saint constituait un arrêt au renvoi perpétuel d'une couche de significations à l'autre ; en fait cet arrêt est illusoire car chacun des deux termes qui forment l'opposition de base du dernier réseau désigne, à son tour, le récit, le texte, c'est-à-dire la toute première couche. Ainsi la boucle est fermée et le recul du « sens dernier » ne s'arrêtera plus jamais.

De ce fait, le récit apparaît comme le thème fondamental de *la Quête du Graal* (comme il l'est de tout récit, mais toujours différemment). En définitive, la quête du Graal est non seulement quête d'un code et d'un sens, mais aussi d'un récit. Significativement, les derniers mots du livre en racontent l'histoire : le dernier chaînon de l'intrigue est la création de ce récit même que nous venons de lire. « Et lorsque Bohort eut narré les aventures du Saint-Graal telles qu'il les avait vues, elles furent mises en écrit et conservées dans la bibliothèque de Salebières, d'où Maître Gautier Map les tira ; il en fit son livre du Saint-Graal, pour l'amour du roi Henri, son seigneur, qui fit translater l'histoire du latin en français... »

On pourrait objecter que si l'auteur avait voulu dire tout cela, il l'aurait fait plus clairement ; et d'ailleurs n'attribue-t-on pas là à un auteur du XIIIe siècle des idées qui appartiennent au XXe ? Une réponse se trouve déjà dans la *Quête du Graal* : le sujet d'énonciation de ce livre n'est pas une personne quelconque, c'est le récit lui-même, c'est le conte. Au début et à la fin de chaque chapitre nous voyons apparaître ce sujet, traditionnel pour le Moyen Age : « Mais ici le conte cesse de parler de Galaad, et revient à monseigneur Gauvain. — Le conte rapporte que, quand Gauvain se fut séparé de ses compagnons... » « Mais ici le conte cesse de parler de Perceval, et revient à Lancelot qui était resté chez le prud'homme... » Parfois ces passages deviennent fort longs; leur présence n'est certainement pas une convention vide de sens : « Si l'on demande au livre pourquoi l'homme n'emporta pas le rameau du paradis, plutôt que la femme, le livre répond que c'est bien à elle, non à lui, qu'il appartient de porter ce rameau... »

Or si l'auteur pouvait ne pas comprendre très bien ce qu'il était en train d'écrire, le conte, lui, le savait.

1968.

11. Le secret du récit

I

On connaît mieux — bien qu'en France pas assez — les romans de Henry James, alors que les nouvelles constituent une bonne moitié de son œuvre (ce n'est pas là un cas exceptionnel : le public préfère le roman à la nouvelle, le livre long au texte court; non pas que la longueur soit considérée comme critère de valeur, mais plutôt parce qu'on n'a pas le temps, à la lecture d'une œuvre brève, d'oublier que ce n'est là que de la « littérature » et non la « vie »). Si presque tous les grands romans de James sont traduits en français, un quart seulement des nouvelles l'est. Ce ne sont cependant pas de simples raisons quantitatives qui nous poussent vers cette partie de son œuvre : les nouvelles y jouent un rôle particulier. Elles apparaissent comme des études théoriques : James y pose les grands problèmes esthétiques de son œuvre, et il les résout. Par ce fait, les nouvelles constituent une voie privilégiée, que nous avons choisie pour nous introduire dans l'univers complexe et fascinant de l'auteur.

Les exégètes ont presque toujours été déroutés. Les critiques contemporains et postérieurs se sont mis d'accord pour affirmer que les œuvres de James étaient parfaites du point de vue « technique ». Mais tous se sont mis d'accord aussi pour leur reprocher le manque de grandes idées, l'absence de chaleur humaine; leur objet était trop peu important (comme si le premier signe de l'œuvre d'art n'était précisément de rendre impossible la distinction entre « techniques » et « idées »). James était rangé parmi les auteurs inaccessibles au lecteur commun; on laissait aux professionnels l'exclusivité de goûter son œuvre par trop compliquée.

Les deux nouvelles qui suivent [1] suffisent, à elles seules, à dissiper le malentendu. Plutôt que de les « défendre » j'essaierai de les situer à l'intérieur de l'univers jamesien, tel qu'il se définit dans ses nouvelles.

II

Dans la célèbre nouvelle *l'Image dans le tapis* (1896) James raconte qu'un jeune critique, venant d'écrire un article sur un des auteurs qu'il admire le plus — Hugh Vereker —, le rencontre par hasard peu après. L'auteur ne lui cache pas qu'il est déçu par l'étude qui lui est consacrée. Ce n'est pas qu'elle manque de subtilité; mais elle ne parvient pas à nommer le secret de son œuvre, secret qui en est à la fois le principe moteur et le sens général. « Il y a dans mon œuvre une idée, précise Vereker, sans laquelle je ne me serais pas soucié le moins du monde du métier d'écrivain. Une intention précieuse entre toutes. La mettre en œuvre a été, me semble-t-il, un miracle d'habileté et de persévérance... Il poursuit sa carrière, mon petit tour de passe-passe, à travers tous mes livres, et le reste en comparaison n'est que jeux en surface. » Pressé par les questions de son jeune interlocuteur, Vereker ajoute : « Tout l'ensemble de mes efforts lucides n'est pas autre chose — chacune de mes pages et de mes lignes, chacun de mes mots. Ce qu'il y a à trouver est aussi concret que l'oiseau dans la cage, que l'appât de l'hameçon, que le bout de fromage dans la souricière. C'est ce qui compose chaque ligne, choisit chaque mot, met un point sur tous les *i*, trace toutes les virgules. »

Le jeune critique se lance dans une recherche désespérée (« une obsession qui devait à jamais me hanter »); revoyant Vereker, il essaie d'obtenir plus de précisions : « Je hasardai que ce devait être un élément fondamental du plan d'ensemble, quelque chose comme une image compliquée dans un tapis d'Orient. Vereker approuva chaleureusement cette comparaison et en employa une autre : "C'est le fil, dit-il, qui relie mes perles". »

Relevons le défi de Vereker au moment où nous approchons l'œuvre

---

1. Ce texte est paru initialement comme préface à *Maud-Evelyn* et *La Mort du lion*, Paris, Aubier-Flammarion, 1969.

de Henry James (celui-là disait en effet : « C'est donc naturellement ce que devrait chercher le critique, c'est même à mon avis,... ce que le critique devrait trouver. ») Essayons de découvrir l'image dans le tapis de Henry James, ce plan d'ensemble auquel obéit tout le reste, tel qu'il apparaît à travers chacune de ses œuvres.

La recherche d'un tel invariant ne peut se faire (les personnages de *l'Image dans le tapis* le savent bien) qu'en superposant les différentes œuvres à la manière des fameuses photographies de Galton, en les lisant comme en transparence les unes sur les autres. Je ne voudrais cependant pas impatienter le lecteur et je livrerai aussitôt le secret, quitte à être, par là-même, moins convaincant. Les œuvres qu'on parcourra confirmeront l'hypothèse au lieu de laisser au lecteur le souci de la formuler lui-même.

Le récit de James s'appuie toujours sur la quête d'une cause absolue et absente. Explicitons un par un les termes de cette phrase. Il existe une cause : ce mot doit être pris ici dans un sens très large ; c'est souvent un personnage mais parfois aussi un événement ou un objet. L'effet de cette cause est le récit, l'histoire qui nous est racontée. Absolue : car tout, dans ce récit, doit finalement sa présence à cette cause. Mais la cause est absente et l'on part à sa quête : elle est non seulement absente mais la plupart du temps ignorée ; tout ce que l'on soupçonne, c'est son existence, non sa nature. On la quête : l'histoire consiste en la recherche, la poursuite de cette cause initiale, de cette essence première. Le récit s'arrête si l'on parvient à l'atteindre. Il y a d'une part une absence (de la cause, de l'essence, de la vérité) mais cette absence détermine tout ; de l'autre, une présence (de la quête) qui n'est que la recherche de l'absence. Le secret du récit jamesien est donc précisément l'existence d'un secret essentiel, d'un non-nommé, d'une force absente et surpuissante, qui met en marche toute la machine présente de la narration. Le mouvement de James est double et, en apparence, contradictoire (ce qui lui permet de le recommencer sans cesse) : d'une part, il déploie toutes ses forces pour atteindre l'essence cachée, pour dévoiler l'objet secret ; de l'autre, il l'éloigne sans cesse, le protège — jusqu'à la fin de l'histoire, sinon au-delà. L'absence de la cause ou de la vérité est présente dans le texte, plus même, elle en est l'origine logique et la raison d'être ; la cause est ce qui, par son absence, fait surgir le texte. L'essentiel est absent, l'absence est essentielle.

Avant d'illustrer les diverses variations de cette « image dans le tapis », il faut faire face à une objection possible. C'est que toutes les œuvres de James n'obéissent pas au même dessin. Pour ne parler que des nouvelles, même si on le découvre dans la plupart d'entre elles, il en est d'autres qui ne participent pas de ce mouvement. On doit donc apporter aussitôt deux précisions. La première, c'est que cette « image » est liée plus particulièrement à une période de l'œuvre de James : elle la domine presque exclusivement à partir de 1892 et jusque, au moins, 1903 (James est dans sa cinquantaine). James a écrit près de la moitié de ses nouvelles pendant ces 12 ans. Ce qui précède ne peut être considéré, à la lumière de cette hypothèse, que comme un travail préparatoire, comme un exercice, brillant mais non original, qui se laisse tout entier inscrire dans le cadre de la leçon que James tirait de Flaubert et Maupassant. La seconde précision serait d'ordre théorique, non historique : on peut poser, me semble-t-il, qu'un auteur approche dans certaines œuvres plus que dans d'autres de cette « image dans le tapis », de ce qui résume et fonde l'ensemble de ses écrits. Ainsi expliquera-t-on le fait que, même après 1892, James continue à écrire des contes qui se situent dans la lignée de ses exercices « réalistes ».

Ajoutons une comparaison à celles que Vereker avait proposées à son jeune ami pour nommer l' « élément fondamental »; disons que ce que nous venons de définir ressemble à la grille qu'ont en commun les différents instruments dans une formation de jazz. La grille fixe des points de repère, sans lesquels le morceau ne pourrait se faire; mais de ce fait la partie du saxophone ne devient pas identique à celle de la trompette. De même, dans ses nouvelles, James exploite des timbres très différents, des tonalités qui n'ont à première vue rien en commun, bien que le plan d'ensemble reste identique. Nous essaierons d'observer ces tonalités une par une.

III

Commençons par le cas le plus élémentaire : celui où la nouvelle se forme à partir d'un personnage ou d'un phénomène, enveloppé dans un certain mystère qui sera dissipé à la fin. *Sir Dominick Ferrand*

(1892; traduit en français dans *le Dernier des Valerii*) peut être pris comme premier exemple. C'est l'histoire d'un pauvre écrivain, Peter Baron, qui habite la même maison qu'une veuve-musicienne, Mrs. Ryves. Baron s'achète un jour un vieux bureau; et, par le plus grand des hasards, il se rend compte que celui-ci possède un double fond et donc un tiroir secret. La vie de Baron se concentre autour de ce premier mystère, qu'il parviendra à percer : il sort du tiroir quelques liasses de vieilles lettres. Une visite surprenante de Mrs. Ryves — dont il est secrètement amoureux — interrompt son exploration; cette dernière a eu l'intuition qu'un danger menace Peter et, s'apercevant des liasses de lettres, le supplie de ne jamais les regarder. Cette brusque action crée deux nouveaux mystères : quel est le contenu des lettres? et : comment Mrs. Ryves peut-elle avoir de telles intuitions? Le premier sera résolu quelques pages plus tard : il s'agit de lettres qui contiennent des révélations compromettantes sur sir Dominick Ferrand, homme d'État décédé plusieurs années auparavant. Mais le second durera jusqu'à la fin de la nouvelle et son éclaircissement sera retardé par d'autres rebondissements. Ils concernent les hésitations de Peter Baron quant au sort des lettres : il est sollicité par le directeur d'une revue, auquel il a révélé leur existence, et qui lui propose pour celles-ci de fortes sommes. A chaque tentation — car il est extrêmement pauvre — de rendre les lettres publiques, une nouvelle « intuition » de Mrs. Ryves, dont il est de plus en plus amoureux, vient l'arrêter. Cette seconde force l'emporte et un jour Peter brûle les lettres compromettantes. Suit la révélation finale : Mrs. Ryves, dans un élan de sincérité, lui avoue qu'elle est la fille illégitime de sir Dominick Ferrand, fruit de cette même liaison dont traitaient les lettres découvertes.

Derrière cette intrigue de vaudeville — des personnages éloignés apparaissent à la fin comme étant de proches parents — se dessine le schéma fondamental de la nouvelle jamesienne : la cause secrète et absolue de tous les événements était un absent, sir Dominick Ferrand, et un mystère, la relation entre lui et Mrs. Ryves. Tout le comportement étrange de cette dernière est fondé (avec une référence au surnaturel) sur la relation secrète; ce comportement, d'autre part, détermine celui de Baron. Les mystères intermédiaires (qu'y a-t-il dans le bureau? de quoi parlent les lettres?) étaient d'autres causes où l'absence de savoir provoquait la présence du récit. L'apparition de la cause arrête le récit : une fois le mystère percé à jour, il n'y a plus rien à raconter. La présence de la vérité est possible mais elle est incompatible avec le récit.

Dans la cage (1898) est un pas de plus dans la même direction. L'ignorance n'est pas due ici à un secret qui pourrait être révélé à la fin de la nouvelle, mais à l'imperfection de nos moyens de connaissance; et la « vérité » à laquelle on aboutit dans les dernières pages, contrairement à celle, sûre et définitive, de *Sir Dominick Ferrand*, n'est qu'un degré moins fort d'ignorance. Le manque de connaissance est motivé par la profession du personnage principal et par son centre d'intérêts : cette jeune fille (dont on n'apprendra pas le nom) est télégraphiste, et toute son attention se porte sur deux personnes qu'elle ne connaît qu'à travers leurs télégrammes : le capitaine Everard et lady Bradeen.

La jeune télégraphiste dispose de renseignements extrêmement laconiques sur le destin de ceux qui l'intéressent. A vrai dire, elle n'a que trois télégrammes, autour desquels s'échafaudent ses reconstructions. Le premier : « Everard. Hôtel Brighton, Paris. Contentez-vous comprendre et croire. 22 au 26 et certainement 8 et 9. Peut-être davantage. Venez. Mary. » Le second : « Miss Dolman, Parade Lodge, Parade Terrace, Douvres. Apprenez-lui tout de suite la bonne adresse, Hôtel de France, Ostende. Arrangez sept neuf quatre neuf six un. Télégraphiez-moi seconde adresse Burfield's. » Et le dernier : « Absolument nécessaire de vous voir. Prenez dernier train Victoria si pouvez l'attraper. Sinon, première heure demain. Répondez directement l'une ou l'autre adresse. » Sur ce canevas pauvre, l'imagination de la télégraphiste brode un roman. La cause absolue est ici la vie d'Everard et de Milady; mais la télégraphiste en ignore tout, enfermée comme elle est dans sa cage, au bureau des P. et T. Sa quête est d'autant plus longue, d'autant plus difficile, et, en même temps, d'autant plus passionnante : « Mais si rien n'était plus impossible que le fait, rien, d'autre part, n'était plus intense que la vision » (James écrira dans une autre nouvelle : « l'écho avait fini par devenir plus distinct que le son initial »).

L'unique rencontre qu'elle a avec Everard en dehors de la poste (entre le deuxième et le troisième télégramme) n'apporte pas beaucoup de lumière sur le caractère de celui-ci. Elle peut voir comment il est fait physiquement, observer ses gestes, écouter sa voix, mais son « essence » reste tout aussi intangible, sinon plus, que lorsque les séparait la cage vitrée : les sens ne retiennent que les apparences, le secondaire; la vérité leur est inaccessible. La seule révélation — mais on n'ose plus lui appliquer ce terme — vient à la fin, lors d'une conversation entre la télégraphiste et son amie, Mrs. Jordan. Le futur époux de cette dernière, Mr. Drake, a été pris au service de lady Bradeen; ainsi Mrs. Jordan pourra — quoique bien faiblement — aider son amie à comprendre le destin de lady Bradeen et du capitaine Everard. La compréhension est rendue particulièrement difficile par le fait que la télégraphiste fait semblant de savoir beaucoup plus qu'elle ne sait, pour ne pas s'humilier devant son amie; par ses réponses ambiguës elle empêche certaines révélations :

« Comment, vous ne connaissez pas le scandale? [demande Mrs. Jordan] (...) Elle prit un instant position sur la remarque suivante : Oh! il n'y a rien eu de public. » Il ne faut pas cependant surestimer les connaissances de l'amie : lorsqu'elle est interrogée là-dessus, Mrs. Jordan continue :

« — Eh bien, il s'est trouvé compromis.

Son amie s'étonna :

— Comment cela?

— Je n'en sais rien. Quelque chose de vilain. Comme je vous l'ai dit, on a découvert quelque chose. »

Il n'y a pas de vérité, il n'y a pas de certitude, nous en resterons à « quelque chose de vilain ». La nouvelle une fois terminée, nous ne pouvons pas dire que nous savons qui était le capitaine Everard; simplement, nous l'ignorons un peu moins qu'au début. L'essence n'est pas devenue présente.

Lorsque le jeune critique, dans *l'Image dans le tapis*, cherchait le secret de Vereker, il avait posé la question suivante : « Est-ce quelque chose dans le style? ou dans la pensée? Un élément de la forme? ou du fond? — Vereker avec indulgence me serra de nouveau la main et ma question me fit l'effet d'être bien balourde... » On comprend la condescendance de Vereker et si l'on nous posait la même question à propos de l'image dans le tapis de Henry James, nous aurions autant de difficultés à donner une réponse. Tous les aspects de la nouvelle participent du même mouvement; en voici la preuve.

On a relevé depuis longtemps (James lui-même l'avait fait) une propriété « technique » de ces récits : chaque événement est décrit ici à travers la vision de quelqu'un. Nous n'apprenons pas directement la vérité sur sir Dominick Ferrand mais par le biais de Peter Baron ; en fait, nous, lecteurs, ne voyons jamais rien d'autre que la conscience de Baron. Il en est de même pour *Dans la cage* : le narrateur ne met à aucun moment devant les yeux du lecteur les expériences d'Everard et de lady Bradeen, mais seulement l'image que s'en fait la télégraphiste. Un narrateur omniscient aurait pu nommer l'essence ; la jeune fille n'en est pas capable.

James chérissait par-dessus tout cette vision indirecte, "that magnificent and masterly indirectness", comme il l'appelle dans une lettre, et avait poussé l'exploration du procédé très loin. Il décrit ainsi lui-même son travail : « Je dois ajouter à la vérité que tels qu'ils étaient [les Moreens, personnages de la nouvelle *l'Élève*,] ou tels qu'ils peuvent apparaître à présent dans leur incohérence, je ne prétends pas les avoir réellement " rendus " ; tout ce que j'ai donné dans *l'Élève*, c'est la vision troublée que le petit Morgan avait d'eux, reflétée dans la vision, suffisamment trouble elle aussi, de son dévoué ami. » On ne voit pas directement les Moreens ; on voit la vision que X a de la vision d'Y qui voit les Moreens. Un cas plus complexe encore apparaît à la fin de *Dans la cage* : nous observons la perception de la télégraphiste, portant sur celle de Mrs. Jordan, qui elle-même raconte ce qu'elle a tiré de Mr. Drake qui, à son tour, ne connaît que de loin le capitaine Everard et lady Bradeen !

Parlant de lui-même à la troisième personne, James dit encore : « Porté à voir "au travers" — à voir une chose à travers une autre, en conséquence, puis d'autres choses encore à travers celle-là — il s'empare, trop avidement peut-être, à chaque expédition, d'autant de choses que possible en chemin. » Ou dans une autre préface : « Je trouve plus de vie dans ce qui est obscur, dans ce qui se prête à l'interprétation que dans le fracas grossier du premier plan. » On ne sera donc pas étonné de ne voir que la vision de quelqu'un et jamais directement l'objet de cette vision ; ni même de trouver dans les pages de James des phrases du genre : « Il savait que je ne pouvais vraiment pas l'aider, et que je savais qu'il savait que je ne le pouvais pas », ou encore : « Oh, aidez-moi à éprouver les sentiments que, je le sais, vous savez que je voudrais éprouver !... »

Mais cette « technique » des visions, ou des points de vue, dont on a tant écrit, n'est pas plus technique que, disons, les thèmes du texte. Nous voyons maintenant que la vision indirecte s'inscrit chez James dans la même « image dans le tapis », établie à partir d'une analyse de l'intrigue. Ne jamais montrer à plein jour l'objet de la perception, qui provoque tous les efforts des personnages, n'est rien d'autre qu'une nouvelle manifestation de l'idée générale selon laquelle le récit traduit la quête d'une cause absolue et absente. La « technique » signifie autant que les éléments thématiques ; ceux-ci, à leur tour, sont aussi « techniques » (c'est-à-dire organisés) que le reste.

Quelle est l'origine de cette idée chez James ? En un certain sens, il n'a rien fait d'autre qu'ériger sa méthode de narrateur en conception philosophique. Il existe, grossièrement, deux manières de caractériser un personnage. Voici un exemple de la première :

« Ce prêtre à peau brune et à larges épaules, jusque-là condamné à l'austère virginité du cloître, frissonnait et bouillait devant cette scène d'amour, de nuit et de volupté. La jeune et belle fille livrée en désordre à cet ardent jeune homme lui faisait couler du plomb fondu dans les veines. Il se passait en lui des mouvements extraordinaires. Son œil plongeait avec une jalousie lascive sous toutes ces épingles défaites », etc. *(Notre-Dame de Paris.)*

Et voici un exemple de la seconde :

« Elle remarqua ses ongles, qui étaient plus longs qu'on ne les portait à Yonville. C'était une des grandes occupations du clerc que de les entretenir ; et il gardait, à cet usage, un canif tout particulier dans son écritoire. » *(Madame Bovary.)*

Dans le premier cas, on nomme directement les sentiments du personnage (dans notre exemple, ce caractère direct est atténué par les figures de rhétorique). Dans le second, on ne nomme pas l'essence ; on nous la présente, d'une part, à travers la vision de quelqu'un ; d'autre part, on remplace la description des traits de caractère par celle d'une habitude isolée : c'est le fameux « art du détail », où la partie remplace le tout, suivant la figure rhétorique bien connue de la synecdoque.

James reste pendant assez longtemps dans le sillage de Flaubert. Lorsque nous parlions de ses « années d'exercice », c'était pour évoquer ces textes précisément où il conduit l'emploi de la synecdoque à sa perfection (on trouve des pages semblables jusqu'à la fin de sa vie). Mais dans les nouvelles qui nous préoccupent, James a fait un pas de plus : il a pris conscience du postulat sensualiste (et anti-essentialiste) de Flaubert et, au lieu de le conserver comme un simple moyen, il en a fait le principe constructif de son œuvre. Nous ne pouvons voir que les apparences, et leur interprétation reste douteuse ; seule la quête de la vérité peut être présente ; la vérité elle-même, bien qu'elle provoque le mouvement tout entier, restera absente (ainsi pour *Dans la cage*, par exemple) [1].

Prenons maintenant un autre aspect « technique », la composition. Qu'est-ce que la nouvelle classique, telle qu'on la trouve, par exemple, chez Boccace ? Dans le cas le plus simple, et si on se place à un niveau assez général, on pourrait dire qu'elle raconte le passage d'un état d'équilibre ou de déséquilibre à un autre état semblable. Dans *le Décaméron*, l'équilibre initial sera souvent constitué par les liens conjugaux de deux protagonistes ; sa rupture consiste dans l'infidélité de l'épouse ; un second déséquilibre, à un deuxième niveau, apparaît à la fin : c'est la fuite de la punition, venant de la part du mari trompé et qui menace les deux amants ; en même temps un nouvel équilibre s'instaure car l'adultère s'élève au rang de norme.

Restant au même niveau de généralité, on pourrait observer un dessin semblable dans les nouvelles de James. Ainsi de *Dans la cage* : la situation stable de la télégraphiste au début sera perturbée par l'apparition du capitaine Everard ; le déséquilibre atteindra son point culminant pendant la rencontre dans le parc ; l'équilibre sera rétabli à la fin de la nouvelle par le mariage entre Everard et lady Bradeen : la télégraphiste renonce à ses rêves, elle quitte son emploi et se marie bientôt elle-même. L'équilibre initial n'est pas identique à celui de la fin : le premier permettait le rêve, l'espoir ; pas le second.

Cependant, en résumant ainsi l'intrigue de *Dans la cage*, nous n'avons suivi qu'une des lignes de force qui animent le récit. L'autre est celle de l'apprentissage ; contrairement à la première, qui connaît le flux et le reflux, celle-ci obéit à la gradation. Au début, la télégraphiste ignore tout du capitaine Everard ; à la fin, elle en est au maximum de ses connaissances. Le premier mouvement suit une horizontale : il est composé des événements qui remplissent la vie de la télégraphiste. Le second évoque plutôt l'image d'une spirale orientée verticalement : ce sont des aperçus successifs (mais nullement ordonnés

---

1. Flaubert lui-même écrivait dans une lettre : « Avez-vous jamais cru à l'existence des choses ? Est-ce que tout n'est pas une illusion ? Il n'y a de vrai que les ' rapports'', c'est-à-dire la façon dont nous percevons les objets » (lettre à Maupassant du 15 août 1878).

dans le temps) sur la vie et la personnalité du capitaine Everard. La première fois, l'intérêt du lecteur est porté vers le futur : que deviendra la relation entre le capitaine et la jeune fille ? La seconde, il se dirige vers le passé : qui est Everard, que lui est-il arrivé ?

Le mouvement du récit suit la résultante de ces deux lignes de force : certains événements servent la première, d'autres la seconde ; d'autres encore les deux à la fois. Ainsi les conversations avec Mrs. Jordan n'avancent en rien l'intrigue « horizontale », alors que les rencontres avec Mr. Mudge, son futur mari, servent uniquement celle-ci. Il est cependant évident que la recherche de la connaissance prime sur le déroulement des événements, la tendance « verticale » est plus forte que l' « horizontale ». Or ce mouvement vers la compréhension des événements, qui se substitue à celui des événements eux-mêmes, nous ramène à la même image dans le tapis : présence de la quête, absence de ce qui la provoque. L' « essence » des événements n'est pas donnée d'emblée ; chaque fait, chaque phénomène apparaît d'abord enveloppé d'un certain mystère ; l'intérêt se porte naturellement sur l' « être » plutôt que sur le « faire ».

Venons-en enfin au « style » de James, que l'on a toujours qualifié de trop complexe, obscur, inutilement difficile. En fait, à ce niveau aussi, James entoure la « vérité », l'événement lui-même (que résume souvent la proposition principale) de multiples subordonnées, qui sont, chacune, simples en elles-mêmes, mais dont l'accumulation produit l'effet de complexité ; ces subordonnées sont cependant nécessaires car elles illustrent les multiples intermédiaires que l'on doit franchir avant d'atteindre le « noyau ». Voici un exemple tiré de la même nouvelle : « Il y avait des moments où tous les fils télégraphiques de son pays semblaient partir du petit trou où elle peinait pour gagner sa vie et où, dans un bruit de piétinement, au milieu de l'agitation des formules de télégrammes, des discussions sur les timbres mal apposés et le tintement de la monnaie sur le comptoir, les gens qu'elle avait pris l'habitude de se rappeler et d'associer avec d'autres et à l'égard desquels elle avait ses théories et ses interprétations, ne cessaient de défiler longuement devant elle à tour de rôle. » (« There were times when all the wires in the country seemed to start from the little hole-and-corner where she plied for a livelihood, and where, in the shuffle of feet, the flutter of "forms", the straying of stamps and the ring of change over the counter, the people, she had fallen into the habit of remembering and fitting together with others, and of having her theories and interpretations of, kept of before her their long procession and rotation. ») Si l'on extrait de cette phrase enchevêtrée la proposition de base, on obtient : « Il y avait des moments où les gens ne cessaient de défiler devant elle. » (« There were times when... the people... kept of before her their long procession and rotation. ») Mais autour de cette « vérité » banale et plate s'accumulent d'innombrables particularités, détails, appréciations,'bien plus présents que le noyau de la phrase principale, qui, cause absolue, a provoqué ce mouvement mais ne reste pas moins dans une quasi-absence. Un stylisticien américain, R. Ohmann, remarque à propos du style de James : « La grande partie de sa complexité résulte de cette tendance à l'enchâssement ; (...) les éléments enchâssés ont une importance infiniment plus grande que la proposition principale. » La complexité du style jamesien, précisons-le, tient uniquement à ce principe de construction, et nullement à une complexité référentielle, par exemple psychologique. Le « style » et les « sentiments », la « forme » et le « fond » disent tous la même chose, répètent la même image dans le tapis.

IV

Cette variante du principe général nous permet de percer le secret à jour : Peter Baron apprend, à la fin de la nouvelle, ce dont la recherche constituait le ressort du récit ; la télégraphiste aurait pu, à la rigueur, connaître la vérité sur le capitaine Everard ; nous sommes donc dans le domaine du *caché*. Il existe cependant un autre cas où l' « absence » ne se laisse pas vaincre par des moyens accessibles aux humains : la cause absolue est ici un *fantôme*. Un tel héros ne risque pas de passer inaperçu, si l'on peut dire : le texte s'organise naturellement autour de sa recherche.

On pourrait aller plus loin et dire : pour que cette cause toujours absente devienne présente, il faut qu'elle soit un fantôme... Car du fantôme, assez curieusement, Henry James parle toujours comme d'une *présence*. Voici quelques phrases, tirées au hasard des différentes nouvelles (il s'agit toujours d'un fantôme) : « Sa présence exerçait une véritable fascination. » « Il a une présence totale. — Il a une présence remarquable. » « ...présence aussi formidable... » « A ce moment, il était, au sens le plus absolu, une vivante, une détestable, une dangereuse présence. » « Il eut un froid dans le dos dès que disparut la dernière ombre du doute quant à l'existence à cet endroit d'une autre présence que la sienne propre. » « Quelle que fût cette forme de la "présence" qui attendait là son départ, elle n'avait jamais été aussi sensible à ses nerfs que lorsqu'il atteint le point où la certitude aurait dû venir. » « N'était-il pas maintenant en la présence la plus directe de quelque activité inconcevable et occulte ? » « Ça jetait l'ombre, ça surgissait de la pénombre, c'était quelqu'un, le prodige d'une présence personnelle. » Et ainsi de suite, jusqu'à cette formule lapidaire et faussement tautologique : « La présence devant lui était une présence.» L'essence n'est jamais présente sauf si elle est un fantôme, c'est-à-dire l'absence par excellence.

Une quelconque nouvelle fantastique de James peut nous prouver l'intensité de cette présence. *Sir Edmund Orme* (1891; traduit dans *Histoires de fantômes*) raconte l'histoire d'un jeune homme qui voit soudain apparaître, aux côtés de Charlotte Marden, la jeune fille qu'il aime, un étrange personnage pâle qui passe curieusement inaperçu pour tous sauf pour notre héros. La première fois ce visible-invisible s'assoit à côté de Charlotte dans l'église. « C'était un jeune homme pâle, habillé en noir, qui avait l'air d'un gentleman. » Le voici ensuite dans un salon : « Sa tenue avait quelque chose de distingué, et il semblait différent de son entourage. (...) Il restait sans parler, jeune, pâle, beau, rasé de près, correct, avec des yeux bleus extraordinairement clairs; il y avait en lui quelque chose de démodé, à la manière d'un portrait des années passées : sa tête, sa coiffure. Il était en deuil... » Il s'introduit dans la plus grande intimité, dans les tête-à-tête des deux jeunes gens : « Il restait là, me regardant avec une attention inexpressive qui empruntait un air de gravité à sa sombre élégance. » Ce qui amène le narrateur à conclure : « De quelle essence étrange il était composé, je l'ignore, je n'ai aucune théorie là-dessus. C'était un fait aussi positif, individuel et définitif que n'importe lequel d'entre nous (autres mortels). »

Cette « présence » du fantôme détermine, on s'en doute, l'évolution des rapports entre le narrateur et Charlotte, et, plus généralement, le développement de l'histoire. La mère de Charlotte voit aussi le fantôme et le reconnaît bien : c'est celui d'un jeune homme qui s'est suicidé lorsqu'il s'est vu rejeté par elle, objet de son amour. Le fantôme revient pour s'assurer que la coquetterie féminine ne jouera pas un mauvais tour au soupirant de la fille de celle qui a provoqué sa mort. A la fin, Charlotte décide d'épouser le narrateur, la mère meurt et le fantôme de sir Edmund Orme disparaît.

Le récit fantastique *(ghost story)* est une forme qui se prête bien au dessein de James. A la différence de l'histoire « merveilleuse » (du type des *Mille et une nuits*), le texte fantastique ne se caractérise pas par la simple présence de phénomènes ou d'êtres surnaturels, mais par l'hésitation qui s'instaure dans la perception qu'a le lecteur des événements représentés. Tout au long de l'histoire, le lecteur se demande (et souvent un personnage le fait, pareillement, à l'intérieur du livre) si les faits rapportés s'expliquent par une causalité naturelle ou surnaturelle, s'il s'agit là d'illusions ou de réalités. Cette hésitation est née du fait que l'événement extraordinaire (et donc potentiellement surnaturel) se produit, non dans un monde merveilleux, mais dans le contexte quotidien, celui qui nous est le plus habituel. Le conte fantastique est par conséquent le récit d'une perception ; or nous avons vu les raisons pour lesquelles une telle construction s'inscrit directement dans l' « image dans le tapis » de Henry James.

Une histoire comme *Sir Edmund Orme* se conforme assez bien à cette description générale du genre fantastique. Une bonne partie des manifestations de la présence occulte causent une hésitation chez le narrateur, hésitation qui se cristallise dans des phrases alternatives du type « ou bien — ou bien ». « Ou bien ce n'était qu'une erreur, ou bien sir Edmund Orme avait disparu. » « Le son que j'entendis quand Chartie hurla — je veux dire, l'autre son, plus tragique encore — était-il le cri de désespoir qu'eut la pauvre dame sous le coup de la mort ou bien le sanglot distinct (il ressemblait au souffle d'une grande tempête) de l'esprit exorcisé et apaisé ? », etc.

D'autres caractéristiques du texte lui sont également communes avec le genre fantastique en général. Ainsi une tendance à l'allégorie (mais qui ne devient jamais très forte, sinon elle aurait supprimé le fantastique) : on peut se demander si ce n'est pas là simplement un récit moralisant. Le narrateur interprète ainsi tout l'épisode : « C'était un cas de punition justicière, les péchés des mères, à défaut de ceux des pères, retombant sur les enfants. La malheureuse mère devait payer en souffrances les souffrances qu'elle avait infligées; et comme la disposition à se jouer des légitimes espoirs d'un honnête homme pouvait se présenter de nouveau à mon détriment chez la fille, il fallait étudier et surveiller cette jeune personne pour qu'elle eût à souffrir si elle me causait le même préjudice. »

De même, le conte suit la gradation des apparitions surnaturelles, habituelle au récit fantastique; le narrateur est représenté à l'intérieur de l'histoire, ce qui facilite l'intégration du lecteur à l'univers du livre; des allusions au surnaturel se trouvent dispersées tout au long du texte, nous préparant ainsi à son acceptation. Mais à côté de ces traits par lesquels le conte de James s'intègre au genre fantastique, il en est d'autres qui l'en distinguent et qui le définissent dans sa spécificité. On peut l'observer à l'exemple d'un autre texte, le plus long parmi ceux qu'on pourrait appeler « nouvelle » et probablement le plus célèbre : *le Tour d'écrou* (1896).

L'ambiguïté de cette histoire est tout aussi importante. La narratrice est une jeune personne qui occupe les fonctions d'institutrice auprès de deux enfants dans une propriété à la campagne. A partir d'un certain moment, elle s'aperçoit que la maison est hantée par deux anciens serviteurs, actuellement morts, aux mœurs dépravées. Ces deux apparitions sont d'autant plus redoutables qu'elles ont établi avec les enfants un contact, que ces derniers feignent pourtant d'ignorer. L'institutrice n'a aucun doute sur leur présence (« ce n'était pas — j'en suis aussi certaine aujourd'hui qu'alors — l'effet seulement de mon infernale imagination! » ou encore : « pendant qu'elle parlait, la hideuse, la vile présence était là, claire comme le jour, et indomptable ») et, pour étaler sa conviction, elle trouve des arguments parfaitement rationnels : « Pour l'en convaincre formellement, je n'avais qu'à lui [à la gouvernante] demander comment, si j'avais inventé l'histoire, il m'aurait été possible de faire de chacune des personnes qui m'étaient apparues un portrait révélant dans leurs moindres détails les signes particuliers, auxquels elle les avait instantanément reconnus et nommés. » L'institutrice essaiera donc d'exorciser les enfants : l'un en tombera gravement malade, l'autre ne sera « purifié » que par la mort.

Mais on pourrait présenter cette même série d'événements d'une tout autre manière, sans nullement faire intervenir les puissances infernales. Le témoignage de l'institutrice est continuellement contredit

par celui des autres (« Est-il possible d'avoir une si horrible préven-
tion, mademoiselle! Mais où voyez-vous la moindre chose? »
s'exclame la gouvernante; et la petite Flora, l'un des enfants : « Je ne
sais pas ce que vous voulez dire. Je ne vois personne. Je ne vois rien.
Je n'ai jamais rien vu. ») Cette contradiction va si loin qu'à la fin
un soupçon terrible s'élève même chez l'institutrice : « tout à coup, de
ma pitié même pour le pauvre petit surgit l'affreuse inquiétude
de penser qu'il était peut-être innocent. Pour le moment, l'énigme
était confuse et sans fond, ... car s'il était innocent, grand Dieu,
qu'étais-je donc, moi? »

Or il n'est pas difficile de trouver des explications réalistes aux
hallucinations de l'institutrice. C'est une personne exaltée et hyper-
sensible; d'autre part, imaginer ce malheur serait l'unique moyen
d'amener à la propriété l'oncle des enfants dont elle est secrètement
amoureuse. Elle-même éprouve le besoin de se défendre contre une
accusation de folie : « sans paraître douter de ma raison, elle accepta
la vérité », dit-elle de la gouvernante, et plus tard : « je sais bien
que je vous parais folle... » Si l'on ajoute à cela que les apparitions
se produisent toujours à l'heure du crépuscule ou même la nuit
et que d'autre part certaines réactions des enfants, autrement
étranges, s'expliquent facilement par la force suggestive de l'institutrice elle-même, il ne reste plus rien de surnaturel dans cette
histoire, nous nous trouvons plutôt en face de la description d'une
névrose.

Cette double possibilité d'interprétation a provoqué une intermi-
nable discussion parmi les critiques : les fantômes existent-ils vraiment
dans *le Tour d'écrou*, oui ou non? Or la réponse est évidente : en
maintenant l'ambiguïté au cœur de l'histoire, James n'a fait que se
conformer aux règles du genre. Mais tout n'est pas conventionnel
dans cette nouvelle : alors que le récit fantastique canonique, tel que
le pratique le xixe siècle, fait de l'hésitation du personnage son thème
principal et explicite, chez James cette hésitation représentée est
pratiquement éliminée, elle ne persiste que chez le lecteur : aussi bien
le narrateur de *Sir Edmund Orme* que celui du *Tour d'écrou* sont
convaincus de la réalité de leur vision.

En même temps, on retrouve dans ce texte les traits du récit jamesien que l'on a déjà observés ailleurs. Non seulement toute l'histoire
est fondée sur les deux personnages fantomatiques, Miss Jessel et

Peter Quint, mais encore, la chose essentielle pour l'institutrice est : les enfants ont-ils une perception des fantômes? Dans la quête, la perception et la connaissance se substituent à l'objet perçu ou à percevoir. La vision de Peter Quint effraye moins l'institutrice que la possibilité, pour les enfants, d'en avoir également une. D'une manière semblable, la mère de Charlotte Marden, dans *Sir Edmund Orme*, redoutait moins la vision du fantôme que son apparition aux yeux de sa fille.

La source du mal (et aussi de l'action narrative) reste cachée : ce sont les vices des deux serviteurs morts, qui ne seront jamais nommés, et qui se sont transmis aux enfants (« d'étranges périls courus en d'étranges circonstances, de secrets désordres... »). Le caractère aigu du danger vient précisément de l'absence de renseignements portant sur lui : « L'idée qu'il m'était le plus difficile d'éloigner était celle, si cruelle, que, quoique j'eusse vu, Miles et Flora voyaient davantage : choses terribles, impossibles à deviner, et qui surgissaient des affreux moments de leur vie commune d'autrefois... »

A la question « que s'est-il réellement passé à la propriété de Bly? », James répond d'une manière oblique : il met en doute le mot « réellement », il affirme l'incertitude de l'expérience face à la stabilité — mais aussi à l'absence — de l'essence. Plus même : on n'a pas le droit de dire « l'institutrice est... », « Peter Quint n'est pas... ». Dans ce monde, le verbe *être* a perdu une de ses fonctions, celle d'affirmer l'existence et l'inexistence. Toutes nos vérités ne sont pas plus fondées que celle de l'institutrice : le fantôme a peut-être existé, mais le petit Miles paye de sa vie l'effort pour éliminer l'incertitude.

Dans sa dernière « histoire de fantômes », *le Coin plaisant* (1908; traduit dans *Histoires de fantômes*), James reprend encore une fois le même motif. Spencer Brydon, qui a passé plus de trente ans en dehors de son pays natal, y revient et se sent hanté par une question : que serait-il devenu s'il était resté en Amérique, qu'aurait-il pu devenir? A un certain moment de sa vie, il avait le choix entre deux solutions incompatibles; il a choisi l'une mais maintenant il voudrait retrouver l'autre, réaliser l'impossible rencontre d'éléments mutuellement exclusifs. Il traite sa vie comme un récit, où l'on peut remonter la pente des actions et, à partir d'un embranchement, prendre la voie alternative. On le voit encore, la nouvelle repose sur la quête impossible de l'absence : jusqu'à ce que le personnage que Spencer Brydon aurait pu être, cet *alter ego* du conditionnel passé, se matérialise, si l'on peut dire, ou en tout cas devienne une présence — c'est-à-dire un fantôme.

Le jeu de la cause absolue et absente continue; cependant celle-ci n'a plus le même rôle qu'auparavant, ce jeu n'est plus qu'une toile de fond, marque de la même « image dans le tapis ». Mais l'intérêt du récit est ailleurs. C'est moins le verbe *être* qui est mis en question ici que le pronom personnel *je, moi*. Qui est Spencer Brydon? Tant que le fantôme n'est pas apparu, Brydon le cherche avidement, convaincu que, même s'il ne fait pas partie de lui-même, il doit le trouver pour comprendre ce qu'il est. L'autre est et n'est pas lui (« Raide et lucide, spectral quoique humain, un homme attendait là, composé de la même substance et des mêmes formes, pour se mesurer avec son pouvoir d'épouvante »); mais au moment où il devient présent, Brydon comprend qu'il lui est entièrement étranger. « Une telle personnalité ne s'accordait en aucun point à la sienne, et rendait toute alternative monstrueuse. » Absent, ce *je* du conditionnel passé lui appartenait; présent, il ne s'y reconnaît pas.

Sa vieille amie Alice Staverton a également vu le fantôme — en rêve. Comment est-ce possible? « Parce que, comme je vous l'ai dit il y a des semaines, mon esprit, mon imagination avaient tellement exploré ce que vous pouviez ou ne pouviez pas avoir été. » Cet étranger n'est donc pas aussi étranger que l'aurait voulu Brydon, et il y a un jeu vertigineux des pronoms personnels dans la conversation des deux personnages.

« — Eh bien, dans l'aube pâle et froide de ce matin-là, je vous vis aussi.

— Vous *me* vîtes?

— Je *le* vis. »

« — Il vous était apparu. (...)

— *Il* ne m'est pas apparu.

— Vous vous êtes apparu à vous-même. »

Cependant, la dernière phrase réaffirme la différence : « Et il n'est pas — non, il n'est pas — *vous* », murmure Alice Staverton. Le décentrement s'est généralisé, le *moi* est aussi incertain que l'*être*.

V

La première variante de notre image dans le tapis mettait en place une absence naturelle et relative : le secret était de telle nature qu'il n'était pas inconcevable de le percer à jour. La seconde variante décrivait, en revanche, l'absence absolue et surnaturelle qu'était le fantôme. Une troisième variante nous confronte avec une absence à la fois absolue et naturelle, avec l'absence par excellence : la *mort*.

Nous pouvons l'observer d'abord dans un conte qui est très proche de la variante « fantomatique » : c'est *les Amis des amis* (1896; traduit dans *l'Image dans le tapis*). Un homme a vu le fantôme de sa mère au moment où celle-ci est morte; une femme en a fait autant pour son père. Leurs amis communs, la narratrice en particulier, frappés par cette coïncidence, veulent organiser leur rencontre; mais tous les efforts pour les mettre en présence l'un de l'autre échouent, chaque fois pour des raisons anodines, d'ailleurs. La femme meurt; l'homme (qui est aussi le fiancé de la narratrice) affirme l'avoir rencontrée la veille de sa mort. En être vivant ou en fantôme? On ne le saura jamais et cette rencontre entraînera la rupture des fiançailles entre lui et la narratrice.

Tant que l'un et l'autre étaient en vie, leur rencontre (leur amour) était impossible. La présence physique aurait tué la vie. Ce n'est pas qu'ils le savent d'avance : ils essayent — toujours en vain — de se rencontrer; mais après un dernier effort (qui échoue à cause de la peur qu'en éprouve la narratrice), la femme se résigne : « Jamais, jamais je ne le verrai. » Quelques heures plus tard elle est morte : comme si la mort était nécessaire pour que la rencontre ait lieu (tout comme l'un et l'autre rencontraient leur parent au moment de sa mort). Au moment où la vie — présence insignifiante — se termine, s'instaure le triomphe de l'absence essentielle qui est la mort. A en croire l'homme, la femme lui a rendu visite entre dix et onze heures du soir, sans dire mot; à minuit, elle est morte. La narratrice doit décider si cette rencontre a « réellement » eu lieu ou bien si elle est de même nature que les rencontres avec les parents mourants. Elle voudrait opter pour la première solution (« l'espace d'un instant, j'ai éprouvé un soulagement en acceptant celui de ces deux faits étranges qui m'atteignait, en somme, plus personnellement, mais qui était le plus naturel »); cependant ce soulagement ne durera pas : la narratrice s'apercevra que cette version, trop facile, n'explique pas le changement qui s'est opéré chez son ami.

On ne peut pas parler de mort « en soi » : on meurt toujours pour quelqu'un. « Elle est enterrée, elle est morte pour le monde. Elle est morte pour moi mais elle n'est pas morte pour vous », dira la narratrice à son ami; et aussi : « ma jalousie n'était pas morte avec celle qui l'avait fait naître. » Avec raison : car cette rencontre qui n'avait jamais eu lieu dans la vie a donné ici naissance à un amour inouï. Nous n'en savons rien d'autre que ce qu'en croit la narratrice, mais elle parvient à nous convaincre : « Comment pourriez-vous ne rien laisser voir quand vous êtes amoureux d'elle à la folie, quand vous défaillez, presque à en mourir [!], de la joie qu'elle vous donne?... Vous l'aimez comme vous n'avez jamais aimé et elle vous paie de retour... » Il n'ose pas nier et les fiançailles sont rompues.

Très vite, on franchira le degré ultérieur : puisque seule la mort lui procure les conditions de l'amour, il s'y réfugiera lui-même. « Sa mort, quand, six ans plus tard, la nouvelle m'en est parvenue dans la solitude et le silence, je l'ai accueillie comme une preuve à l'appui de ma théorie. Elle a été soudaine, elle n'a jamais pu être bien expliquée, elle a été entourée de circonstances où j'ai clairement vu — oh! je les ai examinées une à une! — la trace cachée de sa propre main. C'était le résultat d'une nécessité, d'un désir inapaisable. Pour dire exactement ma pensée : c'était une réponse à un irrésistible appel. »

La mort fait qu'un personnage devient la cause absolue et absente de la vie. Plus même : la mort est source de vie, l'amour naît de la mort au lieu qu'elle l'interrompe. Ce thème romantique (c'est celui de *Spirite* de Gautier) trouve son plein développement dans *Maud-Evelyn* (1900; traduit dans *Nouvelles*). Cette nouvelle raconte l'histoire d'un jeune homme, nommé Marmaduke, qui tombe amoureux de Maud-Evelyn, jeune fille morte quinze ans avant qu'il n'apprenne le fait de son existence (on remarquera combien souvent le titre de la nouvelle met l'accent précisément sur le personnage absent et essentiel : *Sir Dominick Ferrand*, *Sir Edmund Orme*, *Maud-Evelyn;* et aussi dans d'autres nouvelles, comme *Nona Vincent*).

L'amour de Marmaduke — et donc la « réalité » de Maud-Evelyn

— traversent toutes les phases d'une gradation. Au début, Marmaduke ne fait qu'admirer les parents de la jeune fille qui se comportent comme si elle n'était pas morte ; ensuite il commence à penser comme eux pour conclure à la fin (selon les paroles de son ancienne amie Lavinia) : « Il croit l'avoir connue. » Un peu plus tard encore, Lavinia déclare : « Il a été amoureux d'elle. » Suit leur « mariage », après quoi Maud-Evelyn « meurt » (« Il a perdu sa femme », dit Lavinia pour expliquer son habit de deuil). Marmaduke mourra à son tour, mais Lavinia conservera sa croyance.

Comme habituellement chez James, le personnage, central et absent, de Maud-Evelyn n'est pas observé directement mais à travers de multiples reflets. Le récit est fait par une certaine lady Emma, qui tire ses impressions des conversations avec Lavinia, qui à son tour rencontre Marmaduke. Celui-ci ne connaît cependant que les parents de Maud-Evelyn, les Dedrick, qui évoquent le souvenir de leur fille ; la « vérité » est donc déformée quatre fois ! De plus, ces visions ne sont pas identiques mais forment également une gradation. Pour lady Emma, il s'agit simplement d'une folie (« Était-il complètement assotté, ou entièrement vénal ? ») : elle vit dans un monde où l'imaginaire et le réel forment deux blocs séparés et imperméables. Lavinia obéit aux mêmes normes mais elle est prête à accepter l'acte de Marmaduke qu'elle juge beau : « Ils s'illusionnent eux-mêmes, certes, mais par suite d'un sentiment qui (...) est beau quand on en entend parler », ou encore : « Bien sûr, ce n'est là qu'une idée, mais il me semble que l'idée est belle. » Pour Marmaduke lui-même, la mort n'est pas une aventure vers le non-être, elle n'a fait, au contraire, que lui donner la possibilité de vivre l'expérience la plus extraordinaire (« La moralité de ces mots semblait être que rien, en tant qu'expérience des humaines délices, ne pouvait plus avoir d'importance particulière »). Enfin les Dedrick prennent l'existence de Maud-Evelyn tout à fait à la lettre : ils communiquent avec elle par l'intermédiaire des médiums, etc. On a là une exemplification de quatre attitudes possibles envers l'imaginaire ou, si l'on préfère, envers le sens figuré d'une expression : l'attitude réaliste de refus et de condamnation, l'attitude esthétisante d'admiration mêlée d'incrédulité, l'attitude poétique qui admet la coexistence de l'être et du non-être, enfin l'attitude naïve qui consiste à prendre le figuré à la lettre.

Nous avons vu que dans leur composition, les nouvelles de James étaient tournées vers le passé : la quête d'un secret essentiel, toujours évanescent, impliquait que le récit soit une exploration du passé plutôt qu'une progression dans le futur. Dans *Maud-Evelyn*, le passé devient un élément thématique, et sa glorification, une des principales affirmations de la nouvelle. La seconde vie de Maud-Evelyn est le résultat de cette exploration : « C'est le résultat graduel de leur méditation du passé ; le passé, de cette façon, ne cesse de grandir. » L'enrichissement par le passé ne connaît pas de limites ; c'est pourquoi les parents de la jeune fille empruntent cette voie : « Voyez-vous, ils ne pouvaient pas faire grand-chose, les vieux parents (...) avec l'avenir ; alors, ils ont fait ce qu'ils pouvaient, avec le passé. » Et il conclut : « Plus nous vivons dans le passé, plus nous y trouvons de choses. » Se « limiter » au passé signifie : refuser l'originalité de l'événement, considérer qu'on vit dans un monde de rappels. Si l'on remonte la chaîne des réactions pour découvrir le mobile initial, le commencement absolu, on se heurte soudain à la mort, à la fin par excellence. La mort est l'origine et l'essence de la vie, le passé est le futur du présent, la réponse précède la question.

Le récit, lui, sera toujours l'histoire d'un autre récit. Prenons une autre nouvelle dont un mort constitue le ressort principal, *la Note du temps* (1900 ; traduit dans *le Dernier des Valerii*). De même que dans *Les Amis des amis* on tentait de reconstruire le récit impossible d'un amour au-delà de la mort, ou dans *Maud-Evelyn*, celui de la vie d'une morte, on essaie dans *la Note du temps* de reconstituer une histoire qui a eu lieu dans le passé et dont le protagoniste central est mort. Non pour tous, cependant. Mrs. Bridgenorth garde le souvenir de cet homme qui était son amant, et décide un jour de commander son portrait. Mais quelque chose l'arrête dans son dessein et elle demande, non *son* portrait, mais le portrait d'un gentleman distingué, de n'importe qui, de personne. La femme peintre qui doit exécuter la commande, Mary Tredick, connaissait, par coïncidence, ce même homme ; il vit pour elle aussi mais différemment : dans le ressentiment, dans la haine qui ont suivi le geste par lequel elle a été abandonnée. Le portrait, magnifiquement réussi, non seulement continue la vie de cet homme jamais nommé, mais lui permet aussi d'entrer à nouveau en mouvement. Mrs. Bridgenorth triomphe : elle le possède ainsi doublement. « L'atmosphère autour de nous, toute vivante, attestait que par une brusque flambée refoulée elle s'était éprise du tableau et que ces dernières minutes avaient suffi pour ressusciter une liaison très intime. » Elle n'a qu'une seule crainte : c'est que Mary Tredick (dont elle ignore pourtant tout) ne devienne jalouse. Sa crainte se révèle être fondée. Dans un mouvement impulsif, Mary reprend le portrait et refuse de le céder. Dorénavant cet homme lui appartient à nouveau : elle a pris sa revanche sur son heureuse rivale du passé. Pour vouloir le posséder plus pleinement, celle-ci avait commandé son portrait; mais une fois objectivé dans le tableau, le souvenir peut être repris. A nouveau, la mort est cette cause absolue et absente qui détermine tout le mouvement du récit.

Henry James a écrit une autre nouvelle qui certainement mérite la première place parmi ces explorations de la vie des morts, un véritable requiem : c'est l'*Autel des morts* (1896). Nulle part ailleurs la force de la mort, la présence de l'absence n'est affirmée aussi intensément. Stransom, le personnage principal de ce conte, vit dans le culte des morts. Il ne connaît que l'absence et il la préfère à tout. Sa fiancée est morte avant le premier « baiser nuptial ». Cependant la vie de Stransom n'en souffre pas et il se complaît dans son « éternel veuvage ». Sa vie « était encore régie par un pâle fantôme, encore ordonnée par une présence souveraine », elle s'équilibre parfaitement « autour du vide qui en constituait le pivot central ».

Un jour il rencontre un ami, Paul Creston, dont la femme est morte quelques mois auparavant. Soudain, à ses côtés, il aperçoit une autre femme que son ami, légèrement confus, présente comme étant la sienne. Cette substitution de la sublime absence par une vulgaire présence choque profondément Stransom. « Cette nouvelle femme, cette figurante engagée, Mrs. Creston? (...) En s'éloignant, Stransom se sentit bien déterminé à ne jamais de sa vie approcher cette femme. Elle était peut-être une créature humaine, mais Creston n'eût pas dû l'exhiber ainsi, n'eût même pas dû la montrer du tout. » La femme-présence est pour lui une figurante, un faux, et remplacer par elle le souvenir de l'absente est proprement monstrueux.

Peu à peu, Stransom élabore et élargit son culte des morts. Il veut « faire quelque chose pour eux », et décide de leur consacrer un autel. Chaque mort (et ils sont nombreux : « Il n'avait peut-être pas eu plus de deuils que la plupart des hommes, mais il les avait comptés davantage ») reçoit un cierge et Stransom se plonge dans une contemplation admirative. « La jouissance devint plus grande même qu'il n'avait osé espérer. » Pourquoi cette jouissance ? Parce qu'elle permet à Stransom de réintégrer son passé : « Une partie de la satisfaction que ce lien procurait à ce mystérieux et irrégulier adorateur, venait de ce qu'il retrouvait là les années de sa vie écoulée, les liens, les affections, es luttes, les soumissions, les conquêtes, "un ressouvenir" de cet aventureux voyage dont les commencements et les fins des relations humaines marquent les étapes. »

Mais aussi, parce que la mort est purification (« Cet individu n'avait eu qu'à mourir pour que tout ce qu'il y avait de laid en lui eût été effacé ») et que la mort permet l'établissement de cette harmonie vers laquelle tend la vie. Les morts représentés par des cierges lui sont infiniment proches. « Différentes personnes, pour lesquelles il n'avait jamais eu un intérêt très vif, se rapprochaient de lui en entrant dans les rangs de cette communauté. » Conséquence naturelle : « il se prenait presque à souhaiter que certains de ses amis mourussent pour qu'il pût rétablir avec eux, de cette même façon, des relations plus charmantes que celles dont il pouvait jouir de leur vivant. »

Un pas de plus reste à faire et il n'arrête pas Stransom : c'est d'envisager sa propre mort. Il rêve déjà de « cet avenir si plein, si riche », et déclare : « Jamais la chapelle ne sera pleine avant que brille un cierge dont l'éclat fera pâlir celui de tous les autres, ce sera le plus haut de tous. — De quel cierge voulez-vous parler ? — Je veux parler du mien, chère Madame. »

Soudain, une fausse note s'introduit dans cet éloge de la mort. Stransom a fait, auprès de son autel, la connaissance d'une dame en deuil, qui l'attire précisément par son dévouement pour les morts. Mais, lorsque cette connaissance progresse, il apprend que la dame ne pleure qu'un seul mort, et que ce mort n'est autre que Acton Hague, ami intime de Stransom mais avec qui il s'était brouillé violemment et qui est le seul mort pour qui Stransom n'a jamais allumé de cierge. La femme le comprend aussi et le charme de la relation est rompu. Le mort est présent : « Acton Hague était entre eux. C'était là l'essence même de la chose et jamais sa présence n'était plus sensible entre eux que lorsqu'ils se trouvaient face à face. » Ainsi la femme sera amenée à choisir entre Stransom et Hague (en préférant Hague), et Stransom, entre son ressentiment pour Hague et son affection pour la dame (le ressentiment l'emporte). Voici ce dialogue émouvant : « Lui donnerez-vous son cierge ? demanda-t-elle. (...) —

Je ne puis faire cela, déclara-t-il enfin. — Alors, adieu. » Le mort décide de la vie des vivants.

Et en même temps les vivants ne cessent d'agir sur la vie des morts (l'interpénétration est possible dans les deux sens). Une fois abandonné par son amie, Stransom découvre subitement que son affection pour les morts s'évanouit. « Toutes les lumières s'étaient éteintes. Tous ses morts étaient morts pour la seconde fois. »

Il faudra donc gravir encore une marche. Stransom, après avoir été gravement malade, revient à l'église. Il porte dans son cœur le pardon pour Acton Hague. Son amie l'y retrouve; un changement symétrique s'est opéré en son sein : elle est prête à oublier son mort unique et à se consacrer au culte *des* morts. Ce culte subit ainsi son ultime sublimation : ce n'est plus l'amour, l'amitié ou le ressentiment qui le détermine; on glorifie la mort pure, sans égard à ceux qu'elle a touchés. Le pardon abolit la dernière barrière sur la voie de la mort.

Alors Stransom peut confier à son amie sa propre vie dans la mort et il expire entre ses bras, tandis qu'elle ressent une immense terreur s'emparer de son cœur.

VI

Nous voici confrontés à la dernière variante de cette même image dans le tapis : celle où la place qu'occupaient successivement le caché, le fantôme et le mort se trouve prise par l'*œuvre d'art*. Si d'une manière générale la nouvelle a tendance à devenir, plus que le roman, une méditation théorique, les nouvelles de James sur l'art représentent de véritables traités de doctrine esthétique.

La Chose authentique (1892; traduit dans *le Dernier des Valerii*) est une parabole assez simple. Le narrateur, un peintre, reçoit un jour la visite d'un couple qui porte tous les indices de la noblesse. L'homme et la femme lui demandent de poser pour des illustrations de livres, qu'il pourrait faire, car ils sont réduits à un état d'extrême pauvreté. Ils sont sûrs de convenir bien à ce rôle car le peintre doit représenter précisément des gens des classes aisées auxquelles ils appartenaient auparavant. « Nous pensions [dit le mari] que si vous aviez à dessiner des gens comme nous, eh bien, nous nous rapprocherions beaucoup de l'idéal. Elle en particulier — s'il vous faut une femme du monde, dans un livre, vous savez. »

Le couple est effectivement l' « article authentique » mais cette propriété ne facilite nullement le travail du peintre. Au contraire même, ses illustrations deviennent de plus en plus mauvaises, jusqu'à ce qu'un jour un de ses amis lui fasse remarquer que la faute en est peut-être aux modèles... En revanche, les autres modèles du peintre n'ont rien d'authentique mais lui permettent les illustrations les plus réussies. Une certaine Miss Churm « était une simple faubourienne à taches de rousseur, mais capable de tout représenter, depuis la dame raffinée jusqu'à la bergère »; un vagabond italien, au nom d'Oronte, convient parfaitement aux illustrations figurant des princes et des gentlemen.

L'absence de qualités « réelles » chez Miss Churm et Oronte est ce qui leur confère cette valeur essentielle, nécessaire à l'œuvre d'art ; leur présence chez les modèles « distingués » ne peut être qu'insignifiante. Le peintre explique cela par sa « préférence innée pour l'objet suggéré sur l'objet réel; le défaut de l'objet réel se trouvait facilement être son manque de vertus suggestives. J'aimai les choses qui semblaient être. Alors, on était sûr. Quant à savoir si elles *étaient* ou non, la question était subsidiaire et presque toujours vaine. » Ainsi on voit à la fin les deux personnes incultes et de basse naissance jouer parfaitement le rôle des nobles, alors que les modèles « nobles » font la vaisselle — selon « la loi perverse et cruelle en vertu de laquelle la chose authentique pouvait être tellement moins précieuse que la non-authentique. »

L'art n'est donc pas la reproduction d'une « réalité », il ne vient pas à la suite de celle-ci en l'imitant; il demande des qualités toutes différentes et être « authentique » peut même, comme dans le cas présent, nuire. Dans le domaine de l'art, il n'y a rien qui soit préalable à l'œuvre, qui soit son origine ; c'est l'œuvre d'art elle-même qui est originelle, c'est le secondaire qui est le seul primaire. D'où, dans les comparaisons de James, une tendance à expliquer la « nature » par l' « art », par exemple : « un pâle sourire qui fut comme une éponge humide passée sur une peinture ternie », « un salon est toujours, ou devrait être, une manière de tableau », « elle ressemblait singulièrement à une mauvaise illustration », ou encore : « A cette époque beaucoup de choses me frappaient en Angleterre comme des reproductions d'une chose qui avait existé initialement en art ou en littérature. Ce n'était pas le tableau, le poème, la page de fiction qui me semblaient être une copie; ces choses étaient les originaux et la vie des gens heureux et distingués était faite à leur image. » Plusieurs autres nouvelles, et en particulier *la Mort du lion* (1894; traduit dans *Nouvelles*) reprennent le problème de « l'art et la vie », mais dans une autre perspective, qui est celle de la relation entre la vie d'un auteur et son œuvre. Un écrivain devient célèbre vers la fin de sa vie; toutefois, l'intérêt que le public lui porte ne s'attache pas à son œuvre mais uniquement à sa vie. Les journalistes demandent avidement des détails de son existence personnelle, les admirateurs préfèrent voir l'homme que lire ses textes; toute la fin de la nouvelle témoigne, par son mouvement à la fois sublime et grotesque, de l'indifférence profonde pour l'œuvre qu'éprouvent ces mêmes personnes qui prétendent l'admirer, en admirant l'auteur. Et ce malentendu aura des suites funestes : non seulement l'écrivain ne peut plus écrire depuis son « succès » mais à la fin il est tué (au sens propre) par ses adorateurs.

« La vie d'un artiste, c'est son œuvre, voilà le lieu où il faut l'observer », dit le narrateur, jeune écrivain lui-même, et aussi : « Libre à qui que ce fût de défendre l'intérêt qu'inspirait sa présence, moi je défendrais l'intérêt qu'inspirait son œuvre, ou, en d'autres termes, son absence. » Ces mots méritent réflexion. La critique psychologique (mise ici en question après la critique « réaliste ») considère l'œuvre comme une présence — bien que peu importante en elle-même; et voit l'auteur comme la cause absente et absolue de l'œuvre. James renverse la relation : la vie de l'auteur n'est qu'apparence, contingence, accident; c'est une présence inessentielle. L'œuvre d'art, elle, est la vérité qu'il faut chercher — même sans espoir de l'atteindre. Pour mieux comprendre l'œuvre, il ne sert à rien d'en connaître l'auteur; plus même : cette deuxième connaissance tue tout ensemble l'homme (la mort de Paraday) et l'œuvre (la perte du manuscrit).

La même problématique anime la nouvelle *la Vie privée* (1892; traduit dans *l'Image dans le tapis*) où la configuration de l'absence et de la présence est dessinée dans tous ses détails. Deux personnages forment une opposition. Lord Mellifont est l'homme du monde, tout

177

en présence, tout inessentiel. C'est le compagnon le plus agréable ;
sa conversation est riche, aisée et instructive. Mais on chercherait en
vain à l'atteindre en ce qu'il a de profond, de personnel : il n'existe
qu'en fonction des autres. Il a une présence splendide mais qui ne
dissimule rien : jusque tel point que personne ne réussit à l'observer
seul. « Il est là au moment où quelqu'un d'autre y est », dit-on de lui.
Dès qu'il est seul, il « retombe dans le non-être. »

Face à lui, Clare Wawdrey illustre l'autre combinaison possible de
l'absence et de la présence, possible grâce au fait qu'il est écrivain,
qu'il crée des œuvres d'art. Ce grand auteur a une présence nulle,
médiocre, son comportement ne correspond aucunement à son œuvre.
Le narrateur rapporte par exemple un orage de montagne pendant
lequel il est en tête à tête avec l'écrivain. « Clare Wawdrey était
décevant. Je ne sais pas au juste ce que j'attendais d'un grand écrivain
exposé à la furie des éléments, quelle attitude byronienne j'aurais
voulu voir prendre à mon compagnon, mais je n'aurais certes jamais
cru qu'en pareil cas il me régalerait d'histoires — que j'avais entendu
raconter déjà — sur lady Ringrose... » Mais ce Clare Wawdrey n'est
pas le « vrai » : en même temps que le narrateur s'entretient avec lui
de potins littéraires, un autre Clare reste assis devant son bureau pour
écrire des pages magnifiques. « Le monde était bête et vulgaire et le
véritable Wawdrey eût été bien sot d'y aller quand il pouvait, pour
papoter et dîner en ville, se faire remplacer. »

L'opposition est donc parfaite : Clare Wawdrey est double, lord
Mellifont n'est même pas un, ou encore : « Lord Mellifont avait une
vie toute publique à laquelle ne correspondait aucune vie privée ; tout
comme Clare Wawdrey avait une vie toute privée à laquelle ne correspondait aucune vie publique. » Ce sont les deux aspects complémen-
taires d'un même mouvement : la présence est creuse (lord Mellifont)
l'absence est une plénitude (l'œuvre d'art). Dans le paradigme où
nous l'avons inscrite, l'œuvre d'art a une place particulière : plus
essentielle que le caché, plus accessible que le fantôme, plus matérielle
que la mort, elle offre l'unique moyen de vivre l'essence. Cet autre
Clare Wawdrey, assis dans l'obscurité, est sécrété par l'œuvre elle-
même, c'est le texte qui s'écrit, l'absence la plus présente de toutes.

La symétrie parfaite sur laquelle est fondée cette nouvelle est
caractéristique de la manière dont Henry James conçoit l'intrigue d'un
récit. En règle générale, les coïncidences et les symétries y abondent.

Pensons à Guy Walsingham, femme à pseudonyme d'homme, et à Dora Forbes, homme à pseudonyme de femme, dans *la Mort du lion;* aux coïncidences inouïes par lesquelles se dénouent *la Note du temps* (c'est le même homme que les deux femmes ont aimé) ou *l'Autel des morts* (c'est le même mort qui a déterminé les deux comportements); au dénouement de *Sir Dominick Ferrand,* etc. Nous savons que pour James l'intérêt du récit ne réside pas dans son mouvement « horizontal » mais dans l'exploration « verticale » d'un même événement; cela explique le côté conventionnel et parfaitement prévisible de l'anecdote.

The Birthplace (1903; non traduit) reprend et approfondit le thème de *la Mort du lion,* la relation entre l'œuvre et la vie de son auteur. Cette nouvelle raconte le culte que le public voue au plus grand Poète de la nation, mort il y a des centaines d'années, à travers l'expérience d'un couple, Mr. et Mrs. Gedge, conservateurs du musée installé dans la « maison natale » du Poète. S'intéresser vraiment au Poète, serait lire et admirer son œuvre; en croyant se consacrer à son culte, on met à la place de l'absence essentielle une présence insignifiante. « Il ne vaut pas un sou pour Eux. La seule chose dont Ils se soucient, c'est cette coquille vide — ou plutôt, comme elle n'est pas vide, son remplissage étranger et absurde. »

Morris Gedge qui s'était senti si heureux d'obtenir le poste de conservateur du musée (à cause de son admiration pour le Poète) s'aperçoit de la contradiction sur laquelle repose sa situation. Ses fonctions publiques lui imposent d'affirmer la présence du Poète dans cette maison, dans ces objets; son amour pour le Poète — et pour la vérité — l'amène à contester cette présence. (« Je serai pendu s'il est *là!* ») D'abord, on ignore presque tout de la vie du Poète, on plane dans l'incertitude en ce qui concerne les points même les plus élémentaires. « Des détails, il n'y en a pas. Les liens manquent. Toute certitude — surtout en ce qui concerne cette chambre en haut, notre Casa Santa — est *inexistante.* Tout cela est si terriblement lointain. » Nous ne savons pas : ni s'il était né dans cette chambre, ni s'il était né, tout simplement... Alors Gedge propose de « modaliser » le discours qu'on doit, en guide, adresser au public. « Ne pourrais-tu pas adopter une méthode un peu plus discrète? Ce que nous pouvons dire, c'est qu'on en a *dit* des choses; c'est tout ce que *nous* en savons. »

Même cet effort de remplacer la réalité de *l'être* par celle du *dire,* par celle du discours, ne va pas assez loin. Il ne faut pas regretter le peu de renseignements sur la vie de l'auteur, il faut s'en réjouir. L'essence du poète, c'est son œuvre, non sa maison, il est donc préférable que la maison n'en porte *aucune* trace. La femme d'un des visiteurs remarque : « C'est assez dommage, tu sais, qu'il *ne soit pas* ici. Je veux dire comme Goethe à Weimar. Car Goethe *est* à Weimar. » A quoi son mari répond : « Oui, ma chère ; c'est la malchance de Goethe. Il est cloué là. *Cet* homme n'est nulle part. Je te défie de l'attraper. »

Il reste une ultime étape à franchir et Gedge n'hésite pas : « En fait, *il n'y a* pas d'auteur ; c'est-à-dire, pas d'auteur dont on pourrait traiter. Il y a tous ces gens immortels — *dans* l'œuvre ; mais il n'y a personne d'autre. » Non seulement l'auteur est un produit de l'œuvre, c'est aussi un produit inutile. L'illusion de l'*être* doit être dissipée ; « une telle Personne n'*existe* pas ».

L'intrigue de cette nouvelle reprend la même idée (que l'on trouvait jusque-là dans les répliques de Gedge). Au début, le conservateur du musée avait essayé de dire au public la vérité ; cela lui avait valu la menace d'être renvoyé de son poste. Gedge choisit alors une autre voie : au lieu de réduire son discours au minimum que les faits permettent, il l'amplifie jusqu'à l'absurde, en inventant des détails inexistants mais vraisemblables sur la vie du Poète dans sa maison natale. « C'était une façon comme une autre, en tout cas, de réduire l'endroit à l'absurde » : le débordement a le même sens que l'effacement. Les deux moyens se distinguent cependant par une propriété importante : alors que le premier n'était que l'énonciation de la vérité, le second a pour lui les avantages de l'art : le discours de Gedge est admirable, c'est une œuvre d'art autonome. Et la récompense ne tarde pas : au lieu d'être renvoyé, Gedge voit, à la fin de la nouvelle, son salaire doublé — à cause de tout ce qu'il a fait pour le Poète...

Les toutes dernières nouvelles de James se gardent d'une formulation aussi catégorique de quelque opinion que ce soit. Elles restent dans l'indécision, dans l'ambiguïté, des nuances atténuent les couleurs franches de jadis. *Le Gant de velours* (1909 ; traduit dans *le Dernier des Valerii*) reprend le même problème de la relation entre l' « art » et la « vie », mais pour donner une réponse beaucoup moins nette. John Berridge est un écrivain à succès ; dans un salon mondain, il rencontre deux personnages admirables, le Lord et la Princesse, qui incarnent tout ce dont il a toujours rêvé, qui sont des Olympiens descendus sur terre. La Princesse joue l'amoureuse avec Berridge et il est prêt à perdre la tête lorsqu'il s'aperçoit qu'elle lui demande une seule chose : écrire la préface de son dernier roman.

A première vue, ce conte est un éloge de la « vie » face à l'écriture. Dès le début de la réception Berridge se dit : « Que valait la terne page d'un récit fictif comparée à l'intime aventure personnelle où le jeune Lord eût été prêt à se lancer ? » Quant à la Princesse, il constate « la perversité vraiment décadente, digne des anciens Romains et des Byzantins les plus irrépressiblement insolents, qui faisait qu'une femme créée pour vivre et respirer le roman, une femme plongée dans le roman et qui avait le génie du roman, tombait dans l'amateurisme et se mettait à griffonner son roman, avec fautes de syntaxe, tirages, publicité, articles de critique, droits d'auteur et autres détails futiles ». S'imaginant lui-même Olympien, Berridge rejette aussi loin que possible tout ce qui aurait trait à l'écriture. « Tout d'abord, comme beau prélude à une carrière olympienne, il n'aurait jamais lu une ligne de sa propre prose, des choses qu'il écrivait. Aussi inapte à composer une œuvre comme la sienne qu'à y comprendre un traître mot, il n'aurait pas plus été capable de compter sur ses doigts qu'un Apollon de marbre à la tête parfaite et aux poignets mutilés. Il n'aurait accepté de connaître qu'une magnifique aventure personnelle, vécue grâce à de magnifiques données personnelles — rien de moins... »

Mais la morale de Berridge n'est pas forcément la morale du conte. D'abord, l'attitude de l'écrivain célèbre pourrait être utilement mise en parallèle avec celle de la Princesse : l'un et l'autre désirent devenir ce qu'ils ne sont pas. Berridge écrit de beaux romans mais se voit, en imagination, comme un « avenant berger » ; la Princesse partage la vie des Dieux, tout en voulant être une romancière à succès. Ou comme James le formule lui-même : « Les valeurs secrètes d'autrui vous semblent supérieures aux vôtres, souvent plus éminentes mais relativement familières, et pour peu que vous ayez le sentiment véritable de l'artiste à l'égard de la vie, l'attrait et l'amusement des virtualités ainsi suggérées a plus de prix pour vous que la suffisance, la quiétude, la félicité de vos certitudes personnelles archi-connues. »

D'autre part, pour qualifier la « vie » qui est affirmée face à l'écriture, Berridge (et James) n'ont qu'un mot : elle est « romanesque » (romantic). Les rendez-vous du Lord doivent être « d'un romanesque sublime » et lui-même ressemble aux « lointaines créatures romanesques »; la Princesse ne saurait vivre une aventure si celle-ci n'a pas « l'attrait total du romanesque ». Croyant que la Princesse l'aime, Berridge ne peut comparer son propre sentiment à autre chose qu'aux livres : « C'était un terrain sur lequel il s'était déjà risqué dans ses pièces de théâtre, sur scène, sur le plan artistique, mais sans jamais oser rêver qu'il obtiendrait de telles "réalisations" sur le plan mondain. » Ce n'est donc pas la « vie » qui est affirmée face au roman, mais plutôt le rôle d'un personnage par rapport à celui d'un auteur.

D'ailleurs, John Berridge réussit aussi peu à devenir un « avenant berger », que la Princesse, une romancière à gros tirage. De même que Clare Wawdrey, dans *la Vie privée*, ne pouvait être à la fois grand écrivain et homme du monde brillant, ici Berridge doit retourner à sa condition non romanesque de romancier — après un geste romanesque (il embrasse la Princesse) destiné précisément à empêcher celle-ci de se comporter en romancière! L'art et la vie sont incompatibles, et c'est avec une amertume sereine que Berridge s'exclamera à la fin : « Vous êtes le Roman *(Romance)* même...! Que vous faut-il de plus? » James laisse au lecteur de décider de quel côté se porteront ses préférences; et on commence à percevoir là un renversement possible de l' « image dans le tapis ».

VII

Le secret essentiel est le moteur des nouvelles de Henry James, il détermine leur structure. Mais il y a plus : ce principe d'organisation devient le thème explicite d'au moins deux d'entre elles. Ce sont, en quelque sorte, des nouvelles métalittéraires, des nouvelles consacrées au principe constructif de la nouvelle.

Nous avons évoqué la première au début même de cette discussion : c'est *l'Image dans le tapis*. Le secret dont Vereker avait révélé l'existence devient une force motrice dans la vie du narrateur, ensuite dans celle de son ami George Corvick, de la fiancée et femme de celui-ci, Gwendolen Erme; enfin, du second mari de cette dernière, Drayton Deane. Corvick affirme à un moment qu'il a percé à jour le secret, mais il meurt peu après ; Gwendolen a appris la solution avant la mort de son mari sans toutefois la communiquer à personne d'autre : elle garde le silence jusqu'à sa propre mort. Ainsi à la fin de la nouvelle nous nous trouvons aussi ignorants qu'au début.

Cette identité n'est qu'apparente, cependant, car entre le début et la fin se situe tout le récit, c'est-à-dire la recherche du secret ; or nous savons maintenant que le secret de Henry James (et, pourquoi pas, celui de Vereker) réside précisément en l'existence d'un secret, d'une cause absolue et absente, ainsi que dans l'effort pour percer ce secret à jour, pour rendre l'absence présente. Le secret de Vereker nous était donc communiqué, et ceci, de la seule manière possible : s'il avait été nommé, il n'aurait plus existé, or c'est précisément son existence qui forme le secret. Ce secret est par définition inviolable car il consiste en sa propre existence. La quête du secret ne doit jamais se terminer car elle constitue le secret lui-même. Les critiques avaient déjà interprété en ce sens *l'Image dans le tapis* : ainsi Blackmur parlait de l' « exasperation of the mystery without the presence of mystery » ; Blanchot évoque cet « art qui ne déchiffre pas mais est le chiffre de l'indéchiffrable » ; avec plus de précision, Philippe Sollers le décrit ainsi : « La solution du problème qui nous est exposé n'est pas autre chose que l'exposition même de ce problème. »

Sur un ton plus grave, et à nouveau, avec plus de nuances, *la Bête de la jungle* (1903) reprend la même réponse. John Marcher croit qu'un événement, inconnu et essentiel, doit survenir dans sa vie ; il l'organise tout entière en fonction de ce moment futur. Voici comment son amie décrit le sentiment qui anime Marcher : « Vous disiez que vous aviez toujours eu, dès votre plus jeune âge, au plus profond de vous-même, le sentiment d'être réservé pour quelque chose de rare et d'étrange, pour une possibilité prodigieuse et terrible, qui tôt ou tard devait vous arriver, dont vous aviez, jusque dans vos moelles, le présage et la certitude, et qui, probablement, vous accablerait. »

Cette amie, May Bartram, décide de prendre part à l'attente de Marcher. Il apprécie beaucoup sa sollicitude et ne manque pas de se demander parfois si cette chose étrange n'est pas liée avec elle. Ainsi lorsqu'elle déménage plus près de lui : « la grande chose qu'il avait si longtemps senti couver dans le giron des dieux, n'était peut-être que cet événement qui le touchait de si près : l'acquisition qu'elle venait de faire d'une maison à Londres ». De même, lorsqu'elle tombe malade :

« il se prit *sur le fait*, en train de se demander si *réellement* le grand événement n'allait pas se produire dès maintenant sous sa seule espèce, sans plus, du malheur de voir disparaître de sa vie cette charmante femme, cette admirable amie ». Ce doute se transforme presque en conviction après sa mort : « Le dépérissement, la mort de son amie, la solitude qui s'en suivrait pour lui — voilà ce qu'était la Bête de la Jungle, voilà ce que couvaient les dieux dans leur giron. »

Cependant cette supposition ne devient jamais certitude totale et Marcher, tout en appréciant l'effort fait par May Bartram pour l'aider, passe sa vie dans une attente infinie (« la réduction du tout au seul état d'attente »). Avant de mourir, May lui affirme que la Chose n'est plus à attendre — qu'elle est déjà arrivée. Marcher éprouve la même sensation mais s'efforce en vain de comprendre en quoi consistait cette Chose. Jusqu'à ce qu'un jour, devant la tombe de May, la révélation se fasse : « tout au long de son attente, l'attente même devait être son lot ». Le secret, c'était l'existence du secret lui-même. Horrifié par cette révélation, Marcher se jette, en sanglotant, sur la tombe, et la nouvelle se termine par cette image.

« Il n'y a pas échec à être ruiné, déshonoré, mis au pilori, pendu. L'échec c'était de n'être rien. » Or Marcher aurait pu l'éviter : il aurait suffi pour cela qu'il prête une attention différente à l'existence de May Bartram. Elle n'était pas le secret cherché, comme il l'avait cru parfois ; mais l'aimer lui aurait permis d'éviter le désespoir mortel qui s'empare de lui à la vue de la vérité. May Bartram avait compris cela : dans l'amour de l'autre elle avait trouvé le secret de sa vie à elle ; aider Marcher dans sa recherche était sa « chose essentielle ». « Que peut-on souhaiter de mieux, demanda-t-elle à Marcher, que de m'intéresser à vous ? » Et elle sera récompensée : « Je suis plus sûre que jamais que ma curiosité, comme vous dites, ne sera que trop payée. » Aussi Marcher ne croit-il pas si bien dire lorsqu'il s'exclame, effrayé par l'idée de sa mort : « Votre absence, c'est l'absence de tout. » La recherche du secret et de la vérité n'est jamais qu'une recherche, sans contenu aucun ; la vie de May Bartram a pour contenu son amour pour Marcher. La figure que nous avons observée tout au long des nouvelles atteint ici sa forme ultime, supérieure — qui est en même temps sa négation dialectique.

Si le secret de Henry James, l'image dans le tapis de son œuvre, le fil qui relie ces perles que sont les nouvelles isolées, est précisément

l'existence d'un secret, comment se fait-il qu'aujourd'hui nous pouvons nommer le secret, rendre l'absence présente? Ne trahissons-nous
pas par là le précepte jamesien fondamental, qui consiste en cette
affirmation de l'absence, en cette impossibilité de désigner la vérité
par son nom? Mais la critique, elle aussi (celle-ci y comprise), a
toujours obéi à la même loi : elle est recherche de la vérité, non sa
révélation, quête du trésor plutôt que le trésor lui-même; car le trésor
ne peut être qu'absent. Il faut donc, cette « lecture de James » une fois
terminée, commencer à lire James, se lancer dans une quête du sens
de son œuvre, tout en sachant que ce sens n'est rien d'autre que la
quête elle-même.

VIII

Henry James est né en 1843 à New York. Il vit en Europe depuis
1875, d'abord à Paris, ensuite à Londres. Après quelques brèves
visites aux États-Unis, il devient citoyen britannique et meurt à
Chelsea en 1916. Aucun événement ne marque sa vie; il la passe à
écrire des livres : une vingtaine de romans, des nouvelles, des pièces de
théâtre, des articles. Sa vie, autrement dit, est parfaitement insignifiante (comme toute présence) : son œuvre, absence essentielle,
s'impose d'autant plus fortement.

1969.

12. Les fantômes de Henry James

Des histoires de fantômes jalonnent toute la longue carrière littéraire de Henry James. *De Grey : A Romance* est écrit en 1868, alors que son auteur avait à peine vingt-cinq ans; *le Coin plaisant* (1908) est une des dernières œuvres de James. Quarante années les séparent, pendant lesquelles une vingtaine de romans, plus de cent nouvelles, des pièces de théâtre, des articles voient le jour. Ajoutons aussitôt que ces histoires de fantômes sont loin de former une image simple et facile à saisir.

Un certain nombre d'entre elles semblent se conformer à la formule générale du récit fantastique. Celui-ci se caractérise non par la simple présence d'événements surnaturels mais par la manière dont les perçoivent le lecteur et les personnages. Un phénomène inexplicable a lieu; pour obéir à son esprit déterministe, le lecteur se voit obligé de choisir entre deux solutions : ou bien ramener ce phénomène à des causes connues, à l'ordre normal, en qualifiant d'imaginaires les faits insolites; ou bien admettre l'existence du surnaturel et donc apporter une modification à l'ensemble des représentations qui forment son image du monde. Le fantastique dure le temps de cette incertitude; dès que le lecteur opte pour l'une ou l'autre solution, il glisse dans l'étrange ou dans le merveilleux.

De Grey : A Romance (non traduit) correspond déjà à cette description. La mort de Paul de Grey peut s'expliquer de deux manières : à en croire sa mère, il est mort à la suite d'une chute de cheval; selon son ami Herbert, une malédiction pèse sur la famille de Grey : si le mariage couronne une première passion, celui qui la vit doit mourir. La jeune fille qu'aime Paul de Grey, Margaret, est plongée dans l'incertitude; elle finira dans la folie. De plus, de menus événements étranges se produisent qui peuvent être des coïncidences mais qui peuvent aussi témoigner de l'existence d'un monde invisible. Ainsi Margaret se trouvant soudain malade pousse un cri; Paul l'entend, alors qu'il chevauchait tranquillement à quelque cinq kilomètres de là...

La Redevance du fantôme (1876; traduit dans *l'Image dans le tapis*) paraît d'abord être une histoire de surnaturel expliqué. Le capitaine Diamond reçoit par un fantôme tous les trois mois une certaine somme dans une maison abandonnée; il en souffre mais il espère ainsi calmer l'esprit de sa fille qu'il a injustement maudite et chassée de la maison. Lorsqu'un jour le capitaine tombe gravement malade, il demande à un jeune ami (le narrateur) d'aller chercher la somme à sa place; celui-ci y va, le cœur tremblant; il découvre que le fantôme n'en est pas un, que c'est la fille elle-même, toujours vivante, qui entretient ainsi son père. A ce moment, le fantastique reprend ses droits : la jeune femme quitte un instant la pièce mais y revient brusquement, « les lèvres entrouvertes et les yeux dilatés » — elle vient de voir le fantôme de son père! Le narrateur s'informe plus tard et apprend que le vieux capitaine a rendu l'âme à l'heure précise où sa fille a vu le fantôme...

Le même phénomène surnaturel sera évoqué dans une autre nouvelle, écrite vingt ans plus tard, *les Amis des amis* (1896; traduit dans *l'Image dans le tapis*). Deux personnes vivent ici des expériences symétriques : chacun voit son parent du sexe opposé au moment où celui-ci meurt, à des centaines de kilomètres de distance. Cependant, il est difficile de qualifier cette dernière nouvelle de fantastique. Chaque texte possède une dominante, un élément qui soumet les autres, qui devient le principe générateur de l'ensemble. Or dans *les Amis des amis* la dominante est un élément thématique : la mort, la communication impossible. Le fait surnaturel joue un rôle secondaire : il contribue à l'atmosphère générale et permet aux doutes de la narratrice (quant à une rencontre *post mortem* de ces mêmes deux personnages) de trouver une justification. Aussi l'hésitation est-elle absente du texte (elle n'était pas représentée dans *la Redevance du fantôme* mais y restait sensible), qui échappe par là-même à la norme du fantastique.

D'autres aspects structuraux de la nouvelle peuvent aussi altérer son caractère fantastique. Habituellement, les histoires de fantômes sont racontées à la première personne. Ceci permet une identification facile du lecteur avec le personnage (celui-ci joue le rôle de celui-là); en même temps, la parole du narrateur-personnage possède des caractéristiques doubles : elle est au-delà de l'épreuve de vérité en tant que parole du narrateur, mais elle doit s'y soumettre en tant que parole du personnage. Si l'auteur (c'est-à-dire un narrateur non représenté) nous dit qu'il a vu un fantôme, l'hésitation n'est plus permise ; si un simple personnage le fait, on peut attribuer ses paroles à la folie, à une drogue, à l'illusion, et l'incertitude, à nouveau, n'a pas de droit de site. En position privilégiée par rapport aux deux, le narrateur-personnage facilite l'hésitation : nous voulons le croire mais nous ne sommes pas obligés de le faire.

Sir Edmund Orme (1891 ; traduit dans *Histoires de fantômes*) illustre bien ce dernier cas. Le narrateur-personnage voit lui-même un fantôme, plusieurs fois de suite. Cependant rien d'autre ne contredit les lois de la nature, telles qu'on les connaît communément. Le lecteur se trouve pris dans une hésitation sans issue : il voit l'apparition avec le narrateur et, en même temps, ne peut pas se permettre d'y croire... Des visions tout à fait semblables produiront un effet différent lorsqu'elles seront rapportées par des personnages autres que le narrateur. Ainsi dans *la Vraie chose à faire* (1890 ; traduit dans *le Dernier des Valerii*), deux personnages, un homme et une femme (tout comme dans *Sir Edmund Orme*) voient le mari défunt de cette dernière, qui ne veut pas que le nouveau venu tente d'écrire sa biographie... Mais le lecteur se sent beaucoup moins incité à croire car il voit ces deux personnes du dehors et peut facilement s'expliquer leurs visions par l'état hypernerveux de la femme et par l'influence qu'elle exerce sur l'autre homme. De même dans *The Third Person* (1900 ; non traduit), une histoire de fantômes humoristique, où deux cousines, vieilles filles étouffées par l'inaction et l'ennui, commencent à percevoir un parent-contrebandier, décédé plusieurs siècles auparavant. Le lecteur sent trop la distance entre le narrateur et les personnages pour pouvoir prendre les visions de ces derniers au sérieux. Enfin dans une nouvelle comme *Maud-Evelyn* (1900 ; traduit dans *Nouvelles*) l'hésitation est réduite à zéro : le récit est mené ici à la première personne mais la narratrice n'accorde aucune confiance aux affirmations d'un autre personnage (qu'elle ne connaît d'ailleurs qu'indirectement) qui prétend vivre avec une jeune fille morte depuis quinze ans. Ici l'on quitte le surnaturel pour entrer dans la description d'un cas dit pathologique.

L'interprétation allégorique de l'événement surnaturel représente une autre menace pour le genre fantastique. Déjà dans *Sir Edmund Orme*, on pouvait lire toute l'histoire comme l'illustration d'une certaine leçon morale ; le narrateur ne manque d'ailleurs pas de la formuler : « C'était un cas de punition justicière, les péchés des mères, à défaut de ceux des pères, retombant sur les enfants. La malheureuse mère devait payer en souffrances les souffrances qu'elle avait infligées ; et comme la disposition à se jouer des légitimes espoirs d'un honnête homme pouvait se présenter de nouveau à mon détriment chez la fille, il fallait étudier et surveiller cette jeune personne pour qu'elle eût à souffrir si elle me causait le même préjudice. » Évidemment, si nous lisons la nouvelle comme une fable, comme la mise en scène d'une morale, nous ne pouvons plus éprouver l'hésitation « fantastique ». Un autre conte de James, *la Vie privée* (1892 ; traduit dans *l'Image dans le tapis*) se rapproche plus encore de l'allégorie pure. L'écrivain Clare Wawdrey mène une double vie : l'une de ses incarnations bavarde sur des thèmes mondains avec les amis, pendant que l'autre écrit, dans le silence, des pages géniales. « Le monde était bête et vulgaire et le véritable Wawdrey eût été bien sot d'y aller, quand il pouvait, pour papoter et dîner en ville, se faire remplacer. » L'allégorie est si évidente que l'hésitation est à nouveau réduite à zéro.

Owen Wingrave (1892 ; traduit dans *le Dernier des Valerii*) aurait été un exemple assez pur du fantastique si l'événement surnaturel jouait un rôle plus important. Dans une maison hantée, une jeune fille met à l'épreuve le courage de son soupirant : elle lui demande de se rendre à un endroit réputé dangereux en pleine nuit. Le résultat est tragique : « au seuil d'une porte béante, Owen Wingrave, vêtu comme il [un témoin] l'avait vu la veille, gisait mort à l'endroit même où son ancêtre avait été découvert... » Est-ce le fantôme ou la peur qui ont tué Owen ? Nous ne le saurons pas, mais cette question n'a pas, à vrai dire, beaucoup d'importance : le centre de la nouvelle est le drame que vit Owen Wingrave qui d'une part cherche à défendre ses principes mais de l'autre veut garder la confiance de ceux qui l'aiment (ces deux aspirations se trouvant être contradictoires). A nouveau, le fantastique a une fonction subordonnée, secondaire. Reste que l'événement surnaturel n'est pas explicitement présenté comme tel — contrairement à ce qui se passait dans une nouvelle de jeunesse de James, *le Roman de quelques vieilles robes* (1868 ; traduit dans *le Dernier des Valerii*) où la même scène exactement ne permettait au lecteur aucune hésitation. Voici la description du cadavre : « Ses lèvres s'écartaient dans un mouvement d'imploration, d'effroi, de désespoir, et sur son front et ses joues pâles brillaient les marques de dix blessures hideuses, faites par deux mains du spectre, deux mains vengeresses. » Dans un tel cas, nous quittons le fantastique pour entrer dans le merveilleux.

Il existe au moins un exemple où l'ambiguïté est maintenue tout au long du texte et où elle joue un rôle dominant : c'est le fameux *Tour d'écrou* (1898). James a même si bien réussi son « tour » que les critiques ont formé depuis deux écoles distinctes : ceux qui croient que la propriété de Bly a *vraiment* été hantée par de mauvais esprits et ceux qui expliquent tout par la névrose de la narratrice... Il n'est évidemment pas nécessaire de choisir entre les deux solutions contraires ; la règle du genre implique que l'ambiguïté soit maintenue. Cependant, l'hésitation n'est pas représentée à l'intérieur du livre : les personnages croient ou ne croient pas, ils n'hésitent pas entre les deux.

... Le lecteur attentif, arrivé ici, doit éprouver déjà une certaine irritation : pourquoi essaie-t-on de lui faire croire que toutes ces œuvres relèvent d'un genre alors que chacune d'elles nous oblige de la considérer, avant tout, comme une exception? Le centre autour duquel nous essayons de disposer les nouvelles individuelles (mais nous y réussissons si mal) n'existe peut-être simplement pas? Ou en tous les cas, il se trouve ailleurs : la preuve, c'est que pour faire entrer ces histoires dans le moule du genre, nous devons les mutiler, les ajuster, les accompagner de notes explicatives...

Si ce lecteur connaît bien l'œuvre de James il pourrait aller plus loin et dire : la preuve que, chez James, le genre fantastique n'a aucune homogénéité, et donc aucune pertinence, c'est que les contes mentionnés jusqu'ici ne constituent pas un groupe bien isolé, qui s'opposerait à tous les autres textes. Au contraire : de multiples intermédiaires existent, qui rendent imperceptible le passage des œuvres fantastiques aux non fantastiques. En plus de celles, déjà citées, qui font l'éloge de la mort ou de la vie avec les morts (*Maud-Evelyn* mais aussi *l'Autel des morts*), il y a celles qui évoquent les superstitions. Ainsi *le Dernier des Valerii* (1874; traduit dans *le Dernier des Valerii*) est l'histoire d'un jeune comte italien qui croit aux anciens dieux païens et qui laisse sa vie s'organiser en fonction de cette croyance. Est-ce là un fait surnaturel? Ou *The Author of « Beltraffio »* (1885; non traduit) : la

LES FANTÔMES DE HENRY JAMES

femme d'un écrivain célèbre croit que la présence de son mari est nuisible à la santé de leur fils; voulant le prouver, elle finit par provoquer la mort de l'enfant. Simple fait étrange ou intervention de forces occultes? Ce ne sont pas là les seuls phénomènes insolites dont James nous entretient. Les intuitions de Mrs. Ryves, dans *Sir Dominick Ferrand* (1892; traduit dans *le Dernier des Valerii*), en sont un autre exemple : comment est-il possible que cette jeune femme soit « prévenue » chaque fois qu'une menace pèse sur son voisin de logis, Peter Baron? Que dire de ces rêves prophétiques qu'a Allan Wayworth qui voit l'héroïne de sa pièce au moment même où le prototype de l'héroïne rend visite à l'actrice qui est chargée de ce rôle (*Nona Vincent*, 1892; traduit dans *le Dernier des Valerii*)? Ce rêve est-il d'ailleurs tellement différent de celui qu'a George Dane, dans cette utopie jamesienne qu'est *The Great Good Place* (1900; non traduit), rêve entretenant avec la veille d'étranges rapports? Et les questions peuvent être multipliées — comme en témoigne d'ailleurs le choix que font les éditeurs lorsqu'ils doivent réunir les « ghost stories » de Henry James : ils n'aboutissent jamais au même résultat.

Le désordre cesse, cependant, si l'on renonce à chercher le fantôme du genre fantastique et que l'on se tourne vers le dessein qui unit l'œuvre de James. Cet auteur n'accorde pas d'importance à l'événement brut et concentre toute son attention sur la relation entre le personnage et l'événement. Plus même : le noyau d'un récit sera souvent une absence (le caché, les morts, l'œuvre d'art) et sa quête sera la seule présence possible. L'absence est un but idéal et intangible; la prosaïque présence est tout ce dont nous pouvons disposer. Les objets, les « choses » n'existent pas (ou s'ils existent, ils n'intéressent pas James); ce qui l'intrigue, c'est l'expérience que ses personnages peuvent avoir des objets. Il n'y a pas de « réalité » autre que psychique; le fait matériel et physique est normalement absent et nous n'en saurons jamais rien d'autre que la manière dont peuvent le vivre différentes personnes. Le récit fantastique est nécessairement centré autour d'une perception, et en tant que tel il sert James, d'autant plus que l'objet de la perception a toujours eu pour lui une existence fantomatique. Mais ce qui intéresse James est l'exploration de tous les recoins de cette « réalité psychique », de toute la variété de relations possibles entre le sujet et l'objet. D'où son attention pour ces cas particuliers que sont les hallucinations, la communication avec les morts, la télépathie. Par là-même James opère un choix thématique fondamental : il préfère la perception à l'action, la relation avec l'objet à l'objet lui-même, la temporalité circulaire au temps linéaire, la répétition à la différence.

On pourrait aller plus loin et dire que le dessein de James est fondamentalement incompatible avec celui du conte fantastique. Par l'hésitation que celui-ci fait vivre, il soulève la question : est-ce réel ou imaginaire ? est-ce un fait physique ou seulement psychique ? Pour James, au contraire, il n'y a de réel qu'imaginaire, il n'y a de faits que psychiques. La vérité est toujours particulière, c'est la vérité de quelqu'un ; par conséquent, se demander « ce fantôme existe-t-il *vraiment ?* » n'a pas de sens du moment où il existe pour quelqu'un. On n'atteint jamais la vérité absolue, l'étalon-or est perdu, nous sommes condamnés à nous en tenir à nos perceptions et à notre imagination — ce qui, du reste, n'est pas tellement différent.

... C'est ici qu'un lecteur — plus attentif encore — peut nous arrêter à nouveau. En fait, nous dira-t-il, vous n'avez fait, jusque-là, que remplacer le genre formel (le récit fantastique) par un genre d'auteur (le récit jamesien) qui a d'ailleurs, lui aussi, une réalité formelle. Mais on n'en perd pas moins la spécificité de chaque texte de James. Vouloir réduire l'œuvre à une variante du genre est une idée fausse au départ ; elle repose sur une analogie vicieuse entre les faits de la nature et les œuvres de l'esprit. Chaque souris particulière peut être considérée comme une variante de l'espèce « souris »; la naissance d'un nouveau spécimen ne modifie en rien l'espèce (ou, en tous les cas, cette modification est négligeable). Une œuvre d'art (ou de science), au contraire, ne peut pas être présentée comme le simple produit d'une combinatoire préexistante ; elle est cela aussi, mais en même temps elle transforme cette combinatoire, elle instaure un nouveau code dont elle est le premier (le seul) message. Une œuvre qui serait le pur produit d'une combinatoire *préexistante* n'existe pas ; ou plus exactement, n'existe pas pour l'histoire de la littérature. A moins, bien sûr, de réduire la littérature à un cas exceptionnel qui est la littérature de masse : le roman policier à mystère, la série noire, le roman d'espionnage font partie de l'histoire littéraire, non tel ou tel livre particulier, qui ne peut qu'exemplifier, qu'illustrer le genre préexistant. Signifier dans l'histoire, c'est procéder de la différence, non seulement de la répétition. Aussi l'œuvre d'art (ou de science) comporte-t-elle toujours un élément transformateur, une innovation du système. L'absence de différence égale l'inexistence.

Prenons par exemple la dernière histoire de fantômes qu'a écrite James, et la plus dense : *le Coin plaisant* (1908; traduit dans *Histoires de fantômes*). Toutes nos connaissances sur le récit fantastique et sur le récit jamesien ne suffisent pas pour nous la faire comprendre, pour en rendre compte d'une manière satisfaisante. Regardons d'un peu plus près ce texte, pour l'observer dans ce qu'il a d'*unique* et de *spécifique*.

Le retour de Spencer Brydon en Amérique, après trente-trois ans d'absence, s'accompagne d'une découverte singulière : il commence à douter de sa propre identité. Son existence, jusque-là, lui apparaissait comme la projection de sa propre essence; rentré en Amérique, il se rend compte qu'il aurait pu être autre. Il a des dons d'architecte, de constructeur, dont il ne s'est jamais servi; or, pendant les années de son absence, New York a connu une véritable révolution architecturale. « Si seulement il était resté au bercail, il aurait anticipé sur l'inventeur du gratte-ciel. Si seulement il était resté au bercail, il aurait découvert son génie à temps pour lancer quelque nouvelle variété d'affreux lièvre architectural, et le courir jusqu'à ce qu'il s'enfonçât dans une mine d'or. » S'il était resté à la maison, il aurait pu être millionnaire... Ce conditionnel passé commence à obséder Brydon : non parce qu'il regrette de ne pas être devenu millionnaire, mais parce qu'il découvre qu'il aurait pu avoir une autre existence; et alors serait-elle la projection de la même essence, ou d'une autre? « Il découvrait que tout se ramenait au problème de ce qu'il eût pu être personnellement, comment il eût pu mener sa vie et se "développer", s'il n'y avait pas ainsi, dès le début, renoncé. » Quelle est son essence? Et en existe-t-il une? Brydon croit en l'existence de l'essence, au moins en ce qui concerne les autres, par exemple son amie Alice Staverton : « Oh vous êtes une personne que rien ne peut avoir changée. Vous étiez née pour être ce que vous êtes, partout, n'importe comment... »

Alors Brydon décide de se retrouver, de se connaître, d'atteindre son identité authentique; et il part pour une quête difficile. Il parvient à localiser son *alter ego* grâce à l'existence de deux maisons, chacune correspondant à une version différente de Spencer Brydon. Il revient, nuit après nuit, dans la maison de ses ancêtres, en cernant l'*autre* de plus en plus près. Jusqu'à ce qu'une nuit ... il trouve une porte fermée là où il l'avait laissée ouverte ; il comprend que l'apparition est là ; il veut s'enfuir mais ne peut plus ; elle lui barre le chemin ; elle devient présente ; elle découvre son visage... Et une immense déception s'empare de Brydon : l'*autre* est un étranger. « Il avait perdu ses nuits à une poursuite grotesque et le succès de son aventure était une dérision. Une telle identité ne correspondait à lui en *aucun* point ... » La quête était vaine, l'autre n'est pas plus son essence qu'il ne l'est lui-même. La sublime essence-absence n'existe pas, la vie que Brydon a menée a fait de lui un homme qui n'a rien à voir avec celui qu'aurait fait une vie autre. Ce qui n'empêche l'apparition de s'avancer menaçante, et Brydon n'a d'autre solution que de disparaître dans le néant — dans l'inconscience.

Lorsqu'il se réveille, il s'aperçoit que sa tête ne repose plus sur les dalles froides de sa maison déserte, mais sur les genoux d'Alice Staverton. Elle avait compris ce qui se passait, elle était venue le chercher dans la maison, pour l'aider. Deux choses deviennent alors claires pour Brydon. D'abord que sa quête était vaine. Non parce que le résultat en est décevant, mais parce que la quête elle-même n'avait pas de sens : c'était la quête d'une absence (son essence, son identité authentique). Une telle quête est non seulement sans résultat (ceci n'est pas grave) mais elle est aussi, d'une manière profonde, un acte égoïste. Lui-même le caractérise comme « un simple et frivole égoïsme » et Alice Staverton le confirme : « Vous ne vous souciez de rien sauf de vous. » Cette recherche, postulant l'être, exclut l'autre. Ici vient la seconde découverte de Brydon, celle d'une présence : Alice Staverton. Arrêtant la quête infructueuse de son être, il découvre l'autre. Et il ne demande plus qu'une seule chose : « Oh gardez-moi, gardez-moi ! implora-t-il, tandis que le visage d'Alice planait encore au-dessus de lui ; pour toute réponse le visage s'inclina de nouveau, et resta proche, tendrement proche. » Parti à la recherche d'un *je* profond, Brydon finit par découvrir le *tu*.

Ce texte signifie donc le renversement de la figure que nous voyions revenir tout au long de l'œuvre jamesienne. L'absence essentielle et la présence insignifiante ne dominent plus son univers : la relation avec autrui, la présence même la plus humble est affirmée face à la quête égoïste (solitaire) de l'absence. *Je* n'existe pas en dehors de sa relation avec l'autre ; l'être est une illusion. De la sorte, James bascule, à la fin de son œuvre, de l'autre côté de la grande dichotomie thématique que nous évoquions plus haut : la problématique de l'homme seul face au monde fait place à une autre, celle de la relation d'être humain à être humain. L'*être* se trouve évincé par l'*avoir*, le *je* par le *tu*.

Ce renversement du projet jamesien avait déjà été annoncé par plusieurs œuvres précédentes. *L'Autel des morts* (1895; traduit dans *Dans la cage*) est, à première vue, un véritable éloge de la mort. Stransom, le personnage principal, passe sa vie dans une église où il a allumé des cierges à la gloire de tous les morts qu'il a connus. Il préfère franchement l'absence à la présence, les morts aux vivants (« Cet individu n'avait eu qu'à mourir pour que tout ce qu'il y avait de laid en lui eût été effacé ») et finit par souhaiter la mort de ses proches : « Il se prenait presque à souhaiter que certains de ses amis mourussent pour qu'il pût rétablir avec eux, de cette même façon, des relations plus charmantes que celles dont il pouvait jouir de leur vivant. » Mais peu à peu une présence s'introduit dans cette vie : celle d'une femme qui vient à la même église. Cette présence devient, imperceptiblement, si importante, que lorsqu'un jour la femme disparaît, Stransom découvre que ses morts n'existent plus pour lui, ils sont morts une seconde fois. L'homme parviendra à se réconcilier avec son amie mais il sera trop tard : l'heure est venue où lui-même doit faire son entrée dans le royaume des morts. Trop tard : cette même conclusion se lit dans *la Bête de la jungle* (1903), où le récit présente un personnage, Marcher, qui a passé sa vie à chercher l'absence, sans apprécier la présence de May Bartram à ses côtés. Celle-ci vit dans la présence : « Que peut-on souhaiter de mieux, demande-t-elle à Marcher, que de m'intéresser à vous? » C'est seulement après la mort de son amie que Marcher comprend l'amère leçon qui lui est donnée; mais il est trop tard et il doit accepter son échec, l'échec qui consiste à « n'être rien ». *Le Coin plaisant* est donc la version la moins désespérée de cette nouvelle figure jamesienne : grâce au fantôme, la leçon est comprise avant la mort. La grande, la difficile leçon de la vie, consiste précisément à refuser la mort, à accepter de vivre (cela s'apprend). La présence de la mort nous fait comprendre — trop tard! — ce que signifiait son absence; il faut essayer de vivre la mort d'avance, de comprendre avant qu'on ne soit pris de court par le temps.

... Décidément, dira ici notre lecteur exigeant, vous n'êtes sorti d'un mauvais chemin que pour y retomber de nouveau. Vous deviez nous parler d'une nouvelle, de ce qu'elle a de spécifique et d'unique, et vous voilà à nouveau en train de constituer un genre, plus proche de cette nouvelle que les précédents peut-être, mais un genre quand même, dont elle n'est qu'une des illustrations possibles!

A qui la faute? Ne serait-elle pas au langage lui-même, essentialiste et générique par nature : dès que je parle, j'entre dans l'univers de l'abstraction, de la généralité, du concept, et non plus des choses. Comment nommer l'individuel, alors que même les noms propres, on le sait, n'appartiennent pas à l'individu en propre? Si l'absence de différence égale l'inexistence, la différence pure est innommable : elle est inexistante pour le langage. Le spécifique, l'individuel n'y est qu'un fantôme, ce fantôme qui produit la parole, cette absence que nous essayons en vain d'appréhender, que nous avons saisie aussi peu avant qu'après le discours, mais qui produit, dans son creux, le discours lui-même.

Ou alors pour faire entendre l'individuel, le critique doit se taire. C'est pourquoi, tout en présentant *le Coin plaisant*, je n'ai rien dit des pages qui en forment le centre et qui constituent un des sommets de l'art de Henry James. Je les laisse parler seules.

1969.

13. Le nombre, la lettre, le mot

On pourrait être surpris de voir s'interrompre une série d'études sur le fonctionnement du récit par un essai pour reconstituer une théorie du langage : ici, celle de Khlebnikov, auparavant celle de Constant, plus loin celle d'Artaud. Le hasard de la chronologie en serait-il seul responsable? Le sens de cette alternance, que j'aurais voulue synthèse, est pour moi autre. Dans l'un des premiers chapitres de ce livre, j'affirmais que le langage englobe et explique la littérature; dans un autre, que la structure du récit devient intelligible à travers la structure du langage. Mais de quel langage s'agit-il?

D'Homère à Artaud, les œuvres littéraires ont affirmé là-dessus autre chose que ne disaient les philosophes naguère, les linguistes aujourd'hui. Si l'on décide de les prendre au sérieux, voici donc que la perspective s'inverse : c'est la littérature qui comprend et explique le langage, elle est une théorie du langage qu'on ne peut plus ignorer, si l'on veut comprendre le fonctionnement littéraire à l'aide de catégories linguistiques. D'où cette nécessité absolue : si l'on veut faire du langage une théorie de la littérature, lire, attentivement, la littérature comme théorie du langage.

« Découvrir » un auteur du passé, traduire ses théories dans un vocabulaire contemporain, les apparenter aux idées en vogue : c'est là une tâche à la fois séduisante et peu attirante — de par sa facilité même; c'est en même temps une activité qui fournit l'image fidèle, quoique caricaturale, de toute interprétation et de toute lecture. A moins de laisser les phrases de l'auteur parler elles-mêmes (mais dans quelle langue?), on ne peut que tendre à les rapprocher de soi, par contraste ou similitude. Si j'éprouve le besoin de présenter ces textes, c'est que je voudrais sans doute faire de leur auteur un de mes propres prédécesseurs...

Avec Vélimir Khlebnikov, chef de file des futuristes russes, inspirateur des Formalistes et de plusieurs générations de poètes soviétiques, la tentation est grande, en effet. Les thèmes principaux de ses écrits théoriques sont autant de mots à la mode : les nombres, l'écriture, la souveraineté du signifiant (ce dernier terme marque déjà une tentative de rapprochement...). Mais que son mérite unique soit d'être le précurseur de tel critique parisien, serait-ce une raison suffisante pour qu'on essaye de le tirer de l'oubli?

S'apercevoir que tel lieu commun d'aujourd'hui a déjà été énoncé voici quelque cinquante ans n'a pas d'intérêt particulier pour quiconque n'est pas un historien des idées; d'autant que les lieux communs eux-mêmes sont des vérités d'hier, non d'aujourd'hui. Lorsque Khlebnikov compare l'opposition entre langage pratique et langage « autonome » à celle de la raison et des sentiments; lorsqu'il dit que « la nature du chant [est] dans la sortie de soi » et que l'œuvre doit être « conçue comme fuite de soi »; ou même lorsqu'il présente la vie du langage comme un conflit permanent du « son pur » et de la « raison », du signifiant et du signifié, du sensible et de l'intelligible : on se sent un peu frustré. La familiarité même avec ces idées nous a rendus méfiants à leur égard.

La conscience du danger que nous courons nous aidera peut-être à déplacer notre objectif, sans pourtant le changer entièrement. Si Khlebnikov ne rendait pas un son actuel, on ne saurait le lire aujourd'hui; mais au lieu de considérer son œuvre comme une série de citations hétérogènes, on peut chercher à reconstituer le système du texte. Ce serait là l'unique moyen de ne pas le réduire à du déjà connu, de ne pas l'enfermer dans une actualité si étroite qu'elle sent toujours déjà le démodé. On tentera donc d'opérer une série de déplacements dans le texte khlebnikovien (plutôt que de substitutions-traductions), de disposer les éléments du jeu de telle sorte que sa règle apparaisse clairement.

La partie la plus étrange des doctrines de Khlebnikov est sans doute celle qui est consacrée aux nombres. A première vue, il s'agit d'une nouvelle version du mythe de l'éternel retour : les événements semblables, nous dit Khlebnikov, sont séparés par des laps de temps identiques ou en tous les cas réductibles les uns aux autres à l'aide de quelques formules simples. En voici la preuve.

Les débuts des États sont séparés par $(365 + 48) n = 413 n$. Par exemple, l'Angleterre 827, l'Allemagne 1 240, la Russie 1 653. Ou une autre série : l'Égypte 3 643 AC, Rome 753 AC, la France 486, la Normandie 899.

Les grandes guerres sont séparées par $(365 - 48) n = 317 n$. « La lutte pour la domination des mers opposant une île à la terre ferme, l'Angleterre et l'Allemagne, en 1915, a vu 317.2 auparavant se produire la grande guerre entre la Chine et le Japon sous Koubilaï-Khan : en 1281. La guerre russo-japonaise de 1905 s'est produite 317 ans après la guerre anglo-espagnole de 1588. »

De même pour les événements de la vie d'une personne, bien qu'on compte ici les jours, non les années. Ainsi de Pouchkine : « Son mariage eut lieu le 317e jour après ses fiançailles avec Nathalie Gontcharova, et la première manifestation de la série anacréontique... a eu lieu $317. n$ jours avant son mariage. »

De même encore pour la naissance des hommes célèbres, qui forment des séries homogènes. Voici les logiciens : Aristote 384 AC, John Stuart Mill 1804, c'est-à-dire 365.6. Ou Eschyle 525 AC, Mahomet 571, Firdousi 935, Hafiz 1 300 : les intervalles qui les séparent sont tous divisibles par 365. Ou les « fondateurs du classicisme » : Confucius 551 AC et Racine 1 639 : la différence est de 365.6 (Khlebnikov commente : « Nous nous imaginons le sourire dégoûté de la France et son *Fi donc :* elle n'aime pas la Chine »).

Jusque-là, toutes les régularités concernent le temps, et Khlebnikov lie explicitement la loi des nombres à la temporalité. Les textes qui en traitent s'intitulent : « Le temps mesure du monde », « La conception mathématique de l'histoire », et une de ses « Propositions » exige : « Partout introduire le concept de temps au lieu du concept d'espace. »

Mais on ne se débarrasse pas de l'espace à si bon compte. D'abord, ce concept du temps — circulaire, répétitif — évoque déjà une temporalité « spatialisée »; le temps « pur » serait celui où l'instant présent est pure différence, sans ressemblance aucune avec les moments précédents ou suivants : la répétition fige, l'irréversibilité est faite de différences. D'autre part, Khlebnikov montre que la loi des nombres régit non seulement les intervalles temporels mais aussi l'espace.

Ainsi pour la distance entre les planètes : « La surface d'un rectangle, dont un côté est égal au rayon de la terre et l'autre côté au chemin parcouru par la lumière en une année, est égale à la surface décrite par la droite réunissant le soleil à la terre, durant 317 jours. » Ou encore : « La surface du globule sanguin est égale à la surface du globe terrestre divisée par 365 à la puissance dix. »

Plus : ces mêmes lois, ce même nombre 365 ($\pm$ 48) régissent non seulement les périodes et les distances, mais aussi toutes sortes d'ensembles homogènes comptables. Ainsi le corps de l'homme contient 317.2 muscles, Pétrarque a écrit 317 sonnets en l'honneur de Laure, « le nombre de personnes ayant terminé l'institut Bestoujev durant vingt-cinq ans était de 317.11, le Sokol d'Astrakhan comptait 317 membres en 1913; le nombre de vaisseaux, entrés et sortis d'Angleterre pendant six mois de lutte sous-marine, divisé par le nombre de vaisseaux coulés, a pour quotient le nombre 317. » « Selon la loi du 14 juin 1912, l'Allemagne devait avoir sur mer 317 unités de combat. En 1911, il y avait en Suède 317.95 Finnois et Norvégiens. » « La garde japonaise sur la ligne de Mandchourie méridionale était composée de 617 + 17 hommes = 317.2. Durant la guerre franco-prussienne il y avait un tué toutes les 365 balles... »

L'important n'est donc pas le temps ou l'espace mais, comme l'écrit Khlebnikov, « la mesure, l'ordre et l'harmonie ». Son but premier est de dénoncer le « soi-disant hasard », de montrer qu'il n'y a rien de fortuit, que l'arbitraire n'est rien d'autre qu'une relation encore ignorée. L'harmonie universelle règne; l'homme doit l'honorer par un calcul généralisé, qui en révélera les règles : « Les lois du monde coïncident avec les lois du calcul. » Le nombre lui-même n'est que la meilleure manière de formuler ces régularités, il n'est pas une fin en soi, et parfois il peut ne pas intervenir. Ainsi les constatations touchant le rythme des guerres en accompagnent d'autres, concernant la disposition géographique des capitales. « Si l'on réunit d'un trait les villes : 1) Byzance (Constantinople), 2) Sofia, 3) Vienne, 4) Petersbourg, 5) Tsaritsyne, Kiev apparaît situé au centre d'une toile d'araignée dont les rayons identiques partent vers les quatre capitales. » Ou encore ces réflexions sur le fait qu'une même lettre se retrouve à l'initiale du nom des ressortissants les plus célèbres d'un pays. Ainsi pour l'Allemagne (Germanie) les lettres-clés sont Sch- et G- : Schiller, Schlegel, Schopenhauer, Schelling; Gœthe mais aussi Heine, Heise,

Hegel, Habsburg, Hohenzollern que la transcription russe figure comme Geine, Geise, Gegel...

Le calcul généralisé donnera sens au passé; en même temps, il permettra de prévoir l'avenir. « Les capitales et les villes surgiront autour des anciennes selon l'arc d'un cercle de rayon $\dfrac{R}{2\pi}$, où R est le demi-diamètre terrestre. » En 1912 Khlebnikov écrit un texte où il s'interroge à la suite d'un calcul : « Ne faut-il pas attendre la chute d'un état en 1917? » De même qu'on a pu déduire l'existence des planètes inconnues, des éléments chimiques jamais encore observés, on doit pouvoir décrire les futures œuvres de l'esprit. Il suffit pour cela d'observer leurs lois dans les œuvres déjà existantes. Ainsi, dans la première strophe d'un de ses poèmes, Khlebnikov remarque la présence de quatre lettres, répétées chacune cinq fois. Par conséquent, « l'île de pensée à l'intérieur du discours autonome, semblablement à la main qui a cinq doigts, doit être construite sur cinq rayons du son, vocalique ou consonantique, qui transperce le mot comme une main ». « On doit construire les vers selon la loi de Darwin. »

Rien n'est arbitraire; tout doit donc être motivé, et la meilleure motivation est la nature. Le nombre 365 n'est pas choisi arbitrairement, c'est la durée « naturelle » de l'année. Une des premières cibles de Khlebnikov sera les unités de mesure. « Fonder un nouveau système d'unités sur les principes suivants : les dimensions du globe terrestre dans le temps, l'espace et les forces sont reconnues comme unité initiale, et la chaîne des grandeurs décroissantes de 365 fois, comme unités dérivées : $a, \dfrac{a}{365}, \dfrac{a}{365^2}$. Ainsi les secondes et les minutes stupides auront disparu, mais il restera des vingt-quatre heures divisées en 365 parties; le « jour du jour » sera égal à 237 secondes, l'unité suivante étant 0,65 seconde. L'unité de surface sera 59 cm² = $\dfrac{K}{365^7}$, où K = la surface de la terre. L'unité de longueur sera $\dfrac{R}{365^3}$ = 13 cm, où R = le rayon de la terre... » « Calculer tout travail en battements de cœur, unité monétaire du futur dont chaque vivant est également riche... »

A l'horizon de ce système superrationaliste se profile — bien qu'indistinctement — l'ombre d'une théologie. Si les événements de ce monde obéissent à un rythme régulier, c'est que le principe de ce rythme vient d'ailleurs. Pour Khlebnikov, ce principe absolu est celui du monde des étoiles. « La science du terrestre devient un chapitre de la science du céleste. » Et dans une autre « proposition » il préconise : « Transmettre progressivement le pouvoir au ciel étoilé... »

La conception khlebnikovienne du langage n'est qu'un cas particulier de cette théorie de l'harmonie universelle et du calcul généralisé (faut-il préciser qu'elle doit être lue à un niveau différent de celui auquel on reçoit les théories linguistiques actuelles?). L'observation initiale est la suivante : graphiquement, tous les mots du langage sont le produit d'une combinatoire fondée sur les 28 lettres de l'alphabet (encore une fois, Khlebnikov naturalise : 28 est le nombre des jours d'un mois, tandis que l'alphabet russe comporte alors 35 lettres); il n'en va pas autrement des sons. Il faut maintenant procéder à une opération analogue sur le plan du sens et découvrir les « noms élémentaires » de la langue, qui correspondent aux éléments chimiques de Mendeleïev, et dont les combinaisons produisent l'apparente variété des significations. « Toute la plénitude de la langue doit être décomposée en unités fondamentales de *vérités premières* et on pourra alors élaborer pour les sono-matières une espèce de loi de Mendeleïev ou de loi de Moseley, dernier sommet de la pensée chimique. »
Pour procéder à cette analyse, Khlebnikov avance trois hypothèses successives.
Premièrement, il y a autant de « noms élémentaires » que de lettres dans l'alphabet, c'est-à-dire 28.
Deuxièmement, le sens d'un tel nom est le dénominateur commun du sens de tous les mots qui comportent la même lettre à l'initiale. Tous les mots commençant par un M ont quelque chose en commun dans le sens, et ce « quelque chose » est la signification du « nom élémentaire » (de la lettre) M.
Nous nous sommes refusé à chercher les successeurs de Khlebnikov; mais on ne saurait manquer ici de signaler l'existence d'un précurseur (même si Khlebnikov n'en a eu aucune connaissance). Dans son traité sur *les Mots anglais*, Mallarmé avait déjà formulé cette deuxième hypothèse. « En elle [= la consonne initiale], écrit-il, gît la vertu radicale, quelque chose comme le sens fondamental du mot... » Et il

s'emploie à décrire la signification de chaque lettre lorsqu'elle se trouve à l'initiale.

La première hypothèse, celle qui permet de clore le système, n'est pas présente chez Mallarmé; or, c'est elle qui fonde la troisième supposition de Khlebnikov, portant déjà sur la nature même du sens des « noms élémentaires » : « Les corps élémentaires de la langue — les sons de l'alphabet — sont les noms des diverses formes d'espace, l'énumération des cas de sa vie. »

C'est là le dernier état de la pensée de Khlebnikov sur le sens des lettres. Auparavant, il n'avait pas encore trouvé l'unité de tous les sens et il essayait des solutions différentes. Dans un texte intitulé « Sur les noms élémentaires de la langue », il analyse quatre consonnes et propose l'interprétation suivante : M = division, V = soustraction, K = addition, S = multiplication. La lettre V illustre bien l'évolution de sa pensée. Au début, il l'interprète comme « la pénétration du grand par le petit », ensuite vient « l'acte de soustraction ». « Le nom-V commence les noms des animaux qui causaient des dommages à la vie agraire des anciens... Ce que l'on protégeait.... commence également par le nom-V... » Enfin la dernière version (qui revient dans plusieurs textes) est : « V dans toutes les langues indique la rotation d'un point autour d'un autre. »

L'analyse de Khlebnikov devient donc de plus en plus abstraite; celle de Mallarmé reste proche des significations individuelles des mots. Il est intéressant de comparer ces deux interprétations sur un autre point également : dans la mesure où Khlebnikov prétend à l'universalité, on pourrait chercher à voir si les intuitions des deux poètes sont semblables. Les coïncidences sont rares; on ne s'en approche, semble-t-il, qu'à propos des lettres T et G. Mallarmé écrit de la première : « Cette lettre qui représente entre toutes, l'arrêt »; et Khlebnikov : « T indique la direction où un point immobile a créé une absence de mouvements orientés dans la même direction, la route négative et sa direction derrière le point immobile. » Mais la divergence n'est pas non plus toujours significative, précisément à cause de la différence de niveau auquel se situent les deux analyses.

Mallarmé pousse encore la sienne dans un autre sens : il étudie non seulement la signification globale de l'initiale mais aussi les modifications que lui font subir les autres consonnes présentes dans le mot. Par exemple : « Les mots en C, consonne à l'attaque prompte et décisive, se montrent en grand nombre, recevant de cette lettre initiale la signification d'actes vifs comme étreindre, fendre, grimper, grâce à l'adjonction d'une *l;* et avec *r*, d'éclat et de brisure... »; ce qui lui permet de parler de « ces consonnes de la fin venant ajouter comme leur sens secondaire à la notion exprimée par celles du commencement ». Khlebnikov se contente à ce propos d'une comparaison, sans entrer dans le détail : « Un mot séparé ressemble à un petit groupe de travail où le premier son du mot est comme le président de l'union gérant tout l'ensemble des sens du mot. »

Voici comment Khlebnikov découvre le sens de chaque lettre : « L est le passage des mouvements des points sur une droite au mouvement sur la surface transversale à cette droite. Car la goutte d'averse [*liven'*] est tombée, puis est devenue partie de la flaque [*luzha*]. Et la flaque est un corps liquide en forme de planche, transversal à la direction de la goutte. Le pré [*lug*] et le ravin [*log*] sont des endroits à flaques [*luzhi*]. Le plan de la patte [*lapa*], des skis [*lyzhi*], de la barque [*lodka*] est transversale à la direction du poids de l'homme... »

A partir de là, il devient possible de mieux comprendre le sens d'autres mots commençant par la même lettre et qui restent indépendants à première vue; c'est le calcul du sens des mots. « Ne convient-il donc pas de donner la définition suivante : le L est le passage des points d'un corps uni-dimensionnel à un corps bi-dimensionnel, sous l'influence de l'arrêt du mouvement, il est le point de passage, le point de rencontre du monde uni-dimensionnel et du monde bi-dimensionnel. Le mot *ljubit'* [aimer] ne vient-il pas de là? En lui la conscience d'un homme suivait dans sa chute une seule dimension : monde uni-dimensionnel. Mais une seconde conscience arrive et l'on voit se créer le monde bi-dimensionnel de deux hommes, transversal au premier, comme le plan de la flaque est transversal à la pluie tombante. »

Ce n'est donc pas un hasard si un mot commence par L et que son sens inclut celui du « nom élémentaire » L. La relation entre le signifiant et le signifié n'est pas arbitraire mais nécessaire (Mallarmé écrivait aussi : « Un lien si parfait entre la signification et la forme d'un mot qu'il ne semble causer qu'une impression, celle de sa réussite, à l'esprit et à l'oreille, c'est fréquent... »). Cette motivation est encore due à la nature : « Selon toute apparence, la langue est aussi sage que la nature. » «La langue est sage parce qu'elle-même fait partie de la nature. »

Puisque la relation entre la lettre et le sens de la lettre est la même pour toutes les langues (contrairement à la relation entre un mot et son sens), il devient possible d'éliminer la diversité des langues. « L'objectif d'une unique langue universelle scientifiquement élaborée apparaît de plus en plus clairement à l'humanité. » Voici comment on procède : « En comparant les mots en CH nous voyons qu'ils signifient tous un corps dans l'enveloppe d'un second ; CH signifie enveloppe. (...) S'il apparaît que CH a dans toutes les langues la même signification, le problème de la langue universelle est alors résolu : toutes les sortes de chaussures s'appelleront CH du pied, toutes les sortes de coupes, CH de l'eau : c'est clair et simple. » (Signalons ici l'existence d'un autre représentant de la même famille poétique. Alfred Jarry écrivait quelque dix ans plus tôt : « Pour qui sait lire le même son ou la même syllabe a toujours le même sens dans toutes les langues. »)

La langue universelle est possible car elle ne serait rien d'autre que la redécouverte d'une langue d'avant Babel, idéale et muette, qui existe depuis toujours, de l'archi-langue. « Nous rappelons en passant qu'outre la langue des mots il y a la langue muette des concepts constitués d'unités de l'esprit (tissu des concepts dirigeant la première). » L'unique moyen de la matérialiser aujourd'hui, c'est l'écriture. L'analogie proposée par Khlebnikov est frappante, aussi bien par ce qu'elle dit que par ce qu'elle laisse deviner. Les langues sonores actuelles ressemblent aux monnaies de chaque pays ; « en tant que sons d'échange originaux permettant de troquer les produits rationnels, [elles] ont divisé l'humanité polyglotte en camps de lutte douanière, en série de marchés verbaux, au-delà des limites desquels telle langue n'a plus cours. Chaque système d'argent sonore prétend à la suprématie et ainsi les langues en tant que telles servent à diviser l'humanité et mènent des guerres de fantômes. » L'écriture, par opposition, ne peut correspondre qu'à l'or, cet équivalent universel qui a cours dans tous les pays. « Les signes graphiques muets réconcilieront la polyphonie des langues. »

Le souci de motivation qui anime Khlebnikov le pousse à aller plus loin : il ne suffit pas que la relation entre signifiant et signifié soit nécessaire, il faut qu'elle soit analogique. « Dans la vie, il en a toujours été ainsi : au début le signe du concept était le simple tracé de ce concept. » Il faut écarter les lettres en tant que signifiants (alors qu'elles ont permis l'organisation du signifié) et les remplacer par des

dessins des concepts, par des idéogrammes. V signifie la rotation :
« Pour moi V revêt la forme d'un cercle avec un point à l'intérieur... »
Si les lettres ont une signification indépendante des mots dans
lesquels elles sont incluses (bien que fonction du sens de ces mots), il
devient alors possible de former des combinaisons de lettres, qui seront
pourvues de sens sans qu'elles soient des mots de la langue. Telle est
l'origine de la *zaoum'*, le langage transrationnel, l'invention la plus
fameuse de Khlebnikov et de ses amis futuristes (en particulier Krout-
chonnykh). On trouve des mots transrationnels dès les premiers
poèmes futuristes de Khlebnikov, et il écrit : « Le langage s'est
naturellement développé à partir de quelques unités fondamentales
de l'alphabet. (...) Si l'on prend les combinaisons de ces sons dans un
ordre libre, par exemple : *bobeobi*, ou *dyr bul shchil*, ou *mantch!
mantch!*, ou *chi breo zo!*, les mots de ce type n'appartiennent à aucune
langue mais dans le même temps disent quelque chose d'indéfinissable
mais qui n'en existe pas moins. »
N'appartiennent à aucune langue mais disent quelque chose : telles
sont les limites étroites à l'intérieur desquelles se meuvent les mots
transrationnels. Khlebnikov cherche à préciser ces limites dans une
réflexion sur le langage de la magie, qui offre l'exemple le plus pur
de discours transrationnel. Il faut distinguer ce qui est *compréhensible*
pour la raison, de ce qui est *significatif*. Les incantations et les formules
magiques ne sont pas compréhensibles mais elles ne signifient pas
moins. « Ces mots incompréhensibles se voient attribuer un pouvoir
supérieur sur l'homme... On leur confère le pouvoir d'administrer le
bien et le mal, et de gérer le cœur des tendres... Nous ne les compre-
nons pas pour l'instant. Nous le reconnaissons honnêtement. Mais il
ne fait aucun doute que ces suites sonores sont une série de vérités
universelles filant devant le crépuscule de notre âme. » D'ailleurs,
« les prières de nombreux peuples sont écrites dans une langue
incompréhensible pour les récitants ».
Une métaphore donne encore la meilleure description de cette
intellection transrationnelle. « Est-ce que la terre comprend les
caractères des graines que le laboureur jette en elle? Non. Mais les
champs automnals poussent pourtant en réponse à ces graines. »
Le langage transrationnel est guetté par des dangers sérieux. Le
premier est la raison surpuissante, le calcul généralisé, et c'est Khlebnikov lui-même qui détruit ce qu'il vient d'ériger. Ce langage n'est

transrationnel que dans les incantations, à l'état sauvage; une fois que l'on a découvert les « noms élémentaires » de la langue, l' « alphabet de la raison », la raison reprend ses droits. « Ainsi le langage transrationnel cesse d'être transrationnel. Il devient un jeu à l'alphabet dont nous avons conscience, un nouvel art au seuil duquel nous nous tenons. »

L'autre grand adversaire du transrationnel est un des principes fondamentaux du langage lui-même, le principe de répétition. Pour appartenir au langage, une entité doit posséder l'aptitude à la répétition; sinon, elle risque d'être non seulement incompréhensible mais aussi non-signifiante. Khlebnikov relève le danger dans ses *Carnets* : « Ce qui a été écrit à l'aide de mots nouveaux seulement, ne touche pas la conscience. » Et il constate à propos de quelques-uns de ses propres mots transrationnels : « Au moment où ils furent écrits, les mots transrationnels d'Akhénaton mourant " mantch, mantch! " dans *Ka* provoquaient presque la souffrance; je ne pouvais les lire, voyant des éclairs entre eux et moi; maintenant ils ne sont plus rien pour moi. Pourquoi — je ne le sais moi-même. » L'incapacité de reproduction transforme le discours transrationnel en « rien »; celui-ci ne peut, par définition, exister qu'en tant que limite.

On ne peut pas écrire « à l'aide de mots nouveaux seulement ». La langue existante doit continuer à servir, bien qu'elle ne soit pas aussi rationnelle que celle qui est fondée sur l' « alphabet de la raison », bien qu'elle n'obéisse pas aussi parfaitement aux lois de l'harmonie universelle. Et d'ailleurs, à l'aide d'une analyse particulière, on peut découvrir ces lois même à l'intérieur de langues réelles. Cette analyse, Khlebnikov la développe à propos de ce qu'il appelle la « déclinaison des racines » (Jakobson parle, dans son livre sur Khlebnikov, du procédé d' « étymologie poétique », par analogie avec l'étymologie populaire).

La langue russe connaît la déclinaison. Un mot à désinence zéro au nominatif prend *a* au génitif, *u* au datif, etc. Khlebnikov suppose qu'une alternance semblable se produit également à l'intérieur des racines; autrement dit, des mots « différents » apparaissent comme des cas l'un de l'autre. De plus, leur signification est en relation, directe ou inversée, avec le sens général du cas dont la désinence alterne dans la racine.

Le génitif répond à la question « d'où? », l'accusatif, à la question

« vers où ? ». Voici comment les racines se déclinent suivant ces cas. « Si l'on prend la paire *vol* [bœuf] et *val* [vague], l'action de mener est orientée sur le bœuf domestique que conduit l'homme et part de la vague qui mène sur le fleuve l'homme et la barque. » Ou encore : « *Beg* [fuite] est provoqué par la crainte, et *bog* [dieu] est la créature vers laquelle la crainte doit être dirigée. »

A côté de cette déclinaison des racines vient se placer une « dérivation des racines ». *Sem'* signifie en russe « sept », et *semja*, « famille ». Khlebnikov en conclut que la famille primitive était composée de sept personnes (« cinq petits et deux parents ») et que le nombre « sept » est le mot « famille » tronqué. *Eda* signifie « repas », *edinica*, « un » : c'est que l'homme primitif mangeait tout seul, il « n'avait pas besoin d'aide extérieure lors des repas ». Mallarmé avait découvert des relations semblables, concernant l'anglais : il avait précédé Khlebnikov dans cette voie cratyléenne de l'analyse linguistique. « Quelle plus charmante trouvaille, par exemple, et faite même pour compenser mainte déception, que ce lien reconnu entre des mots comme HOUSE, la *maison* et HUSBAND, le *mari* qui en est le chef ; entre LOAF, un *pain*, et LORD, un *seigneur*, sa fonction étant de le distribuer ; entre SPUR, *éperon*, et TO SPURN, *mépriser* ; TO GLOW, *briller*, et BLOOD, *le sang ;* WELL! *bien*, et WEALTH, la *richesse* ou encore THRASH, *l'aire* à battre le grain, et THRESHOLD, le *seuil*, tassé ou uni comme un dallage? (...) Le revirement dans la signification peut devenir absolu au point cependant d'intéresser à l'égal d'une analogie véritable : c'est ainsi que HEAVY semble se débarrasser tout-à-coup du sens de *lourdeur* qu'il marque, pour fournir HEAVEN, le *ciel*, haut et subtil, considéré en tant que séjour spirituel. » Khlebnikov relève, d'ailleurs, exactement le même rapport en russe entre *ves*, « poids » et *vys'*, « hauteur »! Jarry analyse semblablement le mot *industrie*, en s'inspirant du modèle du mot *alphabet* : « IN-DUS-TRIA, un, deux, trois, dans toutes les langues. »

La découverte de la déclinaison des racines mène logiquement à une activité qui en exploite les résultats et que Khlebnikov appelle la création de mots, la « verbocréation ». Pourquoi se contenter des seuls « cas » présents dans la langue, alors qu'on pourrait décliner toutes les racines et obtenir des mots nouveaux dont on aura déduit le sens? Pourquoi en rester aux seules combinaisons de lettres et d'affixes que la langue exploite et ne pas en forger de nouvelles?

Ces néologismes resteront compréhensibles pour tous, puisque leur création aura obéi aux lois déjà existantes de la langue. Ainsi seront créées non seulement de nouvelles combinaisons sonores, mais aussi de nouveaux concepts. Voici un exemple adapté au français : « La direction [*pravitel'stvo*] qui ne voudrait s'appuyer que sur le fait qu'elle plaît moralement [*nravit'sja*] pourrait se qualifier ainsi : une plirection. (...) Ou plirect, ou plevoir, ou plirigeant : vous avez remarqué comment en changeant le *d* par les lettres *pl*, nous sommes passés du champ du verbe "diriger" au champ des possessions de " plaire ". »

Ainsi un calcul généralisé, digne de Leibniz, reprend ses droits. Comme d'habitude, Khlebnikov part de la loi et ne s'interroge sur ses réalisations particulières qu'après coup. Certains mots sont inventés sans qu'il ait eu le temps de penser à leur sens : « Le mot fleurs [*cvety*] permet de construire les mleurs [*mvety*], mot riche d'imprévisible. » La même impulsion l'anime dans ses « Propositions » : « En se souvenant que n^0 est le signe du point, n^1 le signe de la droite, n^2 et n^3 les signes de la surface et du volume, chercher les espaces des puissances fractionnelles : $n^1/_2$, $n^2/_3$, $n^1/_3$, où sont-ils? »

Ce poète ne parle jamais de poésie, ni de littérature; l'opposition entre littérature et non-littérature ne semble pas avoir de sens pour lui. Sa conception du langage culmine cependant dans une autre opposition : celle du langage pratique et du langage autonome *(samovitaja rech')*. Dans le langage pratique, le mot n'est pas perçu en lui-même mais comme un substitut de l'objet qu'il désigne. « Comme un enfant qui durant le jeu peut imaginer que la chaise sur laquelle il est assis est un véritable pur sang et comme la chaise remplace pour lui le cheval, lors du discours oral et écrit le petit mot "soleil" remplace, dans le monde conventionnel de la conversation humaine, l'étoile magnifique et majestueuse. L'astre majestueux, tranquillement resplendissant, remplacé par un jouet verbal, se laisse volontiers mettre au datif et au génitif, cas appliqués à son substitut dans la langue. Mais cette égalité est conventionnelle : si le véritable astre disparaît et qu'il ne reste que le mot "soleil", il ne pourra plus briller dans le ciel et réchauffer la terre, la terre gèlera, se transformera en flocon de neige dans le poing de l'espace universel. (...) La poupée sonore "soleil" nous permet dans notre jeu humain de tirer les oreilles et les moustaches de l'auguste étoile avec les mains des pitoyables mortels, tous ces datifs que n'aurait jamais approuvés le véritable soleil... »

En même temps qu'on rapproche le signifiant et le signifié, on doit montrer la différence entre le signe et son référent. Plus même : Khlebnikov propose de ne plus utiliser les mots dans cette fonction référentielle et communicative car ils la remplissent mal et nous disposons par ailleurs d'un outil beaucoup plus perfectionné : les nombres. « Les esprits les plus perspicaces ne savent pas définir autrement la pensée au moyen du mot que comme une mesure peu parfaite du monde. (...) La réflexion verbale ne présente pas la condition fondamentale permettant la mesure, à savoir : la constance de l'unité mesurante, et les sophistes Protagoras, Gorgias sont les premiers pilotes audacieux qui ont montré le danger qu'il y a à naviguer sur les vagues du mot. Chaque nom n'est qu'une mesure approchée, la comparaison de plusieurs grandeurs, des sortes de signes d'égalité. Leibniz s'exclamant : "le temps viendra où les hommes remplaceront les discussions offensantes par le calcul" (s'écrieront : *calculemus*), Novalis, Pythagore, Aménophis IV ont prévu la victoire du nombre sur le mot comme technique de pensée. »

Il faut libérer les mots d'une fonction que les nombres peuvent remplir mieux qu'eux : celle d'être une « technique de pensée ». A ce moment ils pourront reprendre la fonction qui est la leur : être des mots autonomes. « Arme caduque de pensée, le mot restera cependant pour les arts. » « Les langues resteront pour l'art et seront libérées d'un poids offensant. L'oreille est fatiguée. » Il y a d'un côté les mathématiques, de l'autre, les métaphores; il n'y a rien entre les deux.

La pensée de Khlebnikov, on le voit, ne connaît pas le compromis. Sa vie non plus, c'est pourquoi elle se lit comme un texte : au lieu de chercher la gloire littéraire, il vit ses idées. S'étonnera-t-on alors de lire ses « Propositions » sur l'organisation sociale de l'univers où son extrémisme linguistique se transforme en fourriérisme tout aussi pur : « Introduire une innovation dans la possession des terres en reconnaissant que la surface possédée dont chaque individu peut jouir ne peut être inférieure à la surface du globe terrestre. Ainsi sont résolues les querelles entre États. »

Et aussi : « Transformation des droits locatifs, droit d'être propriétaire d'une pièce dans n'importe quelle ville avec droit de changer constamment de place (droit au logis privé de détermination spatiale). L'humanité volante ne limite pas ses droits de propriété à un endroit singulier. »

Enfin : « Exiger des alliances armées des hommes qu'elles contestent l'opinion des futuriens qui dit que tout le globe terrestre leur appartient. »

1969.

14. L'art selon Artaud

Artaud a si bien et si abondamment dit ce qu'il a « voulu dire », qu'on pourrait se demander s'il n'est pas superflu de s'interposer, en exégète, entre son texte et ses lecteurs — passés ou à venir. Poser cette question, c'est soulever en même temps toute la problématique liée au statut de ce qu'on appelle aujourd'hui la « lecture ».

En effet, le commentaire docile, dont la limite est la paraphrase, se justifie mal à l'égard d'un texte dont la compréhension première ne soulève pas de difficultés hors mesure. Mais le danger inverse est plus inquiétant encore : en fuyant le très particulier, on risque d'atteindre le trop général, et de priver le texte commenté de sa spécificité; celui-ci se transforme alors en simple exemple d'un schéma abstrait et anonyme. Ce danger est évoqué, sous la forme d'une dénégation caractéristique, dans les deux meilleurs commentaires d'Artaud. Blanchot, dans *le Livre à venir*, écrit : « Il serait tentant de rapprocher ce que nous dit Artaud de ce que nous disent Hölderlin, Mallarmé... Mais il faut résister à la tentation des affirmations trop générales. Chaque poète dit le même, ce n'est pourtant pas le même, c'est l'unique, nous le sentons. » Derrida, dans *l'Écriture et la différence*, examine longtemps ce qu'il appelle « la violence de l'exemplification » et commence sa lecture par le refus de « constituer Artaud en exemple de ce qu'il nous enseigne »; il la termine cependant par la constatation d'un certain échec (« la violence de l'exemplification, celle-là même que nous n'avons pu éviter au moment où nous entendions nous en défendre... »).

La lecture ne pourra se constituer qu'en évitant ce double écueil, la paraphrase et l'exemplification. Elle sera respectueuse du texte, jusqu'à sa littéralité même; en même temps elle ne se contentera pas de son ordre apparent, mais cherchera à rétablir le système textuel.

212

Elle procédera par choix, déplacement, superposition : autant d'opérations qui bouleversent l'organisation immédiatement observable d'un discours. Pour articuler ce système, on sera amené à traduire en des termes différents certains des éléments qui le constituent. On cherchera une fidélité non à la lettre, ni d'ailleurs à un « esprit » hypothétique, mais au principe de la lettre. Ce faisant, cependant, on saura que la lecture ne parvient à écarter l'un des dangers symétriques qui la guettent qu'en se rendant vulnérable à l'égard de l'autre ; pour nous la lecture est une ligne de partage plutôt qu'un territoire.

Je me contenterai, ici, d'une matière moins complexe que l'ensemble des écrits d'Artaud : ce sont les textes théoriques qu'il a produits entre 1931 et 1935, autrement dit *le Théâtre et son Double* et les écrits qui l'accompagnent. C'est déjà là un choix extrêmement important : d'abord parce que les textes de cette période sont relativement homogènes et ne permettent donc de poser aucun problème d'évolution. D'autre part — et ceci est plus grave —, cette période est probablement la seule où l'on puisse isoler les « textes théoriques » du « reste », ou, si l'on veut, « l'œuvre » de la « vie ». Car, précisément, Artaud rend cette division (comme tant d'autres) impossible. Chez lui, la rupture entre la chair et le Verbe n'existe pas. Prisonnier de nos catégories traditionnelles, on reste perplexe devant ses écrits, que l'on voudrait tantôt lire comme des « documents » sur sa vie, tantôt comme une « théorie », tantôt comme des « œuvres ». Le texte du *Théâtre et son Double*, cependant, nous autorise à mettre provisoirement entre parenthèses les autres aspects de cette production, et à la considérer comme théorie. Nous interrogerons celle-ci dans la perspective de ce concept ambigu (mis en question par Artaud lui-même), qui nous semble avoir ici une utilité stratégique : *l'Art*.

La réflexion d'Artaud sur le théâtre pourrait se résumer en une formule beaucoup plus facile aujourd'hui qu'il y a quarante ans, mais qui ne nous apprend rien si nous nous contentons de sa brièveté : il faut considérer le théâtre comme un langage. Cette affirmation revient sans cesse au long des pages du *Théâtre et son Double;* j'en citerai ici une seule formulation que l'on trouve dans la description du théâtre balinais : « à travers leur dédale de gestes, d'attitudes, de cris jetés dans l'air, à travers des évolutions des courbes qui ne laissent aucune portion de l'espace scénique inutilisée, se dégage le sens d'un nouveau langage physique à base de signes et non plus de mots » (p. 80-81 [1]). Le théâtre est un langage différent de celui que nous utilisons quotidiennement; circonscrire cette différence, c'est comprendre le sens de la formule d'Artaud; le théâtre et le langage entrent dans un rapport qui n'est pas analogique, mais de contiguïté. Un certain langage, le langage verbal, a provoqué la mort du théâtre; un autre langage, le langage *symbolique* [2], peut le faire ressusciter.

Il faut donc commencer par faire le procès du langage verbal ou, plus exactement des « Idées de l'Occident sur la parole » (V, p. 14). Le principal titre d'accusation — dont les autres ne sont que des ramifications — est le suivant : ce langage est le résultat d'une action, au lieu d'être l'action même. Le langage verbal, tel que nous le concevons en Europe, est seulement l'aboutissement d'un processus, comme le cadavre est l'aboutissement d'une vie, et il faut se débarrasser de cette conception cadavérique du langage. « Par nature, et à cause de leur caractère déterminé, fixé une fois pour toutes, [les mots] arrêtent et paralysent la pensée au lieu d'en permettre et d'en favoriser le développement » (p. 167-168). La création du langage est coupée de son résultat, les mots. Au théâtre cette « coupure » se trouve symbolisée par le rôle accordé au mot *écrit* : lui qui n'est, jusqu'à son signifiant même, qu'un résultat immuable, et non un acte. « Pour le théâtre, tel qu'il se pratique ici, un mot écrit a autant de valeur que le même mot prononcé (...) Tout ce qui touche à l'énonciation particulière d'un mot, à la vibration qu'il peut répandre dans l'espace, leur échappe » (p. 179). Si l'on peut réduire aussi facilement la différence qu'il y a entre énonciation présente et absente (l'énonciation n'étant d'ailleurs qu'une partie de la création du langage), c'est que nous nous sommes habitués à identifier le langage avec l'énoncé isolé et fixe.

Le procès du langage verbal définit, dans son creux, ce qu'est le langage symbolique (dont le théâtre est le meilleur exemple). Un langage qui n'est pas séparé de son devenir, de sa propre création.

1. Les chiffres entre parenthèses renvoient : pour *Le Théâtre et son Double*, aux pages de l'édition de poche « Idées »; pour tous les autres textes, aux volumes et aux pages des *Œuvres complètes*, Paris, Gallimard.
2. Ce terme n'apparaît pas chez Artaud; il parle plutôt de langage « spatial », « concret », etc.

Alors que le langage verbal se contente d'être le point final d'un processus, le langage symbolique sera un trajet entre la nécessité de signifier et son résultat. « Le théâtre se retrouve exactement au point où l'esprit a *besoin* d'un langage pour produire ses manifestations » (p.17). Ce nouveau « langage part de la *nécessité* de la parole beaucoup plus que de la parole déjà formée. (...) Il refait poétiquement le trajet qui a abouti à la *création du langage* » (p. 167). On voit maintenant qu'il faut entendre la création dans un sens beaucoup plus large que *l'énonciation* : celle-ci crée une phrase, dans une langue déjà existante; celle-là est la constitution du langage lui-même. Le premier caractère donc des langages symboliques — et plus particulièrement du théâtre — est qu'ils ne disposent pas d'un système de signes préétablis; parler un langage symbolique signifie précisément l'inventer, la répétition sera donc la limite de l'art.

Néanmoins l'énonciation mime la création et tire de ce mimétisme un privilège. D'où l'attention que porte Artaud à la parole dite; d'où aussi sa préférence pour ce qui — par l'explicitation des deux interlocuteurs — dans l'écriture se rapproche le plus de la parole : la lettre adressée à quelqu'un. Il est étonnant de voir quelle place occupent, dans les *Œuvres complètes* d'Artaud, les écrits ayant forme de lettres : depuis la « Correspondance avec Jacques Rivière » jusqu'aux « Lettres de Rodez ». Et il l'explique : « Permettez-moi de vous adresser un article sous forme de lettre. C'est le seul moyen que j'ai de lutter contre un sentiment absolument paralysant de gratuité et d'en venir à bout depuis plus d'un mois que j'y pense... » (IV, p. 293).

Ce premier trait constitutif du langage symbolique (que « les signes s'inventeront au fur et à mesure », V, p. 37) a de quoi surprendre celui qui utilise le terme de langage dans son sens classique. Son pôle d'attraction n'est plus l'Ordre mais le Chaos : « le langage de la scène, s'il existe et s'il se forme, sera par nature destructeur, menaçant, anarchique, il évoquera le chaos » (IV, p. 290). Or, le langage verbal est un principe d'organisation et de classification, grâce à ce qui en sous-tend le fonctionnement : la répétition. Ce sera donc précisément sur la répétition qu'Artaud fera tomber sa condamnation la plus dure : « Laissons aux pions les critiques de textes, aux esthètes les critiques de formes, et reconnaissons que ce qui a été dit n'est plus à dire; qu'une expression ne vaut pas deux fois; que toute parole prononcée est morte et n'agit qu'au moment où elle est prononcée, qu'une forme employée ne sert plus et n'invite qu'à en rechercher une autre, et que le théâtre est le seul endroit au monde où un geste fait ne se recommence pas deux fois » (p. 115).

On pourrait penser que ce virulent refus de la répétition équivaut à un éloge de l'improvisation; d'autant qu'Artaud dira aussi : « ce langage ... tire son efficacité de sa création spontanée sur la scène » (p. 58). Il a dénoncé, d'autre part, la suprématie de l'auteur au théâtre, dont le résultat est que le spectacle devient un simple reflet du texte (et le reflet d'un mort n'est pas non plus vivant). « L'auteur est celui qui dispose du langage de la parole et ... le metteur en scène est son esclave. (...) Ainsi, nous renoncerons à la superstition théâtrale du texte et à la dictature de l'écrivain ... » (p.187). Donc, pas de texte pré-écrit. Mais l'improvisation ne trouve pas plus grâce à ses yeux : « Mes spectacles n'auront rien à voir avec les improvisations de Copeau. Si forts qu'ils plongent dans le concret, dans le dehors, qu'ils prennent pied dans la nature ouverte et non dans les chambres fermées du cerveau, ils ne sont pas pour cela livrés au caprice de l'inspiration inculte et irréfléchie de l'acteur » (p. 166). Il ne faut pas confondre « l'inspiration inculte », qui n'est rien d'autre que la projection d'un texte non-conscient, avec la liberté recherchée par Artaud.

Cette apparente contradiction peut se retrouver dans les limites d'une phrase : « les spectacles seront faits directement sur la scène... ce qui ne veut pas dire que ces spectacles ne seront pas rigoureusement composés et fixés une fois pour toutes avant d'être joués » (V, p. 41). Le spectacle ne doit être ni spontané, ni pré-écrit : c'est là encore une opposition qui perd sa pertinence aux yeux d'Artaud. Un langage qui s'invente au fur et à mesure est irréconciliable avec l'idée d'un pré-texte; mais pour qu'il soit langage, une précision mathématique devra régir son fonctionnement. Cette précision ne pourra être atteinte qu'à travers une lente élaboration sur scène, qui, une fois terminée, demande à être notée. « Ces images, ces mouvements, ces danses, ces rites, ces musiques, ces mélodies tronquées, ces dialogues qui tournent court, seront soigneusement notés et décrits, autant qu'il se peut avec des mots et principalement dans les parties non dialoguées du spectacle, le principe étant d'arriver à noter ou à chiffrer, comme sur une partition musicale ce qui ne se décrit pas avec des mots « (p. 194). Un *post*-texte coupera donc court à tout essai d'improvisation.

Revenons maintenant à la description du langage symbolique, et essayons d'en relever les traits spécifiques. Son signifiant, d'abord, particulièrement riche au théâtre (c'est en cela, entre autres, que le théâtre est privilégié par rapport aux autres arts) : Artaud en a énuméré, à plusieurs reprises, les composantes. « Tous les moyens d'expression utilisables sur une scène, comme musique, danse, plastique, pantomime, mimique, gesticulations, intonations, architecture, éclairage et décor » (p. 55-56). Le théâtre doit obligatoirement se servir de ce signifiant multiple ; « la fixation du théâtre dans *un* langage : paroles écrites, musique, lumière, bruits, indique à bref délai sa perte, le choix d'un langage prouvant le goût que l'on a pour les facilités de ce langage » (p. 17). Mais — nouvelle dichotomie levée par Artaud — cette multiplicité des signifiants ne signifie pas une pluralité de langages ; bien au contraire, le langage théâtral ne peut se constituer que si, en lui, la musique cesse d'être musique, la peinture, peinture, et la danse, danse. « Il serait vain de dire qu'il fait appel à la musique, à la danse, ou à la mimique. Il est évident qu'il utilise des mouvements, des harmonies, des rythmes, mais seulement en ce qu'ils concourent à une sorte d'expression centrale, sans profit pour un art particulier » (p. 137). Le signifiant doit être à la fois divers et un ; on pourrait décrire le trait spécifique du langage symbolique par le *débordement* du signifiant, une sur-abondance (et une sur-détermination) de ce qui signifie par rapport à ce qui est signifié.

Pour atteindre une « mathématique réfléchie » dans l'utilisation du langage symbolique, on doit l'inventorier, c'est-à-dire rendre compte avec minutie de chacune de ses couches signifiantes. Artaud en a déjà esquissé le programme. Ainsi de la mimique : « Ces dix mille et une expressions du visage, prises à l'état de masques, pourront être étiquetées et cataloguées, en vue de participer directement et symboliquement à ce langage concret de la scène... (p. 143). Ainsi des éclairages : « Pour produire des qualités de tons particulières, on doit réintroduire dans la lumière un élément de ténuité, de densité, d'opacité, en vue de produire le chaud, le froid, la colère, la peur, etc. » (p. 145). Ainsi, surtout des souffles, auxquels il consacre plusieurs textes : « Il est certain qu'à chaque sentiment, à chaque mouvement de l'esprit, à chaque bondissement de l'affectivité humaine correspond un souffle qui lui appartient »... (p. 196).

Le signifiant du langage symbolique est différent de celui du langage verbal; il en est de même pour le signifié : l'un et l'autre ne parlent pas de la « même chose ». « Les pensées qu'exprime [ce langage physique — concret] échappent au langage articulé » (p. 54); « dans le domaine de la pensée et de l'intelligence [il y a] des attitudes que les mots sont incapables de prendre et que les gestes et tout ce qui participe du langage dans l'espace atteignent avec plus de précision qu'eux » (p. 107-108).

Quels sont ces deux signifiés distincts? Celui du langage verbal est bien connu : il est irremplaçable pour « élucider un caractère, raconter les pensées humaines d'un personnage, exposer des états de conscience clairs et précis » (p. 59); c'est en somme tout ce qu'on pourrait désigner comme la « psychologie ». Il est évidemment beaucoup plus difficile de désigner le signifié du langage symbolique à l'aide de mots et Artaud évoque à plusieurs reprises cette difficulté (« J'avoue qu'il m'a été difficile de préciser avec *des* mots, la sorte de langage extra-verbal que je veux créer », V, p. 161). C'est pourquoi il faudra se contenter ici d'indications générales : ce sont les « choses de l'intelligence » (p. 95), des « sentiments, des états d'âme, des idées métaphysiques » (p. 99), « des idées, des attitudes de l'esprit, des aspects de la nature » (p. 57). On ne trahira pas la pensée d'Artaud en disant que ce signifié est plutôt d'ordre « métaphysique ». Deux réseaux sémantiques semblent se tisser derrière cette opposition : la répétition, le psychologique, le verbal, dans l'un, alternent avec la différence, le métaphysique, l'a-verbal, dans l'autre. On rencontrera ailleurs une distribution inversée de la répétition et de la différence.

La relation entre signifiant et signifié n'est pas la même dans le langage verbal et le langage symbolique. Dans le premier, cette relation est purement abstraite, ou, comme nous disons aujourd'hui, arbitraire : il n'y a aucune raison particulière pour que tels sons, telle graphie évoquent une idée plutôt qu'une autre. Dans le second, en revanche, les idées évoquées doivent « ébranler au passage tout un système d'analogies naturelles » (p. 164). Qu'est-ce qu'une analogie naturelle? Voici l'exemple cité par Artaud : « Ce langage représente la nuit par un arbre sur lequel un oiseau qui a déjà fermé un œil commence à fermer l'autre » (p. 57). La nuit représentée par l'oiseau qui dort, c'est, en termes rhétoriques, une synecdoque; la relation entre les deux est motivée (la partie pour le tout). Ou voici encore l'évocation des acteurs balinais : « Les acteurs avec leurs costumes composent de véritables hiéroglyphes qui vivent et se meuvent » (p. 91). L'acteur cesse d'être une présence pleine, il est le signe qui renvoie à une absence; celle-ci non plus n'est pas un mot — de même que la nuit, appellation de commodité, ne l'était pas dans le cas précédent. La propriété caractéristique du hiéroglyphe est encore autre : c'est le rapport d'analogie entre le signifiant et le signifié, entre l'image graphique et l'idée.

Artaud n'utilise pas le terme de métaphore (l'associant probablement à un esthétisme gratuit); mais la ressemblance (l'analogie) et la contiguïté (la synecdoque) forment la matrice de toutes les figures rhétoriques. Celles-ci ne seraient alors rien d'autre qu'un inventaire des relations possibles entre signifiants et signifiés dans les langages symboliques. C'est, en tout cas, le postulat d'Artaud : « Je prends les objets, les choses de l'étendue comme des images, comme des mots que j'assemble et que je fais se répondre l'un l'autre suivant les lois du symbolisme et des vivantes analogies. Lois éternelles qui sont celles de toute poésie et de tout langage viable; et entre autres choses celles des idéogrammes de la Chine et des vieux hiéroglyphes égyptiens » (p. 168). Les figures rhétoriques sont le code du symbolisme.

Le principe analogique explique les efforts d'Artaud pour découvrir les « doubles » du théâtre (en particulier dans les articles qui inaugurent le *Théâtre et son Double*) : la peste, la peinture de Lucas Van den Leyden, l'alchimie. « Le théâtre... comme la peste... refait la chaîne de ce qui est et de ce qui n'est pas » (p. 38); « cette peinture est ce que le théâtre devrait être » (p. 52); « il y a encore entre le théâtre et l'alchimie une ressemblance plus haute » (p. 71). Ce principe lui apparaît même comme tellement essentiel qu'il détermine le titre de son livre : « Ce titre répondra à tous les doubles du théâtre que j'ai cru trouver depuis tant d'années : la métaphysique, la peste, la cruauté » (V, p. 272).

Il ne faut pas confondre la relation entre le signifiant et le signifié avec celle du signe et de son référent. Alors que la première doit être renforcée par l'analogie, la seconde doit être, au contraire, dénaturalisée : il faut rompre l'automatisme qui nous fait prendre le mot pour la chose, considérer l'un comme le produit naturel de l'autre. Cette relation, nous rappelle Artaud, est purement arbitraire : « Il faut bien admettre que tout, dans la destination d'un objet, dans le sens ou dans l'utilisation d'une forme naturelle, tout est affaire de convention. La nature, quand elle a donné à un arbre la forme d'un arbre, aurait tout aussi bien pu lui donner la forme d'un animal ou d'une colline, nous aurions pensé *arbre* devant l'animal ou la colline, et le tour aurait été joué » (p. 61). La fonction du langage symbolique est de mettre en évidence cet arbitraire : « On comprend par là que la poésie est anarchique dans la mesure où elle remet en cause toutes les relations d'objet à objet et des formes avec leurs significations » (p. 62). Voici que par un autre biais le langage symbolique touche à nouveau le Chaos. L'analogie qui s'instaure à l'intérieur du signe ébranle les fausses analogies à l'extérieur : « La poésie est une force dissociatrice et anarchique, qui par l'analogie, les associations, les images, ne vit que d'un bouleversement des rapports connus » (V, 40).

Un langage qui n'est pas isolé du processus de sa création; un signifiant multiple, « débordant » et concret; un signifié métaphysique, qui ne se laisse pas désigner par des mots; une relation analogique entre le signifiant et le signifié : telles sont les principales caractéristiques du « langage symbolique », plus exactement des arts, plus particulièrement encore du théâtre. Toutes ces propriétés ont été dégagées par opposition avec le langage verbal. Cependant, Artaud l'observe par ailleurs, il n'est pas impossible de manier le langage verbal *comme* un langage symbolique. La différence est moins, nous l'avons noté déjà, entre deux types de langage indépendants, qu'entre deux conceptions du langage (« orientale » et « occidentale ») et par conséquent entre deux emplois (ou fonctions) du langage. Artaud écrira : « A côté de ce sens logique, les mots seront pris dans un sens incantatoire, vraiment magique, — pour leur forme, leurs émanations sensibles, et non plus seulement pour leur sens » (p. 189). Il suffit donc d'accentuer la fonction *magique*, plutôt que la fonction logique, du langage verbal, pour qu'il se range à côté des autres systèmes symboliques.

Comment s'opère cette transformation? Par la mise en place de toutes les propriétés que nous venons d'énumérer; et aussi par une *concrétisation* du signifiant. Le langage utilisé dans sa fonction logique tend à effacer le signifiant, à remplacer les sons réels par des sons abstraits; pour faire apparaître la fonction magique[1], il faut « que l'on revienne si peu que ce soit aux sources respiratoires, actives du langage, que l'on rattache les mots aux mouvements physiques qui leur ont donné naissance, et que le côté logique et discursif de la parole disparaisse sous son côté physique et affectif, c'est-à-dire que les mots, au lieu d'être pris pour ce qu'ils veulent dire grammaticalement parlant, soient entendus sous leur angle sonore, soient perçus comme des mouvements » (p. 181-2). Le signifiant requiert ici une autonomie dont il était privé par l'emploi logique du langage : « Les sons, les bruits, les cris sont cherchés d'abord pour leur qualité vibratoire, ensuite pour ce qu'ils représentent » (p. 124). C'est pourquoi, dans ses descriptions du travail de l'acteur, Artaud insiste toujours sur l'élaboration du son pur : « Il pousse la voix. Il utilise des vibrations et des qualités de voix. Il fait piétiner éperdument des rythmes. Il pilonne des sons » (p. 138).

Il s'instaure donc un processus double. D'une part, l'acteur, le décor, le geste perdent leur matérialité opaque, cessent d'être une substance présente pour devenir signe. D'autre part — mais dans ce même mouvement — le signe cesse d'être abstrait, il n'est pas un simple renvoi mais devient une matière dont la rugosité arrête le regard. Rien n'est plus précieux pour Artaud dans cette vision du langage théâtral que « le côté révélateur de la matière qui semble tout à coup s'éparpiller en signes pour nous apprendre l'identité métaphysique du concret et de l'abstrait » (p. 89). Le langage symbolique (le théâtre) abolit l'opposition de ces deux catégories, il doit devenir « une sorte de démonstration expérimentale de l'identité profonde du concret et de l'abstrait » (p. 164).

Ce n'est pas la première dichotomie que le texte d'Artaud rend caduque. L'homme et l'œuvre, l'un et le multiple, le prescrit et l'improvisé, l'abstrait et le concret : autant d'oppositions que sa pensée refuse d'admettre. Ce n'est pas un hasard : la structure oppositionnelle caractérise le langage verbal et la logique qui s'en dégage.

---

1. Mais redonner au langage son « efficacité magique », c'est en même temps renoncer à une autre conception « occidentale » qui veut que le langage s'oppose à l'action. Or comme le dit Artaud, « l'état magique est ce qui entraîne à l'acte » (IV, p. 281).
Ce serait là le dernier trait spécifique des langages symboliques : ils retrouvent, « en mode matériel, immédiatement efficace, le sens d'une certaine action rituelle et religieuse » (V, p. 114-5). Le langage est action.

« Ceci » et « le contraire » ne sont plus pertinents, en revanche, pour le langage symbolique, les lois de l'identité et du tiers exclu n'y fonctionnent pas. Plus même : cela tient de la nature du langage symbolique, que de combattre la logique oppositionnelle, de réitérer incessament l'oxymoron, de « résoudre par des conjonctions inimaginables et étranges pour nos cerveaux d'hommes encore éveillés, résoudre ou même annihiler tous les conflits produits par l'antagonisme de la matière et de l'esprit, de l'idée et de la forme, du concret et de l'abstrait... » (p. 78).

Une semblable dichotomie se trouve pulvérisée dans la réponse que donne Artaud à une autre grande question : pourquoi l'art? (alors que tout ce qui précède peut être considéré comme la réponse à : qu'est-ce que l'art?). L'art pour l'art, l'art en dehors de la vie est une idée purement « occidentale » et limitée; « nous en sommes venus à n'attribuer à l'art qu'une valeur d'agrément et de repos et à le faire tenir dans une utilisation purement formelle des formes » (p. 105). Cette limitation absurde de l'art doit cesser : « nous sommes tous excédés des formes purement digestives du théâtre actuel qui n'est qu'un jeu sans efficacité » (p. 318); « s'il est encore quelque chose d'infernal et de véritablement maudit dans ce temps, c'est de s'attarder artistiquement sur les formes au lieu d'être comme des suppliciés que l'on brûle et qui font des signes sur leurs bûchers » (p. 18). Remarquons d'ailleurs que la conception réaliste (l'art comme imitation de la vie) n'est qu'une variante du modèle de l'art pour l'art : l'une comme l'autre maintiennent l'isolation de l'art et de la « vie ».

Mais l'attitude inverse, celle qui veut soumettre l'art à des objectifs précis, est tout aussi intenable. « Nous avons besoin d'action vraie, mais sans conséquence pratique. Ce n'est pas sur le plan social que l'action du théâtre s'étend. Encore moins sur le plan moral et psychologique » (p. 75). Asservir le théâtre à des objectifs politiques, c'est trahir à la fois le théâtre et la politique. Voici un texte d'Artaud qui ne laisse aucun doute quant à sa position devant ce problème : « Je crois en l'action réelle du théâtre, mais pas sur le plan de la vie. Inutile de dire après cela que je considère comme vaines toutes les tentatives faites en Allemagne, en Russie, ou en Amérique ces temps derniers, pour *faire servir* le théâtre à des buts sociaux et révolutionnaires immédiats. Et cela, si nouveaux que soient les procédés de mise en scène employés, les procédés, du fait qu'ils consentent et qu'ils se veulent *asservis* aux données les plus strictes du matérialisme dialectique, du fait qu'ils tournent le dos à la métaphysique qu'ils méprisent, demeurent de la mise en scène selon l'acception la plus grossière du mot » (V, p. 36). Ce geste — faire un théâtre asservi — est chargé d'une idéologie indépendante de (et plus puissante que) l'idéologie qu'un tel théâtre veut défendre. Soumettre le théâtre (à quoi que ce soit) c'est faire de la « mise en scène » dans le sens limité et étroit qu'a donné à cette expression la tradition occidentale ; c'est accepter du même coup tous les présupposés de cette tradition, et les voir écraser ce à quoi on prétendait soumettre le théâtre.

Cette idée n'est d'ailleurs pas neuve, chez Artaud, à l'époque du *Théâtre et son Double*. Quelques années auparavant avait eu lieu sa rupture retentissante avec les Surréalistes, auxquels il reprochait précisément de vouloir soumettre l'art à des objectifs politiques immédiats, et par là même de le garder prisonnier d'une lourde tradition métaphysique. « Le surréalisme n'est-il pas mort du jour où Breton et ses adeptes ont cru devoir se rallier au communisme et chercher dans le domaine des faits et de la matière immédiate l'aboutissement d'une action qui ne pouvait normalement se dérouler que dans les cadres intimes du cerveau », écrit Artaud en 1927.

L'art ne doit être ni gratuit, ni utilitaire ; il faut écarter les deux termes de cette fausse alternative, et prendre conscience de sa fonction essentielle. Or elle est, comme l'écrit Artaud, métaphysique. Loin de se satisfaire d'un pur jeu de formes ou d'une modification dans les conditions matérielles externes de l'homme, le théâtre doit chercher à atteindre l'être humain en ce qu'il a de plus profond, et le modifier. « Le théâtre doit poursuivre, par tous les moyens, une remise en cause, non seulement de tous les aspects du monde objectif et descriptif externe, mais du monde interne, c'est-à-dire de l'homme considéré métaphysiquement » (p. 140). Le théâtre « doit chercher à atteindre les régions profondes de l'individu et créer en lui une sorte d'altération réelle, quoique cachée, et dont il ne percevra les conséquences que plus tard » (p. 106). L'art n'a pas à *représenter* la vie, dans ce qu'elle a de plus essentiel, il doit *l'être*.

Le trajet est donc le suivant : l'art doit tendre vers une autonomie totale, vers une identification avec son essence. Mais aussitôt que la limite est atteinte, cette essence même s'évanouit, et le terme d'art n'a plus de sens. Atteindre le centre, c'est le faire disparaître; l'art supérieur n'est pas autre chose que la « vie », ou la « métaphysique » (au sens que donne Artaud à ce terme). La voie qui conduit à la plus grande efficacité, passe par le désintéressement le plus extrême.

Le « centre » est miné aussi d'une autre manière : par la relation nécessaire qui existe entre les systèmes symboliques et le devenir (et, à travers lui, le chaos). « Le plus bel art est celui qui nous rapproche le plus du Chaos » (p. 290). L'art comme système symbolique refuse l'idée même de l'essence stable, donc morte; aussitôt fixée, cette essence lui devient étrangère, puisque l'art se définit par un renoncement au repos : « les idées claires sont des idées mortes » (p. 59). Il est une remise en question permanente de sa propre définition, ou si l'on veut encore : l'art n'est rien d'autre qu'une quête désespérée de son essence.

1969.

15. Les transformations narratives

La connaissance de la littérature est sans cesse menacée par deux dangers opposés : ou bien on construit une théorie cohérente mais stérile ; ou bien on se contente de décrire des « faits », s'imaginant que chaque petite pierre servira au grand édifice de la science. Ainsi pour les genres, par exemple. Ou bien on décrit les genres « tels qu'ils ont existé », ou, plus exactement, tels que la tradition critique (métalittéraire) les a consacrés : l'ode ou l'élégie « existent » parce qu'on trouve ces appellations dans le discours critique d'une certaine époque. Mais alors on renonce à tout espoir de construire un système des genres. Ou bien on part des propriétés fondamentales du fait littéraire et on déclare que leurs différentes combinaisons produisent les genres. Dans ce cas, on est soit obligé de rester dans une généralité décevante et se contenter, par exemple, de la division en lyrique, épique et dramatique ; soit on se trouve devant l'impossibilité d'expliquer l'absence d'un genre qui aurait la structure rythmique de l'élégie jointe à une thématique joyeuse. Or le but d'une théorie des genres est de nous expliquer le système des genres *existants* : pourquoi ceux-là, et non d'autres ? La distance entre la théorie et la description reste irréductible.

Il n'en va pas autrement de la théorie du récit. Jusqu'à un certain moment, on ne disposait que de remarques, parfois fines et toujours chaotiques, sur l'organisation de tel ou tel récit. Ensuite Propp vint : à partir de cent contes de fées russes il postula la structure du récit (c'est ainsi du moins que sa tentative fut comprise la plupart du temps). Dans les travaux qui ont suivi cet essai on a beaucoup fait pour améliorer la cohérence interne de son hypothèse ; nettement moins, pour combler le vide entre sa généralité et la diversité des récits particuliers. Le jour est venu où la tâche la plus urgente des analyses du récit se situe précisément dans cet entre-deux : dans la *spécification* de la *théorie*, dans l'élaboration de catégories « intermédiaires » qui décriraient, non plus le général, mais le générique; non plus le générique, mais le spécifique.

Je me propose, dans ce qui suit, d'introduire dans l'analyse du récit une catégorie, celle de *transformation narrative*, dont le statut est, précisément, « intermédiaire ». Je procéderai en trois temps. Par une *lecture* d'analyses déjà existantes, j'essaierai de montrer à la fois l'absence et la nécessité de cette catégorie. Dans un deuxième temps, je *décrirai*, en suivant un ordre systématique, son fonctionnement et ses variétés. Enfin, j'évoquerai rapidement, par quelques exemples, les *utilisations* possibles de la notion de transformation narrative.

Quelques mots seulement sur le cadre plus général dans lequel s'inscrit cette étude. Je maintiens la distinction des aspects verbal, syntaxique et sémantique du texte (cf. *Grammaire du Décaméron*, p. 18-19[1]); les transformations discutées ici relèvent de l'aspect syntaxique. Je distingue d'autre part les *niveaux* d'analyse suivants : le prédicat (ou motif, ou fonction); la proposition; la séquence; le texte. L'étude de chacun de ces niveaux ne peut se faire que par rapport au niveau qui lui est hiérarchiquement supérieur : par exemple, celle des prédicats, dans le cadre de la proposition; celle des propositions, dans le cadre de la séquence, etc. Cette délimitation rigoureuse concerne l'analyse et non l'objet analysé; il est même possible que le texte littéraire se définisse par l'impossibilité de maintenir l'autonomie des niveaux. La présente analyse porte sur le récit, non sur le récit littéraire.

LECTURE

Tomachevski est le premier à avoir tenté une typologie des prédicats narratifs. Il postule la nécessité de « classer les motifs suivant l'action objective qu'ils décrivent » (*TL*, p. 271), et il propose la dichotomie suivante : « Les motifs qui changent la situation s'appellent des motifs dynamiques, ceux qui ne la changent pas, des motifs statiques » (*TL*, p. 272). La même opposition se trouve reprise chez Greimas qui écrit : « On doit introduire la division de la classe des prédicats, en postulant une nouvelle catégorie classématique, celle qui réalise l'opposition "statisme" vs "dynamisme". Suivant qu'ils comportent

1. Toutes les références renvoient à la liste d'ouvrages cités, à la fin de cette étude.

le sème "statisme" ou le sème "dynamisme", les sémèmes prédicatifs sont capables de fournir des renseignements soit sur les états, soit sur les procès concernant les actants » (p. 122).

Je signale ici deux autres oppositions semblables mais qui ne sont pas pertinentes au même niveau. Propp distingue (à la suite de Bédier), les motifs constants des motifs variables, et donne aux premiers le nom de fonctions, aux seconds, celui d'attributs. « Les appellations (et aussi les attributs) des personnages changent, leurs actions ou fonctions ne changent pas » (p. 29). Mais la constance ou la variabilité d'un prédicat ne peut être établie qu'à l'intérieur d'un genre (dans son cas, le conte de fées russe); c'est une distinction générique et non générale (ici, propositionnelle). Quant à l'opposition faite par Barthes entre fonction et indice, elle se situe au niveau de la séquence et concerne donc les propositions, non les prédicats (« deux grandes classes de fonctions, les unes distributionnelles, les autres intégratives», p. 8).

La seule catégorie dont nous disposons pour décrire la variété des prédicats est par conséquent celle de statisme-dynamisme, qui reprend et explicite l'opposition grammaticale entre adjectif et verbe. On chercherait en vain d'autres distinctions, à ce même niveau : il semble que tout ce qu'on peut affirmer des prédicats, sur le plan syntaxique, s'épuise par cette caractéristique : « statique-dynamique », « adjectif-verbe ».

Si cependant l'on se tourne, non vers les affirmations théoriques, mais vers les analyses de textes, on s'aperçoit qu'un affinement de la typologie prédicative est possible, plus même, qu'il est suggéré par ces analyses (sans qu'il soit pourtant explicitement formulé). On illustrera cette affirmation par la lecture d'une partie de l'analyse à laquelle Propp soumet le conte de fées russe.

Voici le résumé des premières fonctions narratives, analysées par Propp. « 1. Un des membres d'une famille est absent du foyer. 2. On impose au héros une interdiction. 3. L'interdiction est enfreinte. 4. L'agresseur cherche à se renseigner. 5. L'agresseur reçoit des renseignements relatifs à sa victime. 6. L'agresseur tente de tromper sa victime pour s'emparer d'elle ou de ses biens. 7. La victime tombe dans le panneau et par là aide involontairement son ennemi. 8. L'agresseur nuit à l'un des membres de la famille ou cause un manque. 9. On annonce le malheur ou le manque, on s'adresse au héros, avec une demande ou un ordre, on l'envoie ou on le laisse partir. 10. Le quêteur accepte de réagir, ou s'y décide. 11. Le héros quitte la maison », etc. (p. 36-48). Comme on sait, le nombre total de ces fonctions est de 31 et, selon Propp, chacune d'elles est indivisible et incomparable aux autres.

Il suffit cependant de comparer deux par deux les propositions citées pour s'apercevoir que les prédicats possèdent souvent des traits communs et opposés ; qu'il est donc possible de dégager des catégories sous-jacentes qui définissent la combinatoire dont les fonctions de Propp sont les produits. On retournera ainsi contre Propp le reproche qu'il adressait lui-même à son précurseur Veselovski : le refus de pousser l'analyse jusqu'aux plus petites unités (en attendant qu'on le retourne contre nous). Cette exigence n'est pas nouvelle ; Lévi-Strauss écrivait déjà : « Il n'est pas exclu que cette réduction puisse être poussée encore plus loin, et que chaque partie, prise isolément, soit analysable en un petit nombre de fonctions récurrentes, si bien que plusieurs fonctions distinguées par Propp constitueraient, en réalité, le groupe des transformations d'une seule et même fonction » (p. 27-28). Nous suivrons cette suggestion dans la présente analyse ; mais on verra que la notion de transformation y prendra un sens assez différent.

La juxtaposition de 1 et 2 nous montre déjà une première différence. 1 décrit une action simple et qui a réellement eu lieu ; 2, en revanche, évoque deux actions simultanément. Si l'on dit dans le conte : « Ne dis rien à Baba Yaga, au cas où elle viendrait » (exemple de Propp), il y a, d'une part, l'action possible mais non réelle d'information de Baba Yaga ; de l'autre, l'action actuelle d'interdiction. Autrement dit, l'action d'informer (ou dire) n'est pas présentée au mode indicatif mais comme une obligation négative.

Si l'on compare 1 et 3, une autre différence se fait jour. Le fait que l'un des membres de la famille (le père, la mère) est absent du foyer est différent de nature du fait que l'un des enfants enfreint l'interdiction. Le premier décrit un état qui dure un temps indéfini ; le second, une action ponctuelle. Dans les termes de Tomachevski, le premier est un motif statique, le second, un motif dynamique : l'un constitue la situation ; l'autre la modifie.

Si maintenant on compare 4 et 5, on s'aperçoit d'une autre possibilité de pousser l'analyse plus loin. Dans la première proposition, l'agresseur cherche à se renseigner, dans la seconde, il se renseigne.

Le dénominateur commun des deux propositions est l'action de se renseigner ; mais dans le premier cas, elle est décrite comme une intention, dans le second, comme chose faite.

6 et 7 présentent le même cas : d'abord, on tente de tromper, ensuite on trompe. Mais la situation est ici plus complexe, car en même temps qu'on passe de l'intention à la réalisation, on glisse du point de vue de l'agresseur à celui de la victime. Une même action peut être présentée dans différentes perspectives : « l'agresseur trompe » ou « la victime tombe dans le panneau » ; elle n'en reste pas moins une seule action.

9 nous permet une autre spécification. Cette proposition ne désigne pas une nouvelle action mais le fait que le héros en prend connaissance. 4 décrivait d'ailleurs une situation semblable : l'agresseur tente de se *renseigner;* mais se renseigner, apprendre, savoir, est une action de deuxième degré, elle présuppose une autre action (ou un autre attribut) que l'on apprend, précisément.

Dans 10 on rencontre une autre forme déjà notée : avant de quitter la maison, le héros décide de quitter la maison. Encore une fois, on ne peut pas mettre la décision sur le même plan que le départ, puisque l'une présuppose l'autre. Dans le premier cas, l'action est un désir, ou une obligation, ou une intention ; dans le second, elle a réellement lieu. Propp ajoute aussi qu'il s'agit du « commencement de la réaction » ; mais « commencer » n'est pas une action à part entière, c'est l'aspect (inchoatif) d'une autre action.

Il n'est pas nécessaire de continuer pour illustrer le principe que nous défendons. On pressent déjà la possibilité, à chaque fois, de pousser l'analyse plus loin. Notons cependant que cette critique fait surgir des aspects différents du récit, dont nous ne retiendrons qu'un seul. On ne s'attardera plus sur le manque de distinction entre motifs statiques et dynamiques (adjectifs et verbes). Claude Bremond a insisté sur une autre catégorie négligée par Propp (et par Dundes) : on ne doit pas confondre deux actions différentes avec deux perspectives sur la même action. Le *perspectivisme* propre au récit ne saurait être «réduit», il en constitue, au contraire, une des caractéristiques les plus importantes. Ou comme l'écrit Bremond : « La possibilité et l'obligation de passer ainsi, par conversion des points de vue, de la perspective d'un agent à celle d'un autre, sont capitales... Elles impliquent la récusation, au niveau de l'analyse où nous travaillons, des notions de "Héros", de "Villain", etc., conçues comme des dossards distribués une fois pour toutes aux personnages. Chaque agent est son propre héros. Ses partenaires se qualifient dans sa perspective comme alliés, adversaires, etc. Ces qualifications s'inversent quand on passe d'une perspective à l'autre » (« La logique des possibles narratifs », p. 64). Et ailleurs : « La même séquence d'événements admet des structurations différentes, selon qu'on la construit en fonction des intérêts de tel ou tel de ses participants » (« Postérité américaine de Propp », p. 162). Mais c'est un autre point de vue que je retiendrai ici. Propp refuse toute analyse paradigmatique du récit. Ce refus est formulé explicitement : « On aurait pu s'attendre à ce que la fonction A exclût certaines autres fonctions, appartenant à d'autres contes. On pouvait s'attendre à obtenir plusieurs pivots, mais le pivot est le même pour tous les contes merveilleux » (p. 32). Ou encore : « Si nous lisons à la suite toutes les fonctions, nous voyons qu'une fonction découle de l'autre par une nécessité logique et artistique. Nous voyons effectivement qu'aucune fonction n'exclut l'autre. Elles appartiennent toutes au même pivot, et non à plusieurs pivots » (p. 72).

Il est vrai qu'en cours d'analyse Propp se voit amené à contredire son propre principe, mais malgré les quelques remarques paradigmatiques « sauvages », son analyse reste fondamentalement syntagmatique. C'est ce qui a provoqué une réaction, également inadmissible à nos yeux, chez certains commentateurs de Propp (Lévi-Strauss et Greimas) qui refusent toute pertinence à l'ordre syntagmatique, à la succession, et s'enferment dans un paradigmatisme tout aussi exclusif. Il suffit de citer une phrase de Lévi-Strauss : « L'ordre de succession chronologique se résorbe dans une structure matricielle atemporelle » (p. 29) ou de Greimas : « La réduction telle que nous l'avons opérée a exigé une interprétation paradigmatique et achronique des relations entre fonctions... Cette interprétation paradigmatique, condition même de la saisie de la signification du récit dans sa totalité... » etc. (p. 204). Nous nous refusons, pour notre part, à choisir entre l'une ou l'autre de ces deux perspectives; il serait consternant de priver l'analyse du récit du double profit que peuvent lui apporter et les études syntagmatiques de Propp et les analyses paradigmatiques d'un Lévi-Strauss.

Dans le cas qui nous intéresse ici, et pour dégager la catégorie de *transformation*, fondamentale pour la grammaire narrative, nous devons combattre le refus par Propp de toute perspective paradigmatique. Sans être identiques entre eux, les prédicats que l'on rencontre au long de la chaîne syntagmatique sont comparables, et l'analyse a tout à gagner en mettant en évidence les rapports qu'ils entretiennent.

DESCRIPTION

Je noterai d'abord, par souci terminologique, que le mot « transformation » apparaît chez Propp, avec le sens d'une transformation sémantique, non syntaxique; qu'on le retrouve chez Cl. Lévi-Strauss et A.-J. Greimas, dans un sens semblable au nôtre mais, comme nous allons le voir, beaucoup plus restreint; qu'on le rencontre enfin dans la théorie linguistique actuelle dans un sens technique, qui n'est pas exactement le nôtre.

On dira que deux propositions sont en relation de transformation lorsqu'un prédicat reste identique de part et d'autre. On se verra aussitôt obligé de distinguer entre deux types de transformations. Appelons le premier *transformations simples* (ou *spécifications*) : elles consistent à modifier (ou à ajouter) un certain opérateur spécifiant le prédicat. Les prédicats de base peuvent être considérés comme étant dotés d'un opérateur zéro. Ce phénomène rappelle, dans la langue, le processus d'auxiliation, entendu au sens large : c'est-à-dire le cas où un verbe accompagne le verbe principal, en le spécifiant (« X commence à travailler »). Il ne faut pas oublier toutefois que nous nous plaçons dans la perspective d'une grammaire logique et universelle, non de celle d'une langue particulière; on ne s'arrêtera pas sur le fait qu'en français, par exemple, cet opérateur pourra être désigné par des formes linguistiques diverses : verbes auxiliants, adverbes, particules, autres termes lexicaux.

Le deuxième type sera celui des *transformations complexes* (ou *réactions*) caractérisées par l'apparition d'un second prédicat qui se greffe sur le premier et ne peut exister indépendamment de lui. Alors que dans le cas des transformations simples il n'y a qu'un prédicat et par conséquent un seul sujet, dans celui des transformations complexes la présence de deux prédicats permet l'existence d'un ou deux sujets. « X pense qu'il a tué sa mère » est, de même que « Y pense que X a tué sa mère », une transformation complexe de la proposition « X a tué sa mère ».

Notons ici que la dérivation décrite est purement logique, non psychologique : nous dirons que « X décide de tuer sa mère » est la transformation de « X tue sa mère », bien que psychologiquement la relation soit l'inverse. La « psychologie » intervient ici comme objet de connaissance, non comme outil de travail : les transformations complexes désignent, on le voit, des opérations psychiques ou la relation entre un événement et sa représentation.

La transformation a, apparemment, deux limites. D'une part, il n'y a pas *encore* transformation si le changement d'opérateur ne peut être établi avec évidence. D'autre part, il n'y a *plus* transformation si au lieu de deux « transformes » d'un même prédicat nous trouvons deux prédicats autonomes. Le cas le plus proche des prédicats transformés et que nous devons distinguer soigneusement sera celui des actions qui sont des *conséquences* les unes des autres (relation d'implication, de motivation, de présupposition). Ainsi pour les propositions « X hait sa mère » et « X tue sa mère » : elles n'ont plus de prédicat en commun et le rapport entre les deux n'est pas de transformation. Un cas plus proche encore, en apparence, est celui des actions que l'on désigne par des verbes causatifs : « X incite Y à tuer sa mère », « X fait que Y tue sa mère », etc. Bien qu'une telle phrase évoque une transformation complexe, nous sommes ici en face de deux prédicats indépendants, et d'une conséquence ; la confusion vient de ce que la première action est entièrement escamotée, on n'en a retenu que la finalité (on ne nous décrit pas comment X « incite » ou « fait », etc.).

Pour énumérer les différentes espèces de transformations j'adopterai une double hypothèse. D'abord, je limiterai les actions considérées à celles que le lexique français code, sous la forme de verbes à complétive. D'autre part, dans la description de chaque espèce je me servirai de termes qui coïncident souvent avec les catégories grammaticales. Ces deux suppositions pourraient être modifiées sans que l'existence de la transformation narrative fût pour autant mise en question. — Les verbes groupés à l'intérieur d'un type de transformation sont réunis par la relation entre le prédicat de base et le prédicat transformé. Ils se séparent, cependant, par les présuppositions impliquées dans leur sens. Par exemple, « X confirme que Y a tué sa mère » et « X révèle que Y a tué sa mère » opèrent la même transformation de description mais « confirmer » présuppose que ce fait était déjà connu, « révéler », que X est le premier à l'affirmer.

1. Transformations simples.

1. *Transformations de mode.* La langue exprime ces transformations, concernant la possibilité, l'impossibilité ou la nécessité d'une action, par les verbes modaux comme *devoir* et *pouvoir*, ou par l'un de leurs substituts. L'interdiction, très fréquente dans le récit, est une nécessité négative. Un exemple de l'action sera : « X doit commettre un crime ».

2. *Transformations d'intention.* Dans ce cas, on indique l'intention qu'a le sujet de la proposition d'accomplir une action, et non l'action elle-même. Cet opérateur est formulé dans la langue par l'intermédiaire de verbes comme : *essayer, projeter, préméditer.* Exemple : « X projette de commettre un crime ».

3. *Transformations de résultat.* Alors que dans le cas précédent, l'action était vue à l'état naissant, le présent type de transformations la formule comme déjà accomplie. En français on désigne cette action par des verbes comme *réussir à, parvenir à, obtenir*; dans les langues slaves, c'est l'aspect perfectif du verbe qui dénote le même phénomène. Il est intéressant de noter que les transformations d'intention et de résultat, précédant et suivant le même prédicat à opérateur zéro, ont déjà été décrites par Claude Bremond, sous le nom de « triade »; mais cet auteur les considère comme des actions indépendantes, enchaînées causalement et non comme des transformations. Notre exemple devient : « X réussit à commettre un crime ».

4. *Transformations de manière.* Tous les autres groupes de transformations dans ce premier type pourraient être caractérisés comme des « transformations de manière » : on spécifie la manière dont se déroule une action. J'ai toutefois isolé deux sous-groupes plus homogènes, en réunissant dans la présente rubrique des phénomènes assez variés. La langue désigne cette transformation, avant tout, par des adverbes; mais on trouvera fréquemment des verbes auxiliants dans la même fonction : ainsi *s'empresser de, oser, exceller à, s'acharner à.* Un groupe relativement cohérent sera formé par les indices d'intensité, dont une forme se retrouve dans le comparatif et le superlatif. Notre exemple deviendra ici : « X s'empresse de commettre un crime ».

5. *Transformations d'aspect.* A.-J. Greimas a déjà indiqué la proximité qu'il y a entre les adverbes de manière et les aspects du

verbe. En français, l'aspect trouve son expression la moins ambiguë dans des verbes auxiliants comme *commencer, être en train de, finir* (inchoatif, progressif, terminatif). Relevons la proximité référentielle entre les aspects inchoatif et terminatif, et les transformations d'intention et de résultat; mais la catégorisation des phénomènes est différente, les idées de finalité et de volonté étant absentes ici. D'autres aspects sont le duratif, le ponctuel, l'itératif, le suspensif, etc. L'exemple devient ici : « X commence à commettre un crime ».

6. *Transformations de statut.* En reprenant le terme de « statut » au sens que lui donnait B. L. Whorf, on peut désigner ainsi le remplacement de la forme positive d'un prédicat par la forme négative ou par la forme opposée. Comme on sait, le français exprime la négation par « ne... pas », l'opposition, par une substitution lexicale. Ce groupe de transformations était déjà signalé, très brièvement, par Propp; c'est au même type d'opération que se réfère surtout Lévi-Strauss en parlant de transformations (« on pourrait traiter la "violation" comme l'inverse de la "prohibition", et celle-ci, comme une transformation négative de l' "injonction" », p. 28); il est suivi dans cette voie par Greimas qui s'appuie, lui, sur les modèles logiques décrits par Brøndal et Blanché. Notre exemple devient : « X ne commet pas un crime ».

2. Transformations complexes.

1. *Transformations d'apparence.* Nous nous tournons vers le deuxième grand type de transformations, celles qui produisent non une spécification du prédicat initial mais l'adjonction d'une action dérivée sur l'action première. Les transformations que j'appelle « d'apparence » indiquent le remplacement d'un prédicat par un autre, ce dernier pouvant passer pour le premier, sans vraiment l'être. En français, on désigne une transformation semblable par les verbes *feindre, faire semblant, prétendre, travestir,* etc.; ces actions reposent, on le voit, sur la distinction entre être et paraître, absente dans certaines cultures. Dans tous ces cas, l'action du premier prédicat n'est pas réalisée. Notre exemple sera « X (ou Y) fait semblant que X commet un crime. »

2. *Transformations de connaissance.* Face à ces trompe-l'œil, on peut concevoir un type de transformations qui précisément décrivent la prise de connaissance concernant l'action dénotée par un

autre prédicat. Des verbes comme : *observer, apprendre, deviner, savoir, ignorer* décrivent les différentes phases et modalités de la connaissance. Propp avait déjà remarqué l'autonomie de ces actions (p. 80), mais sans lui accorder beaucoup d'importance. Dans ce cas, le sujet des deux verbes est habituellement différent. Mais il n'est pas impossible de garder le sujet identique : cela nous renvoie à des histoires relatant une perte de la mémoire, des actions inconscientes, etc. Notre exemple devient donc : « X (ou Y) apprend que X a commis un crime ».

3. Transformations de description. Ce groupe se trouve également dans un rapport complémentaire avec les transformations de connaissance ; il réunit les actions qui sont destinées à provoquer la connaissance. Ce sera, en français, un sous-ensemble des « verbes de parole » qui apparaîtra le plus souvent dans cette fonction : les verbes constatifs, les verbes performatifs signifiant des actions autonomes. Ainsi : *raconter, dire, expliquer.* L'exemple sera alors : « X (ou Y) raconte que X a commis un crime ».

4. Transformations de supposition. Un sous-ensemble des verbes descriptifs se réfère à des actes non encore advenus, ainsi *prévoir, pressentir, soupçonner, s'attendre:* nous sommes là en face de la prédiction : par opposition aux autres transformations, l'action désignée par le prédicat principal se situe au futur, non au présent ou au passé. Remarquons que des transformations diverses peuvent dénoter des éléments de situation communs. Par exemple, les transformations de mode, d'intention, d'apparence et de supposition impliquent toutes que l'événement dénoté par la proposition principale n'a pas eu lieu ; mais chaque fois une catégorie différente est mise en jeu. L'exemple est devenu ici : « X (ou Y) pressent que X commettra un crime ».

5. Transformations de subjectivation. Nous passons ici dans une autre sphère : alors que les quatre transformations précédentes traitaient des rapports entre discours et objet du discours, connaissance et objet de la connaissance, les transformations suivantes se rapportent à l'attitude du sujet de la proposition. Les transformations de subjectivation se réfèrent à des actions dénotées par les verbes *croire, penser, avoir l'impression, considérer,* etc. Une telle transformation ne modifie pas vraiment la proposition principale, mais l'attribue, en tant que constatation, à un sujet quelconque : « X (ou Y) pense que X a commis un crime ». Notons que la proposition initiale peut être vraie ou fausse : je peux croire en une chose qui n'a pas vraiment eu lieu. — Nous sommes introduits par là à la problématique du « narrateur » et du « point de vue » : alors que « X a commis un crime » est une proposition qui n'est présentée au nom d'aucune personne particulière (mais de l'auteur — ou du lecteur — omniscient), « X (ou Y) pense que X a commis un crime » est la trace laissée par le même événement chez un individu.

6. *Transformations d'attitude.* Je me réfère par ce terme aux descriptions de l'état provoqué chez le sujet par l'action principale, pendant sa durée. Proches des transformations de manière, elles s'en distinguent par ce qu'ici l'information supplémentaire concerne le sujet, là, le prédicat : il s'agit donc dans le cas présent d'un nouveau prédicat, et non d'un opérateur spécifiant le premier. C'est ce qu'expriment des verbes comme *se plaire, répugner, se moquer.* Notre exemple devient : « X se plaît à commettre un crime » ou « Y répugne à ce que X commette un crime ». Les transformations d'attitude, comme celles de connaissance ou de subjectivation sont particulièrement fréquentes dans ce qu'il est convenu d'appeler le « roman psychologique ».

Trois remarques avant de conclure cette énumération succincte.

1. Il est extrêmement fréquent d'observer que des conjonctions de plusieurs transformations soient désignées par un seul mot dans le lexique d'une langue; on ne doit pas en conclure à l'indivisibilité de l'opération elle-même. Par exemple les actions de *condamner* ou de *féliciter,* etc. se laissent décomposer en un jugement de valeur et en un acte de parole (transformations d'attitude et de description).

2. Il nous est toutefois impossible pour l'instant de fonder en raison l'existence de ces transformations-là, et l'absence de toute autre; cela n'est même pas souhaitable, probablement, avant que des observations plus nombreuses ne viennent s'accumuler. Les catégories de vérité, de connaissance, d'énonciation, de futur, de subjectivité et de jugement, qui permettent de délimiter les groupes de transformations complexes, ne sont certainement pas indépendantes les unes des autres; des contraintes supplémentaires régissent sans doute le fonctionnement des trans-formes : nous ne pouvons ici que signaler

l'existence de ces directions de recherche et souhaiter qu'elles soient suivies.

3. Un problème méthodologique de première importance et que nous avons laissé délibérément de côté est celui du passage entre le texte observé et nos termes descriptifs. Ce problème est particulièrement actuel en analyse littéraire où la substitution à une partie du texte présent d'un terme qui n'y figure pas a toujours fait crier au sacrilège. Un clivage semble s'esquisser ici entre deux tendances dans l'analyse du récit : l'une, analyse propositionnelle ou sémique, élabore ses unités; l'autre, analyse lexique, les trouve telles quelles dans le texte. Ici encore, seules les recherches ultérieures prouveront la plus grande utilité de l'une ou l'autre voie.

APPLICATION

L'application de la notion de transformation dans la description des prédicats narratifs me semble se passer de commentaires. Une autre application évidente est la possibilité de caractériser des textes par la prédominance quantitative ou qualitative de tel ou tel type de transformations. On reproche souvent à l'analyse du récit d'être incapable de rendre compte de la complexité des textes littéraires. Or la notion de transformation permet à la fois de surmonter cette objection et de poser les bases d'une typologie des textes. J'ai essayé de montrer par exemple que *la Quête du Graal* se caractérisait par le rôle qu'y jouent deux types de transformations : d'une part tous les événements qui arrivent sont annoncés d'avance; de l'autre, une fois arrivés, ils reçoivent une interprétation nouvelle, dans un code symbolique particulier. Sur un autre exemple, les nouvelles de Henry James, j'ai tenté d'indiquer la place des transformations de connaissance : elles dominent et déterminent le déroulement linéaire du récit. Parlant de typologie, on doit, bien entendu, tenir compte du fait qu'une typologie des textes ne saurait être que pluri-dimensionnelle, et que les transformations correspondent à une seule dimension.

On peut prendre comme autre exemple d'application un problème de la théorie du récit qui a déjà été discuté précédemment : celui de la définition de la séquence narrative. La notion de transformation permet d'éclairer sinon de résoudre ce problème.

Plusieurs représentants du Formalisme russe ont tenté de donner une définition de la séquence. Chklovski s'y emploie dans son étude sur « La construction du conte et du roman ». Il affirme d'abord l'existence, en chacun de nous, d'une faculté de jugement (on dirait aujourd'hui : d'une compétence) nous permettant de décider si une séquence narrative est complète ou non. « Il ne suffit pas d'une simple image, d'un simple parallèle, ni même de la simple description d'un événement pour que nous ayons l'impression de nous trouver devant un conte » (*TL*, p. 170). « Il est clair que les extraits cités ne sont pas des contes; cette impression ne dépend pas de leurs dimensions » (p. 175). « On a l'impression que le conte n'est pas terminé » (p. 176), etc. Cette « impression » est donc incontestable, mais Chklovski ne parvient pas à l'expliciter et déclare d'emblée son échec : « Je ne puis encore dire quelle qualité doit caractériser le motif, ni comment les motifs doivent se combiner afin que l'on obtienne un sujet » (p. 170). Si l'on reprend cependant les analyses particulières qu'il fait après cette déclaration, on verra que la solution, bien que non formulée, est déjà présente dans son texte.

En effet, à la suite de chaque exemple analysé, Chklovski formule la règle qui lui semble fonctionner dans le cas précis. Ainsi : « Le conte exige non seulement l'action mais aussi la réaction, il exige un manque de coïncidence » (p. 172). « Le motif de la fausse impossibilité se fonde aussi sur une contradiction. Dans une prédiction, par exemple, cette contradiction s'établit entre les intentions des personnages qui cherchent à éviter la prédiction et le fait qu'elle se réalise (le motif d'Œdipe) » (p. 172-173). « On nous présente d'abord une situation sans issue, ensuite une solution spirituelle. Les contes où l'on pose et on déchiffre une énigme se rattachent au même cas... Ce genre de motifs implique la succession suivante : l'innocent est susceptible d'être accusé, on l'accuse, et enfin on l'acquitte » (p. 173). « Ce caractère achevé vient du fait qu'après nous avoir trompé par une fausse reconnaissance, on nous dévoile la véritable situation. Ainsi la formule est respectée » (p. 175). « Ce nouveau motif s'inscrit en parallèle au récit précédent, grâce à quoi la nouvelle semble achevée » (p. 177).

On peut résumer ces six cas particuliers, analysés par Chklovski, de la manière suivante : la séquence achevée et complète exige l'existence de deux éléments; on peut transcrire ceux-ci comme suit :

1) rapport des personnages	— rapport des personnages inversé
2) prédiction	— réalisation de la prédiction
3) énigme posée	— énigme résolue
4) fausse accusation	— accusation écartée
5) présentation déformée des faits	— présentation correcte des faits
6) motif	— motif parallèle

Nous voyons maintenant quelle est la notion qui aurait permis à Chklovski d'unifier ces six cas particuliers en une « formule » : c'est précisément la transformation. La séquence implique l'existence de deux situations distinctes dont chacune se laisse décrire à l'aide d'un petit nombre de propositions; entre au moins une proposition de chaque situation il doit exister un rapport de transformation. Nous pouvons en effet reconnaître les groupes de transformations dégagées auparavant. Dans le cas 1), il s'agit d'une transformation de statut : positif-négatif; dans 2), d'une transformation de supposition : prédiction-réalisation; dans 3), 4) et 5), d'une transformation de connaissance : l'ignorance ou l'erreur sont remplacées par un savoir correct; dans 6) enfin, nous avons affaire à une transformation de manière : plus ou moins fort. Ajoutons qu'il existe aussi des récits à transformation zéro : ceux où l'effort pour modifier la situation précédente échoue (sa présence est cependant nécessaire pour qu'on puisse parler de séquence, et de récit).

Une telle formule est évidemment très générale : son utilité est de poser un cadre pour l'étude de tout récit. Elle permet d'unifier les récits, non de les distinguer; pour procéder à cette dernière tâche, on doit répertorier les différents moyens dont dispose le récit pour nuancer cette formule. Sans entrer dans le détail, disons que cette spécification s'opère de deux manières : par addition et par subdivision. Sur le plan fonctionnel, cette même opposition correspond aux propositions *facultatives* et *alternatives* : dans le premier cas, la proposition apparaît ou non; dans le second, l'une des propositions alternatives au moins doit se trouver obligatoirement dans la séquence (cf. *Grammaire du Décaméron*, p. 58-59). Bien sûr, la nature même de la transformation spécifie déjà le type de séquence.

On pourrait se demander enfin si la notion de transformation est un pur artifice descriptif ou si elle nous permet, d'une manière plus essentielle, de comprendre la nature même du récit. Je pencherai pour la seconde réponse ; voici pourquoi. Le récit se constitue dans la tension de deux catégories formelles, la différence et la ressemblance ; la présence exclusive de l'une d'entre elles nous mène dans un type de discours qui n'est pas récit. Si les prédicats ne changent pas, nous sommes en deçà du récit, dans l'immobilité du psittacisme ; mais s'ils ne se ressemblent pas, nous nous trouvons au-delà du récit, dans un reportage idéal, tout forgé de différences. La simple relation de faits successifs ne constitue pas un récit : il faut que ces faits soient organisés, c'est-à-dire, en fin de compte, qu'ils aient des éléments en commun. Mais si tous les éléments sont communs, il n'y a plus de récit càr il n'y a plus rien à raconter. Or la transformation représente justement une synthèse de différence et de ressemblance, elle relie deux faits sans que ceux-ci puissent s'identifier. Plutôt qu'« unité à deux faces », elle est une opération à double sens : elle affirme à la fois la ressemblance et la différence ; elle enclenche le temps et le suspend, d'un seul mouvement ; elle permet au discours d'acquérir un sens sans que celui-ci devienne pure information ; en un mot : elle rend possible le récit et nous livre sa définition même.

1969.

Ouvrages cités

R. Barthes, « Introduction à l'analyse structurale des récits », *Communications*, 8, 1966.

C. Bremond, « La Logique des possibles narratifs », *Communications*, 8.

— « Postérité américaine de Propp », *Communications*, 11, 1968.

A.-J. Greimas, *Sémantique structurale*, Paris, Larousse, 1966.

Cl. Lévi-Strauss, « La structure et la forme », *Cahiers de l'Institut de science économique appliquée*, 99, 1960 (série M, n° 7).

V. Propp, *Morfologija skazki*, Leningrad, 1928 (voir maintenant la traduction française, Paris, Seuil, 1970).

Théorie de la littérature, Textes des Formalistes russes, Paris, Seuil, 1965.

T. Todorov, *Grammaire du Décaméron*, La Haye, Mouton, 1969.

— « La quête du récit », « Le secret du récit », ici-même.

16. Comment lire?

Par un geste qui ne contredit ce titre qu'en apparence, je voudrais m'interroger ici sur les modalités et les moyens de l'écriture, lorsqu'elle prend le texte littéraire pour objet. Plutôt qu'à une théorie générale de l'entendement et de l'éxégèse, c'est à la description d'une pratique, se faisant, se défaisant au jour le jour, que je m'attacherai. Description qui s'organisera suivant les exigences d'un ordre, tout comme n'importe quelle description, celui-ci préjugeant pourtant la réponse à laquelle je ne puis aboutir qu'à la fin de ce texte. La réponse précède donc la question et écrire sur « comment lire? » implique que l'on renonce à toute remontée vers un commencement absolu.

Rappelons, pour commencer, quelques banalités.

Je nommerai *projection* une « première » activité sur le texte littéraire (les guillemets signifient qu'elle est première dans mon ordre seulement), que l'on a fortement et fréquemment attaquée depuis un siècle, hors de France surtout, mais qui continue à dominer les institutions, ici comme ailleurs. L'attitude projective se définit par une conception du texte littéraire comme transposition faite à partir d'une série originelle. L'auteur a contribué à un premier passage, de l'original à l'œuvre, c'est au critique maintenant de nous faire parcourir le chemin inverse, de fermer la boucle, en remontant à l'original. Il y aura autant de projections que d'acceptions sur ce qui constitue l'origine. Si l'on pense que c'est la vie de l'auteur, on obtiendra une projection biographique ou psychanalytique (première manière) : l'œuvre est un moyen pour accéder à « l'homme ». Si l'on postule que l'original est constitué par la réalité sociale contemporaine de la parution du livre ou aux événements représentés, on rencontre la critique (la projection) sociologique, dans toutes ses variétés. Enfin lorsque le point de départ présumé est « l'esprit humain », dans ses propriétés intemporelles, nous avons affaire à une projection philosophique, ou anthropologique (il y en a plus d'une !). Mais quelle que soit l'idée que ce lecteur se fait de la nature de l'original, il participe toujours d'une même attitude réductionniste et instrumentaliste à l'égard du texte.

Désignons par le mot de *commentaire* une seconde attitude, complémentaire et opposée. Né des difficultés que soulève la compréhension immédiate de certains textes, le commentaire se définit par son intériorité à l'œuvre commentée : il cherche à éclairer le sens, non à traduire. Le commentateur refuse d'omettre quoi que ce soit du texte-objet, de même qu'il bannit tout supplément qui viendrait s'y greffer ; la fidélité est à la fois son principe directeur et le critère de sa réussite. La limite du commentaire est la paraphrase (dont la limite est la réitération), le commentaire est infiniment particulier, d'où, probablement, l'absence d'une théorie du commentaire (en ce sens du mot). Sous le nom « d'explication de texte », il a constitué l'exercice scolaire fondamental de l'enseignement littéraire, pendant de longues années. Les ambitions limitées que sont les siennes lui assurent une relative invulnérabilité ; relative, mais chèrement payée.

Nous gravissons un degré en abordant un troisième type de travail sur le texte, que l'on peut appeler *poétique*. L'objet de la poétique est constitué par les propriétés du discours littéraire. Les œuvres particulières sont des instances exemplifiant ces mêmes propriétés. La poétique s'apparente — de loin — à la projection. Toutes deux considèrent l'œuvre individuelle comme un produit ; mais la ressemblance s'arrête là : dans le cas de la projection, le texte est produit par une série hétérogène (la vie de l'auteur, les conditions sociales, les propriétés de l'esprit humain). Pour la poétique, en revanche, le texte est le produit d'un mécanisme fictif et pourtant bien existant, la littérature. Ainsi l'objet de la *Poétique* d'Aristote n'est pas tel poème d'Homère ou telle tragédie d'Eschyle, mais la tragédie ou l'épopée.

Le discours de la poétique n'est pas plus nouveau que celui de la projection ou du commentaire ; notre siècle a cependant vu une renaissance des études de poétique, liée à plusieurs écoles critiques : le Formalisme russe, l'école morphologique allemande, le New Cristicism anglo-saxon, les études structurales en France (selon l'ordre d'apparition). Ces écoles critiques (quelles que soient les divergences entre elles) se situent à un niveau qualitativement différent de celui de toute autre tendance critique, dans la mesure où elles ne cherchent pas à nommer le sens du texte, mais à en décrire les éléments constitutifs. Par là-même, la démarche de la poétique s'apparente à ce qu'il conviendra d'appeler un jour « la science de la littérature ». En 1919, Jakobson résumait en une brève formule ce qui constitue le point de départ de la poétique : « Si les études littéraires veulent devenir science, elles doivent reconnaître le "procédé" comme leur personnage unique ». Bien plus que par des œuvres, l'objet de la poétique sera constitué par les « procédés » littéraires : c'est-à-dire par des concepts qui décrivent le fonctionnement du discours littéraire.

Le point d'aboutissement d'une étude de poétique est toujours le « général » : c'est-à-dire la littérature ou l'une de ses subdivisions (les genres) : qu'elle parte de l'analyse d'une œuvre particulière, ou qu'elle se maintienne dans le champ du discours théorique, et indépendamment du fait que le déroulement même de l'étude consistera, le plus souvent, en un va-et-vient continuel entre le texte analysé et la théorie. En effet, on le voit facilement, une démarche inverse, du général au particulier, ne peut avoir qu'un intérêt didactique. En repérant les traits universels de la littérature à l'intérieur d'une œuvre individuelle, on ne ferait qu'illustrer, à l'infini, des prémisses qu'on aurait posées. Une étude de poétique, au contraire, doit déboucher sur des conclusions qui complètent ou modifient les prémisses de départ.

On a pu reprocher à la poétique son inattention à la spécificité du texte individuel et son souci de définir et étudier des concepts abstraits qui n'ont pas d'existence perceptible. Ce reproche participe, historiquement, d'une attitude qui a déjà causé beaucoup de torts à la critique littéraire et que l'on désignera, faute de mieux, comme un « faire l'autruche ». Refuser la légitimité d'une théorie générale de la littérature n'a jamais équivalu à l'absence d'une telle théorie, mais seulement au parti-pris qui conduit à ne pas rendre cette théorie explicite, à ne pas s'interroger sur le statut des concepts utilisés. Dès l'instant où l'on produit un discours sur la littérature, on s'appuie, qu'on le veuille ou non, sur une conception générale du texte littéraire; la poétique est le lieu d'élaboration de cette conception. Sur le plan théorique, ce reproche nous renvoie à une confusion que l'histoire de la science connaît bien : celle de l'objet réel et de l'objet de connaissance.

Mais si l'on veut éviter d'encourir l'objection selon laquelle il ne reste alors plus aucune place pour l'étude de l'œuvre particulière, il faut poser, face à la poétique, une activité différente, qu'on conviendra d'appeler la *lecture*. L'objet de la lecture est le texte singulier; son but, d'en démonter le système. La lecture consiste en une mise en rapport de chaque élément du texte avec tous les autres, ceux-ci étant répertoriés non dans leur signification générale, mais en vue de ce seul emploi. En théorie, elle touche, on le voit, l'impossible. Elle veut saisir, à l'aide du langage, l'œuvre comme pure différence, alors que le langage même repose sur la ressemblance, et nomme le générique, non l'individuel. L'expression « système du texte » est un oxymoron. Elle reste possible dans l'exacte mesure où la différence (la spécificité, la singularité) n'est pas pure. Le travail de lecture consiste toujours, à un degré plus ou moins grand, non à oblitérer la différence, mais à la démonter, à la présenter comme un *effet de différence* dont on peut connaître le fonctionnement. Sans jamais « atteindre » le texte, la lecture pourra s'en approcher infiniment.

Distinguons la lecture des autres types d'activité que nous venons de décrire. La différence est double, par rapport à la projection : celle-ci refuse aussi bien l'autonomie de l'œuvre que sa particularité. La relation avec le commentaire est plus complexe : le commentaire est une lecture atomisée, la lecture, un commentaire systématique. Mais qui vise le système doit renoncer au principe de fidélité littérale, qui fonde, on l'a vu, l'activité du commentateur. Dans le travail de lecture, le critique sera amené à mettre provisoirement entre parenthèses certaines parties du texte, à en reformuler d'autres, à compléter, là où il sent une absence significative. Derrida, qui a produit récemment quelques lectures philosophiques exemplaires, le dit : « Réciproquement, ne lirait même pas celui que la "prudence méthodologique" les "normes de l'objectivité", et les "garde-fous du savoir" retiendraient d'y mettre du sien. » On n'accède pas directement à la fidélité, on la conquiert; elle implique des abandons fréquents, mais non irresponsables.

La relation de la lecture avec la poétique n'est pas simple non plus : l'une n'est pas l'envers, ou le complément symétrique de l'autre. La lecture présuppose la poétique : elle y trouve ses concepts, ses instruments; en même temps elle n'est pas la simple illustration de ces concepts, car son objet est autre : un texte. L'appareil de la poétique cesse d'être un but en soi pour devenir un instrument (indispensable) dans la recherche et la description du système individuel. Le cadre ainsi esquissé reste encore bien large : nous devons, pour le spécifier, distinguer la lecture de ses parents les plus proches. Je l'opposerai, pour ce faire, à deux autres activités, que j'appellerai, en restreignant le sens des mots, l'*interprétation* et la *description*.

Le terme d'*interprétation* se réfère ici à toute substitution d'un texte autre en place du texte présent, à toute démarche qui cherche à découvrir, à travers le tissu textuel apparent, un deuxième texte plus authentique. L'interprétation a dominé, on le sait, la tradition occidentale, des exégèses allégoriques et théologiques du Moyen Age jusqu'à l'herméneutique contemporaine. La conception du texte comme palimpseste n'est pas étrangère à la lecture ; mais au lieu de remplacer un texte par un autre, cette dernière décrit la relation des deux. Pour la lecture, le texte n'est jamais autre, il est multiple.

Ce refus de la substitution est radical, et il couvre aussi bien les interprétations psychanalytiques. Une certaine doctrine, périmée aujourd'hui, voulait que le système de l'œuvre fût constitué par les intentions conscientes de l'auteur ; de nos jours, par un renversement beaucoup trop symétrique, on nous dit que ce sont les désirs inconscients de ce même auteur qui formeraient le système. La lecture du texte littéraire ne saurait être « symptomale », c'est-à-dire visant à reconstituer un second texte qui s'articule sur les lapsus du premier ; elle ne saurait privilégier l'inconscient (pas plus que la conscience) en cherchant obligatoirement un système « inaperçu » de l'écrivain. L'opposition entre inconscient et conscience nous renvoie à un hors-texte dont la lecture n'a que faire.

Il ne faut pas conclure, de ce refus de privilégier les éléments inconscients (ou conscients) d'un système, à un refus général d'accorder un privilège à quelque partie que ce soit de l'œuvre, à une lecture monotone qui attribue à toute phrase du texte, à tout membre de la phrase, une importance égale. Il existe des points de focalisation, des nœuds, qui dominent stratégiquement le reste. Mais l'on ne saurait appliquer, pour découvrir ces nœuds, une procédure qui s'appuie sur des critères extérieurs. Ils seront choisis en fonction de leur rôle dans l'œuvre, non de leur place dans la psyché de l'auteur. C'est même ce choix qui situe une lecture par rapport à une autre, et c'est cette attention préférentielle qui détermine l'existence d'un nombre indéfini de lectures. Si la lecture ne privilégiait pas certains points du texte, elle pourrait être rapidement épuisée : on aurait fixé une fois pour toutes la « bonne » lecture de chaque œuvre. Le choix des nœuds, qui peut varier infiniment, produit en revanche la variété de lectures que nous connaissons; c'est lui qui nous fait parler d'une lecture plus ou moins riche (et non simplement vraie ou fausse), d'une stratégie plus ou moins appropriée.

On distinguera d'autre part la lecture de la *description*, terme par lequel je me réfère aux travaux d'inspiration linguistique qui ont porté essentiellement sur l'analyse de la poésie. La différence ici n'est pas dans la direction générale de l'étude mais dans le choix des présupposés méthodologiques particuliers. Énumérons les principaux :

1) Pour la description, toutes les catégories du discours littéraire sont données d'avance, une fois pour toutes, et l'œuvre particulière se situe par rapport à elles comme un nouveau produit chimique par rapport au système périodique de Mendeleïev, qui est intemporel. Seule la combinaison est nouvelle, la combinatoire reste toujours la même; ou encore; les règles restent telles quelles, seul change l'ordre de leur application. Dans la perspective de la lecture, le texte est à la fois produit d'un système de catégories littéraires préexistantes, et transformation de ce même système; le nouveau texte modifie la combinatoire même dont il est le produit, il change non seulement l'ordre d'application des règles, mais leur nature. La seule exception — mais qui ne fait que confirmer la loi — sont les œuvres qui appartiennent à ce que nous appelons la « littérature de masse » et qui se laissent entièrement déduire à partir de leur genre, tel qu'il s'est déjà manifesté auparavant. En ne se donnant pas les moyens de décrire comment l'œuvre transforme le système dont elle est le produit, la description affirme implicitement l'appartenance de toutes les œuvres à la « littérature de masse ».

2) Pour la description, les catégories linguistiques d'un texte sont automatiquement pertinentes sur le plan littéraire, dans l'ordre exact selon lequel elles s'organisent dans le langage. En son déroulement même, la description suit la stratification de l'objet linguistique : elle passe des traits distinctifs aux phonèmes, des catégories grammaticales aux fonctions syntaxiques, de l'organisation rythmique du vers à celle de la strophe, etc. De ce fait, toutes les catégories grammaticales, par exemple, se trouvent signifier sur le même plan, et les unes par rapport aux autres (comme l'avait déjà remarqué Riffaterre). Quant à

la lecture, elle fait sien un autre postulat : l'œuvre littéraire opère un court-circuitage systématique de l'autonomie des niveaux linguistiques. Une forme grammaticale y est mise en contiguïté avec tel thème du texte, la constitution phonique ou graphique d'un nom propre engendrera la suite du récit. L'organisation du texte littéraire se fait autour d'une pertinence qui n'appartient qu'à lui ; accepter automatiquement celle du langage, c'est soumettre le texte sinon à un « dehors », au moins à un « avant ».

3) Pour la description, l'ordre d'apparition des éléments textuels, le déroulement syntagmatique ou temporel n'a aucune, ou presque aucune, importance. Comme l'écrit Lévi-Strauss, « l'ordre de succession chronologique se résorbe dans une structure matricielle atemporelle ». En pratique, la description d'un poème doit aboutir à un diagramme qui figure le système du texte sous forme d'une organisation spatiale. La lecture, on l'a vu, part du principe qu'aucune partie de l'œuvre ne peut être déclarée *a priori* dépourvue de signification, pas plus l'ordre syntagmatique que tel ou tel thème. Toute autre position équivaut à un rétablissement de la dichotomie forme-fond, d'un couple de termes dont l'un est essentiel, alors que l'autre, superficiel, peut être écarté sans grands dommages.

Ces distinctions entre la lecture et ses doubles ne doivent pas nous amener à penser qu'un abîme les sépare, et que rien ne les réunit. On doit précisément *lire* les interprétations et les descriptions, et non les rejeter ou les accepter en bloc. Sans la pratique de la description, par exemple, nous n'aurions pas su être attentifs aux aspects phonique et grammatical du texte.

Ce dessin en creux de la lecture nous a déjà familiarisés avec certaines de ses pratiques ; essayons à présent de les détailler un peu.

Le geste inaugural de toute lecture est un certain bouleversement de l'ordre apparent du texte. Dans sa linéarité de surface, l'œuvre se présente comme une pure différence : de cette œuvre aux autres, d'une partie de l'œuvre comparée au reste ; le travail de lecture commence par le rapprochement, par la découverte de la ressemblance. En ce sens, il y a une analogie entre la lecture et la traduction, qui repose également sur la possibilité de trouver un équivalent à une partie du texte. Mais alors que dans la traduction on oriente le texte vers une autre série, vers un hors-texte, on se dirige dans la lecture vers un *in-texte* : il s'agit toujours de ressemblance intra-textuelle ou inter-textuelle (le mot « ressemblance » est pris ici dans un sens très général, proche de celui de « relation »; on le spécifiera par la suite).

Un *certain* bouleversement, disions-nous : car bouleverser ne veut pas dire ignorer. L'ordre apparent n'est pas le seul, et notre tâche sera de mettre en évidence *tous* les ordres du texte et d'en spécifier les interrelations. La lecture littéraire ne pourra donc pas se modeler à l'image de la lecture des mythes, dont Lévi-Strauss nous dit : « Considérée à l'état brut, toute chaîne syntagmatique doit être tenue pour privée de sens; soit qu'aucune signification n'apparaisse, de prime abord, soit que l'on croie percevoir un sens, mais alors sans savoir si c'est le bon ». Un même geste, qui est le refus de se contenter de l'organisation perceptible d'un texte prend ici et là des significations différentes : dans la perspective de la lecture chaque couche du texte a un sens.

Je réduirai, pour simplifier, les opérations constitutives de la lecture à deux seulement que j'appellerai : superposition et figuration, et que j'examinerai brièvement à deux niveaux, contigus et néanmoins distincts, l'intratextuel et l'intertextuel.

La *superposition intratextuelle* repose sur un principe que nous avons énoncé plus haut : l'absence d'étanchéité entre les niveaux linguistiques de l'œuvre, la possibilité de passage immédiat d'un niveau à l'autre. La superposition aura donc pour but l'établissement non pas seulement de classes d'équivalence, mais de toute relation descriptible : qu'elle soit de ressemblance (au sens strict), d'opposition, de gradation, ou encore de causalité, de conjonction, de disjonction, d'exclusion. Un exemple remarquable d'un tel travail se trouve dans l'étude que Boris Eikhenbaum consacrait, il y a cinquante ans, à la construction du *Manteau* de Gogol. Une analyse phonique des noms propres et communs permet à Eikhenbaum de dévoiler l'organisation du récit; des considérations sur le rythme des phrases trouvent leur écho immédiat dans l'analyse des thèmes. Dans une étude parue récemment dans *Poétique*, Christiane Veschambre montre l'engendrement du récit rousselien à partir d'une analyse anagrammatique des noms des personnages. Ces exemples, qui mettent tous deux en valeur la constitution graphique ou phonique des mots, ne doivent pas être pris comme l'affirmation d'une dominance légitime et universelle de la couche signifiante première sur toutes les autres. Le supposer serait à nouveau privilégier de droit une partie du texte par rapport aux autres (et donc rétablir l'opposition forme-fond avec tout ce qu'elle implique); ce serait oublier que tous les niveaux de l'œuvre sont signifiants, bien que de manière différente. De telles analyses anagrammatiques ont une valeur d'exemple plutôt que de loi universelle pour la structure des textes.

Je prendrai comme exemple de la seconde opération, que j'ai appelée *figuration*, un autre travail du même Eikhenbaum (en restant toujours au niveau *intratextuel*). Dans son étude consacrée à la poétesse russe Anna Akhmatova, il relève d'abord la fréquence des constructions en oxymoron, du type : « Elle s'attriste gaiement parée dans sa nudité » ou encore « l'automne printanière », pour émettre ensuite l'hypothèse que sur tous les niveaux cet œuvre poétique obéit à la figure de l'oxymoron, qu'on y trouve « un style particulier dont la base est l'oxymorisme, la surprise des enchaînements; cela se reflète non seulement dans les détails stylistiques, mais aussi dans le sujet ». Ainsi sur le plan de la composition : « Souvent la strophe se subdivise en deux parties entre lesquelles il n'y a aucune liaison sémantique. » « Un poème se meut sans cesse sur deux parallèles, de sorte qu'il est possible de le diviser en deux, en réunissant toutes les premières et toutes les secondes moitiés de strophes. » De même pour l'élément thématique organisateur de l'ensemble, le « je lyrique » dans la poésie d'Akhmatova : « Ici commence déjà à se former l'image de l'héroïne, paradoxale dans sa duplicité (plus exactement dans son oxymoron) : tantôt pécheresse aux passions fougueuses, tantôt nonne des pauvres qui peut obtenir son pardon de Dieu. » « L'héroïne d'Akhmatova qui réunit en elle toute la chaîne d'événements, de scènes ou de sensations est un oxymoron incarné, le récit lyrique dont elle occupe le centre se meut par des antithèses, des paradoxes, il esquive les formulations psychologiques; il devient étrange par l'incohérence des états d'âme. L'image devient énigmatique, inquiétante, elle se dédouble, se multiplie. L'émouvant et le sublime se trouvent à côté du terrifiant, du terrestre; la simplicité cotoie la complexité; la sincérité, la ruse et la coquetterie; la bonté, la colère; l'humilité monacale, la passion et la jalousie. »

Encore une fois, il ne faut pas prendre l'exemple pour une règle universelle, la figure décrite par Eikhenbaum se trouve être un oxymoron, qui est une figure de rhétorique bien connue; mais l'on doit donner au terme de figure une extension plus grande, d'autant plus que les figures ne sont rien d'autres que des relations linguistiques que nous savons percevoir et dénommer : c'est l'acte dénominatif qui donne naissance à la figure. La figure qu'on lira à travers les différents niveaux de l'œuvre peut très bien ne pas se trouver dans le répertoire des rhétoriques classiques. En étudiant les nouvelles de Henry James, je me suis heurté à une telle « figure dans le tapis »; en schématisant, on pourrait la réduire à cette formule : « l'essence est absente, la présence est inessentielle ». Cette même « figure » organise aussi bien les thèmes que la syntaxe de James, la composition de l'histoire tout autant que les « points de vue » dans le récit. On ne saurait accorder *a priori* un statut de « premier », d' « original » à aucun de ces niveaux (les autres en étant l'expression ou la manifestation); en revanche, à l'intérieur d'un texte particulier, on pourra découvrir une hiérarchie de ce genre. On voit par ailleurs qu'il n'y a pas de rupture entre superposition et figuration : celle-ci prolonge et élabore çelle-là.

De même que le sens d'une partie de l'œuvre ne s'épuise pas en elle-même, mais se révèle dans ses relations avec les autres parties, une œuvre entière ne pourra jamais être lue de manière satisfaisante et éclairante si l'on ne la met pas en rapport avec d'autres œuvres, antérieures et contemporaines. En un certain sens, tous les textes peuvent être considérés comme des parties d'un seul texte qui s'écrit depuis que le temps existe. Sans ignorer la différence entre des rapports qui s'établissent *in praesentia* (intratextuels) et *in absentia* (intertextuels), on ne doit pas non plus sous-estimer la présence d'autres textes dans le texte.

On retrouve à ce niveau les deux opérations précédentes bien que modifiées. La *figuration* peut opérer d'un ouvrage à l'autre du même auteur. C'est ici que cette notion problématique qu'est « l'œuvre d'un écrivain » peut retrouver une pertinence. Les différents textes d'un auteur apparaissent comme autant de variations les uns des autres, ils se commentent, et s'éclairent mutuellement. D'une manière non systématique, ce mode de lecture apparaît en critique depuis ses origines; les Formalistes russes (Eikhenbaum, Jakobson) ont su donner à la figure intertextuelle beaucoup plus de netteté. En France, c'est dans les travaux de Charles Mauron qu'on rencontre pour la première fois une tendance à lire systématiquement le texte en palimpseste, comme transformation et commentaire d'un texte précédent du même auteur : la figure devient ici une « métaphore obsédante ». Il n'est pas nécessaire pour autant de suivre Mauron lorsqu'il extrapole des œuvres une entité idéelle, qui leur serait antérieure en droit et en fait, « le mythe personnel » : il n'est pas nécessaire de postuler l'existence d'un original pour considérer les textes particuliers comme ses transformations ; le texte est toujours la transformation d'une autre transformation.

La figuration est seulement l'un des rapports possibles entre textes ; on ne peut l'observer qu'à l'intérieur d'un œuvre individuel ; entre textes d'auteurs différents, on parlerait de plagiat, activité pénalisée par notre culture. Mais les rapports des œuvres entre elles (même des ouvrages d'un seul auteur) peuvent être autres, et à ce moment nous revenons à l'opération de *superposition*. Distinguons d'abord, à l'intérieur de celles-ci, les relations de type paradigmatique (où l'autre texte est absent et n'agit pas en retour) des relations syntagmatiques, où le second texte réagit activement. Dans le premier cas, suivant que la nouvelle œuvre confirme ou infirme les propriétés de la précédente, il s'agira des phénomènes de stylisation ou de parodie. Tynianov, qui est le premier à avoir théorisé cette problématique, note déjà en 1921 : « La stylisation est proche de la parodie. L'une et l'autre vivent d'une double vie : au-delà de l'œuvre, il y a un second plan, parodié ou stylisé. Mais dans la parodie, les deux plans doivent être nécessairement discordants, décalés ; la parodie d'une tragédie sera une comédie (peu importe que ce soit en exagérant le tragique, ou en lui substituant, pour chacun de ses éléments, du comique) ; la parodie d'une comédie peut être une tragédie. Mais lorsqu'il y a stylisation, il n'y a plus cette même discordance, mais, bien au contraire, concordance des deux plans : celui du *stylisant* et celui du *stylisé* qui transparaît à travers lui. »

Dans le cas des relations syntagmatiques, le texte étranger n'est pas un simple modèle qui se laisse imiter ou ridiculiser, il provoque ou modifie le discours présent ; la formule est celle du couple question-réponse et l'on désigne habituellement cette relation comme une polémique cachée. C'est un des derniers Formalistes, Mikhaïl Bakhtine, qui a, à la fois, décrit en détail ce phénomène chez Dostoïevski, et présenté une première — et pour l'instant la seule — théorie des relations intertextuelles. Son mérite est d'avoir reconnu l'importance d'un aspect de l'œuvre que l'on avait traité jusqu'alors avec condescendance. Or, comme l'écrit Bakhtine, « tout discours littéraire, sent, d'une manière plus ou moins aiguë, son auditeur, lecteur, critique, et reflète en lui-même ses éventuelles objections, appréciations, points de vue ». Ainsi ce que l'on avait jugé jusque-là être un trait secondaire, affectant un nombre limité d'ouvrages, est réévalué entièrement; en même temps, on affirme que le texte se réfère toujours, positivement ou négativement, à la tradition littéraire régnante : « tout style possède un élément de polémique interne, la différence n'est que de degré ou d'espèce. »

Comment lire : en essayant de répondre à cette question, nous avons été amené à caractériser successivement plusieurs types de discours critique — la projection, le commentaire, la poétique, la lecture. Différents entre eux, ces discours ont aussi un trait commun : ils sont tous hétérogènes au discours littéraire lui-même. Quel est le prix de ce choix — lire un langage à travers un autre, un système symbolique par l'intermédiaire d'un autre? Freud avait remarqué que le rêve ne sait pas dire « non »; la littérature n'aurait-elle pas, à son tour, quelques éléments que le langage ordinaire ne sait pas dire?

Il y a sans doute une part *inthéorisable* de la littérature (pour reprendre un mot de Michel Deguy) si la théorie présuppose le langage scientifique. Une fonction de la littérature est la subversion de ce même langage; il est alors extrêmement aventureux de prétendre qu'on peut la lire exhaustivement à l'aide de ce même langage qu'elle met en question. Le faire, équivaut à postuler l'échec de la littérature. En même temps, ce dilemme est beaucoup trop englobant pour qu'on puisse lui échapper : placés en face d'un poème, nous ne pouvons que nous résoudre à l'appauvrissement apporté par un langage différent, ou bien, solution factice, écrire un autre poème. Factice, car ce second texte sera une nouvelle œuvre qui toujours attend sa lecture : l'entière autonomie enlève à la critique sa raison d'être, tout comme sa soumission au langage quotidien la frappe d'une certaine stérilité. Reste, bien entendu, une tierce solution qui est le silence : on ne saurait en parler.

COMMENT LIRE?

La métaphore de l'itinéraire étant particulièrement usitée dans toute description de la lecture, disons que l'un des chemins possibles nous mène au-delà du texte; l'autre, nous laisse en deçà (la troisième solution consiste à ne pas partir). Les ramener aussi près que possible l'un de l'autre : n'est-ce pas déjà se donner l'espoir qu'ils vont se rejoindre un jour?

1969.

Table

REPRINT/AUBIN À LIGUGÉ (1.86)
D.L. 2ᵉ TRIM. 1971. Nº 2782-4 (597)

DANS LA MEME COLLECTION

JEAN RICARDOU
Nouveaux Problèmes du roman

JEAN-PIERRE RICHARD
Proust et le Monde sensible
Microlectures
Pages Paysages

MICHAEL RIFFATERRE
La Production du texte
Sémiotique de la poésie

NICOLAS RUWET
Langage, Musique, Poésie

TZVETAN TODOROV
Introduction à la littérature fantastique
coll. Points
Poétique de la prose
Théories du symbole
Symbolisme et Interprétation
Les Genres du discours
Mikhaïl Bakhtine le principe dialogique
Critique de la critique

HARALD WEINRICH
Le Temps

RENE WELLEK ET AUSTIN WARREN
La Théorie littéraire

PAUL ZUMTHOR
Essai de poétique médiévale
Langue, Texte, Enigme
Le Masque et la Lumière
Introduction à la poésie orale